Anna Breitsameter
Sabine Glas-Peters
Angela Pude

MENSCHEN

Deutsch als Fremdsprache
Arbeitsbuch

Hueber Verlag

Literaturseiten:
Ein seltsamer Fall; Harry Kanto macht Urlaub: Urs Luger, Wien

Fotoproduktion: Iciar Caso, Wessling
Fotograf: Florian Bachmeier, Schliersee

6. 5. 4. | Die letzten Ziffern
2022 21 20 19 18 | bezeichnen Zahl und Jahr des Druckes.
Alle Drucke dieser Auflage können, da unverändert,
nebeneinander benutzt werden.
1. Auflage

Umschlaggestaltung: Sieveking · Agentur für Kommunikation, München
Zeichnungen: Michael Mantel, Barum
Layout und Satz: Sieveking · Agentur für Kommunikation, München
Verlagsredaktion: Jutta Orth-Chambah, Nikolin Weindel, Marion Kerner, Hueber Verlag, München
Druck und Bindung: Kessler Druck + Medien GmbH & Co. KG, Bobingen
Printed in Germany
ISBN 978-3-19-111903-4

Art. 530_10050_001_04

VORWORT

Das Arbeitsbuch *Menschen* dient dem selbstständigen Üben und Vertiefen des Lernstoffs im Kursbuch.

Aufbau einer Lektion:

Basistraining: Vertiefen und Üben von Grammatik, Wortschatz und Redemitteln. Es gibt eine Vielfalt von Übungstypologien, u.a. Aufgaben zur Mehrsprachigkeit (Bewusstmachen von Gemeinsamkeiten und Unterschieden zum Englischen und/ oder anderen Sprachen).

Training Hören, Lesen, Sprechen und Schreiben: Gezieltes Fertigkeitentraining, das unterschiedliche authentische Textsorten und Realien sowie interessante Schreib- und Sprechanlässe umfasst. Diese Abschnitte bereiten gezielt auf die Prüfungen vor und beinhalten Lernstrategien, Lern- und Prüfungstipps.

Training Aussprache: Systematisches Üben von Satzintonation, Satzakzent und Wortakzent sowie Einzellauttraining.

Test: Möglichkeit für den Lerner, den gelernten Stoff zu testen. Der Selbsttest besteht immer aus den drei Kategorien *Wörter*, *Strukturen* und *Kommunikation*.
Je nach Testergebnis stehen im Internet unter *www.hueber.de/menschen/lernen* vertiefende Übungen in drei verschiedenen Schwierigkeitsgraden zur Verfügung.

Lernwortschatz: Der aktiv zu lernende Wortschatz mit Angaben zum Sprachgebrauch in der Schweiz (CH) und in Österreich (A).

Modulseiten:
Weitere Aufgaben, die den Stoff des Moduls nochmals aufgreifen und kombiniert üben.

Wiederholungsstation Wortschatz/Grammatik bietet Wiederholungsübungen zum gesamten Modul.

Selbsteinschätzung: Mit der Möglichkeit, den Kenntnisstand selbst zu beurteilen.

Rückblick: Abrundende Aufgaben zu jeder Kursbuchlektion, die den Stoff einer Lektion noch einmal in zwei unterschiedlichen Schwierigkeitsstufen zusammenfassen.

Literatur: In unterhaltsamen Episoden wird eine Fortsetzungsgeschichte erzählt.

Piktogramme und Symbole

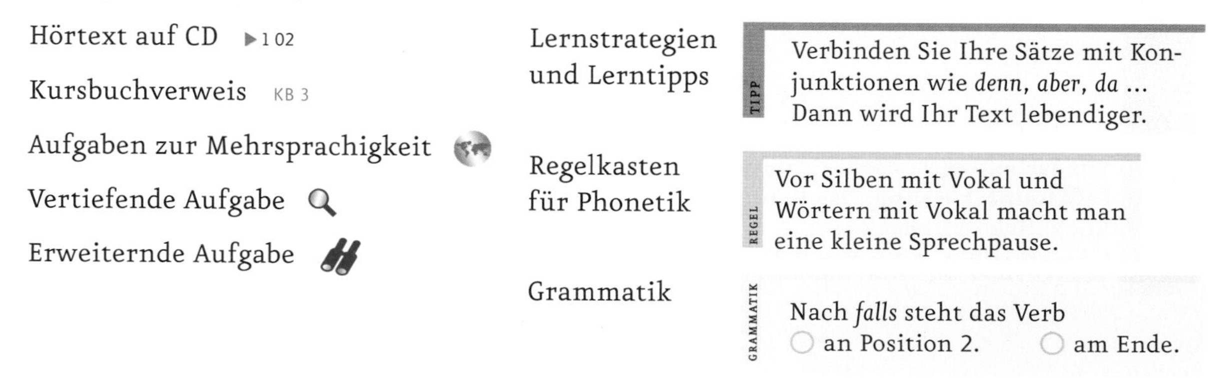

Übungen in drei Schwierigkeitsgraden zu den Selbsttests und die Lösungen zu allen Aufgaben im Arbeitsbuch finden Sie im Internet unter *www.hueber.de/menschen/lernen*.

INHALT

INHALT

Ihr seid einfach die Besten!

KB 3 **1** WÖRTER

Meine nette Großfamilie.
Wie sind die Familienmitglieder? Ordnen Sie zu.

großzügig | ~~vernünftig~~ | frech | sparsam | mutig | treu | ernst | ordentlich | klug | kreativ | aufmerksam

a Meine älteste Schwester Petra macht viel Sport, geht immer möglichst früh ins Bett und isst gesund. Warum kann ich nicht auch so vernünftig sein wie sie?
b Meine Schwester Lena hat super Noten in der Schule, weil sie sehr ________________ ist. Sie lacht nicht so viel, nicht einmal über meine Witze. Na ja, sie ist eben ein ________________er Mensch.
c Mein kleiner Bruder Jonas ist immer total aktiv. Aber in der Schule ist er manchmal nicht so ________________. Er hatte auch schon öfter Ärger, weil er ________________ zu den Lehrern war. In der Freizeit macht er oft gefährliche Klettertouren. Er ist sehr ________________. Das finde ich toll.
d Meine Mutter ist ein bisschen chaotisch, aber sie hat immer gute Ideen. Sie malt und ist ________________. Außerdem ist sie ________________: Wenn ich mal wieder kein Geld habe – ich bin nämlich gar nicht ________________ – gibt sie mir auch mal zehn Euro.
e Wir räumen alle nicht so gern auf. Das macht meistens unser Vater. Er ist ziemlich ________________.
f Und Bello ist total süß und liebt jeden von uns. Er ist eben ein ________________er Hund.

KB 3 **2**  WÖRTER

Ergänzen Sie und vergleichen Sie.

Deutsch	Englisch	Meine Sprache oder andere Sprachen
f a i r	fair	
i _ _ _ _ _ _ _ _ _ _	intelligent	
k _ _ _ _ _ _	creative	
n _ _ _ _ _	nervous	

KB 4  WÖRTER

Ergänzen Sie die Anzeigen.

Professor (a) (50 Jahre) möchte kluge D _ m _ (b) mit H _ m _ r (c) und L _ b _ nsfre _ de (d) kennenlernen.

Schlechte Noten in Englisch? Student gibt N _ c _ h _ l _ e (e)

Zwei Wochen zu Fuß durch die tunesische Sahara.
Du liebst das A _ e _ t _ u _ r (f)? Dann komm doch mit!

Wie unser Denken unser Leben b _ e _ n _ lu _ s _ n (g) kann:
Glück und fi _ a _ z _ e _ l _ r (h) Erfolg durch positives Denken!

BASISTRAINING

KB 4

4 Adjektive als Nomen

STRUKTUREN ENTDECKEN

a Wie heißen die Adjektive? Notieren Sie.

1 ■ Weißt du schon, dass Johanna und Thomas eine Reise gewonnen haben?
▲ Wow, die Glücklichen. glücklich
2 ■ Martin ist schon seit drei Tagen krank.
▲ Oh je, der Arme. ______________
3 ■ Wer ist denn diese Frau da neben Stefan?
▲ Meinst du die Hübsche? Das ist Stefans neue Freundin. ______________
4 ■ Benjamin ist erst fünf und kann schon lesen.
▲ Ich glaube, das wird mal ein sehr Kluger. ______________

b Schreiben Sie die Nomen aus a in die Tabelle. Ergänzen Sie dann die fehlenden Formen.

	glücklich	arm	hübsch	klug
●	der ______ ein ______	der ______ ein ______	der ______ ein ______	der ______ ein ______
●	die/eine ______	die/eine ______	die/eine ______	die/eine ______
●	die Glücklichen ______	die ______ ______	die ______ ______	die ______ Kluge

KB 4

5 Ergänzen Sie.

STRUKTUREN

a ■ Wer war denn die Blonde (blond) bei Roberts Fest?
▲ Eine ______________ (blond)? Die habe ich gar nicht gesehen.
b ■ Können Sie mir helfen? Ich suche ein Deutschbuch für einen ______________ (jugendlich).
▲ Hier, das ist für junge ______________ (erwachsen) ab 16 Jahren.
c ▲ Hast du gerade mit deinem Chef telefoniert?
■ Nein, mit Herrn Friedrich, einem ______________ (angestellt). Warum fragst du?
d ▲ Top-Manager bekommen ganz schön viel Geld.
■ Ja, ein normaler ______________ (angestellt) verdient leider nicht so viel.
e ▲ Wir sind international. Außer mir gibt es nur noch eine ______________ (deutsch).
f ▲ Meine Mutter feiert am Samstag ihren Geburtstag. Diesmal kommen auch alle unsere ______________ (verwandt) aus Berlin.

KB 5

6 Ergänzen Sie -(e)n, wo nötig.

STRUKTUREN

a Mein Kollege– ist Portugiese____. Er spricht aber sehr gut Französisch, weil sein Vater Franzose____ ist.
b Mein Chef Herr____ Müller ist ein freundlicher Mensch____.
c Wir gratulieren unserem Kollege____ zum Geburtstag.
d Ich habe nur zwei Kollege____, einen Deutsche____ und einen Pole____.
e Hilf doch bitte mal dem Praktikant____.
f Ich muss Herr____ Schmitz unbedingt anrufen. Er ist ein wichtiger Kunde____ für uns.

BASISTRAINING

KB 6 | 7 | KOMMUNIKATION

Einladung zum Essen: Ordnen Sie zu.

meine beste Freundin | die Ordentlichste | mein neuer Freund | großen Respekt | ~~meine Mitbewohnerin~~ | keine bessere Mitbewohnerin | zwei Jahre lang | niemanden | besonders wichtig

Paul, ich stell dir einfach mal Jutta und Rita vor.
Also, das ist Rita, meine Mitbewohnerin (a).
Wir wohnen schon ______________________ (b)
zusammen. Rita hat total viel Humor. Außerdem ist ihr Zimmer immer besonders gut aufgeräumt. Sie ist ______________________ (c) in unserer WG und sie ist sehr nett.
Also, man kann sich ______________________ (d) wünschen.
Kennst du eigentlich schon Jutta? Sie ist ______________________ (e). Wir waren ein Jahr lang in Polen und haben dort studiert. Ich kenne ______________________ (f), der diese schwierige Sprache so gut spricht wie sie. Davor habe ich ______________________ (g).
Und außerdem kann ich mit ihr über alles reden. Das ist mir ______________________ (h).
Und das ist Paul, ______________________ (i).

KB 7 | 8 | KOMMUNIKATION

Ordnen Sie zu.

total müde | ziemlich gut aus | ~~echt süß~~ | wahnsinnig viel | nicht besonders sympathisch

■ Heikes neuer Freund ist echt süß (a).
Findest du nicht auch?
▲ Na ja, er sieht ______________________ (b).
Aber ehrlich gesagt, finde ich ihn ______________________ (c). Er hat ja kaum mit uns gesprochen und ist fast am Tisch eingeschlafen.
■ Ich glaube, er war einfach ______________________ (d). Heike hat doch gesagt, dass er immer ______________________ (e) arbeiten muss.

KB 8 | 9 | SCHREIBEN

Sie suchen ein Zimmer. Lesen Sie die Anzeige und schreiben Sie eine Antwort.

Wir – das sind Carla, Musikstudentin, Anna, Physikstudentin und Paul, Architekt – suchen eine neue Mitbewohnerin / einen neuen Mitbewohner. Wir unternehmen oft etwas zusammen: ins Kino oder ins Konzert gehen … Bei uns ist ein helles Zimmer (16 m²) mit Balkon für nur 380 Euro frei. Möchtest Du bei uns einziehen? Dann schreib uns, warum Du die/der Richtige für uns bist. Wir freuen uns auf Deine Mail!

Stellen Sie sich in Ihrer E-Mail vor. Schreiben Sie …

– was Sie beruflich machen.
– was Sie gern in der Freizeit machen.
– welche Stärken und Schwächen Sie als Mitbewohnerin/Mitbewohner haben.
– warum Sie gern einziehen würden.

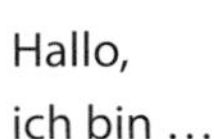

Hallo,
ich bin …

TRAINING: LESEN

1 Die lieben Kollegen!

Lesen Sie den Text und die Aussagen. Zu wem passen die Aussagen?
Ordnen Sie zu: K = der Kreative, F = der Fleißige, S = der Soziale und L = der Lustige

a Ihr/Ihm ist es wichtig, dass sie/er ihre/seine Arbeit sehr gut macht. F
b Ihr/Ihm ist Ordnung nicht so wichtig. ____
c Man sollte mit ihr/ihm mal zusammen Pause machen. ____
d Sie/Er ist nicht besonders ernst. ____
e Man sollte ihr/ihm manchmal danken. ____

> TIPP
> Sehen Sie sich die Bilder zu einem Text an, dann verstehen Sie den Text leichter.

So sind sie, die lieben Kollegen!
Mit manchen Kolleginnen und Kollegen verbringen wir mehr Zeit als mit unseren Freunden oder der Familie. Hier zeigen wir Ihnen ein paar Kollegen-Typen und geben Tipps, worauf Sie im Arbeitsalltag mit ihnen achten müssen.

Der Kreative hat oft tolle Ideen, die aber nicht immer realistisch sind. Aber Achtung: Seien Sie vorsichtig, wenn Sie ihn kritisieren. Denn den Kreativen kann man leicht verletzen. Außerdem ist er nicht besonders ordentlich.

Der Fleißige kommt als Erster, geht als Letzter und macht meistens keine Mittagspause. Er möchte alles möglichst perfekt machen. Keine Panik, nicht jeder muss täglich 12 Stunden arbeiten. Fragen Sie ihn doch mal, ob er in der Mittagspause mit Ihnen zusammen essen gehen will. Vielleicht freut er sich ja.

Der Soziale kümmert sich um seine Kollegen, bringt bei Geburtstagen Kuchen mit und organisiert Feste in der Firma. Freuen Sie sich, wenn Sie so einen Kollegen im Team haben. Schön, wenn Sie sich mal bei ihm bedanken.

Der Lustige hat immer gute Laune und macht Witze. Manchmal stört er die Kollegen bei der Arbeit, weil er zu viel spricht. Das dürfen Sie ihm dann ruhig sagen, auch wenn er eigentlich keine Kritik mag. Seine Kollegen sind seine Freunde und am liebsten trifft er sie auch privat.

TRAINING: AUSSPRACHE *Akzent und Rhythmus bei Gradpartikeln*

▶1 02 **1 Hören Sie und markieren Sie den Hauptakzent im Wort/in der Wortgruppe.**

a nervös – ziemlich nervös
b intelligent – total intelligent
c ordentlich – gar nicht ordentlich
d kritisch – wahnsinnig kritisch
e kreativ – wirklich kreativ

▶1 03 **Hören Sie noch einmal und sprechen Sie nach.**

▶1 04 **2 Hören Sie und variieren Sie dann den Dialog mit den Beispielen aus 1.**

■ Wie ist denn dein neuer Kollege so?
▲ Er wirkt nervös. / Er wirkt ziemlich nervös.

TEST

1 Bilden Sie Wörter und ordnen Sie dann zu.

Wörter

krea | ernst | lich | zügig | ~~tisch~~ | spar | groß | ordent | tiv | sam | ~~kri~~

Jemand, der …
– nicht mit allem einverstanden ist, ist kritisch (a).
– immer seine Wohnung aufräumt, ist ____________ (b).
– nicht viel Geld braucht, ist ____________ (c).
– nicht fröhlich und lustig ist, ist ____________ (d).
– immer neue, gute Ideen hat, ist ____________ (e).
– seine Freunde gern zum Essen einlädt und ihnen oft Geschenke macht, ist ____________ (f).

_ / 5 Punkte

2 Ergänzen Sie die Nomen in der richtigen Form.

Strukturen

a In der Oper „Die Kluge“ geht es um eine mutige und intelligente Bauerntochter. (klug)
b Du hast einen neuen Freund? Wie heißt denn der ____________? (glücklich)
c Dieser Film ist nur für ____________. (erwachsen)
d Deine Tochter ist wirklich eine ____________. (hübsch)
e Dr. Koch hat schon vielen ____________ geholfen. (krank)

_ / 4 Punkte

3 Ergänzen Sie die Endung, wo nötig.

Strukturen

Liebe Kollege*n* (a),
ich möchte Ihnen Vincent Frech vorstellen, unseren neuen Praktikant____ (b).
Er ist Student____ (c) und arbeitet die nächsten drei Monate bei uns. In den ersten Wochen soll er die Kollege____ (d) in der Exportabteilung unterstützen und mit den Kunde____ (e) in Frankreich telefonieren. Da sein Vater Franzose____ (f) ist, spricht Vincent ausgezeichnet Französisch. Ich bitte Sie darum, dass Sie unserem neuen jungen Kollege____ (g) helfen und ihm alles erklären.

_ / 6 Punkte

4 Ordnen Sie zu.

Kommunikation

Besonders wichtig | Das ist | Niemand ist so | Das war echt | Zwei Jahre lang | Er ist mein | Man kann sich | Wer ihn noch

____________ (a) Florian. ____________ (b) nicht kennt: ____________ (c) Cousin. ____________ (d) haben wir zusammen in Hamburg in einer WG gewohnt. ____________ (e) eine tolle Zeit! ____________ (f) lustig wie er, wir haben die ganze Zeit nur gelacht. ____________ (g) für mich ist aber auch, dass er immer sagt, was er denkt. Das gefällt mir. ____________ (h) keinen besseren Verwandten wünschen.

_ / 8 Punkte

Wörter		Strukturen		Kommunikation	
●	0–2 Punkte	●	0–5 Punkte	●	0–4 Punkte
●	3 Punkte	●	6–7 Punkte	●	5–6 Punkte
●	4–5 Punkte	●	8–10 Punkte	●	7–8 Punkte

www.hueber.de/menschen/lernen

LERNWORTSCHATZ

1 Wie heißen die Wörter in Ihrer Sprache? Übersetzen Sie.

Charakter

Abenteuer das, - __________
  Abenteuerlust die __________
Freude die, -n __________
  Lebensfreude die __________
Humor der __________
Mut der __________

aufmerksam __________
ernst __________
fair __________
frech __________
großzügig __________
intelligent __________
klug __________
  A/CH: auch: gescheit
kreativ __________
kritisch __________
lebendig __________
mutig __________
nervös __________
ordentlich __________
realistisch __________
schwierig __________
sparsam __________
treu __________
vernünftig __________

gar __________
  gar nicht(s) __________

Weitere wichtige Wörter

Dame die, -n __________
Entscheidung
  die, -en __________
Nachhilfe die, -n __________
Professor der, -en __________
Respekt der __________

beeinflussen,
  hat beeinflusst __________
ein·schlafen,
  du schläfst ein,
  er schläft ein, ist
  eingeschlafen __________
unterstützen,
  hat unterstützt __________
verabschieden (sich),
  hat sich verab-
  schiedet __________

finanziell __________
möglichst __________
perfekt __________

diesmal __________
ebenso __________

2 Welche Wörter möchten Sie noch lernen? Notieren Sie.

Er erledigte seine Aufgaben zuverlässig.

KB 2 **1** **Eine Stellenanzeige: Bilden Sie Wörter und ergänzen Sie.**

WÖRTER

Wir möchten unser Team vergrößern und suchen Sie als erfahrene/n *Erzieher*/in (zieherre) (a).
Zu Ihren Aufgaben gehören die Arbeit mit den Kindern und die Anleitung von unseren __________ (zuausdenbilned) (b).

Sie haben:
eine abgeschlossene __________ (bilsuagund) (c) und mehrere Jahre __________ (fahrfurebserung) (d)

Sie sind:
freundlich und __________ (vitakre) (e), __________ (lägisszuver) (f) und aufmerksam, kinderlieb und __________ (zilaso) (g)

Wir bieten:
einen Vertrag mit gutem __________ (hagelt) (h), bezahlte __________ (stunberendü) (i) und ein gutes __________ (bsbematriekli) (j)

Wir freuen uns auf Ihre schriftliche Bewerbung.
Kita Sonnenschein

KB 2 **2** **Was passt nicht? Streichen Sie das falsche Wort durch.**

WÖRTER

a Kenntnisse — mitbringen – verbessern – ~~überlegen~~
b Aufgaben — erledigen – führen – übernehmen
c Verantwortung — unterstützen – übernehmen – haben
d durch die Werkstatt — entschließen – führen – gehen
e Gelegenheit — geben – beeinflussen – bekommen
f mit Kollegen — zurechtkommen – streiten – brennen

KB 2 **3** **Ergänzen Sie die Verben in der richtigen Form.**

WIEDERHOLUNG STRUKTUREN

● Und? Wie *war* (sein) (a) dein erster Praktikumstag?
▲ Ganz gut. Die Leiterin __________ (sein) (b) sehr freundlich und *hat* mir den Kindergarten *gezeigt* (zeigen) (c).
● Und __________ (können) (d) du gleich mitarbeiten?
▲ Ja, die Kinder __________ (wollen) (e) den ganzen Vormittag mit mir Fußball spielen. Und das Arbeitsklima __________ (sein) (f) auch gut. Ich __________ (dürfen) (g) alle Erzieherinnen duzen. Das __________ mir gut __________ (gefallen) (h).
● __________ (sein) (i) es nicht ganz schön laut?
▲ Doch. Vor allem am Nachmittag, denn es __________ ja so stark __________ (regnen) (j), dass wir drinnen bleiben __________ (müssen) (k). Puh! Das war ein Tag! Ich __________ (können) (l) mir anfangs gar nicht vorstellen, wie anstrengend der Job sein kann. Also, für mich sind Erzieherinnen die wahren Heldinnen. Ich glaube, der Job ist der richtige für mich! Es __________ unglaublich viel Spaß __________ (machen) (m).

BASISTRAINING

KB 2 **4** STRUKTUREN

Erfahrungsbericht Praktikum: Ergänzen Sie die Verben im Präteritum.

Nach meinem Studium entschloss (entschließen) (a) ich mich für ein Praktikum in der Personalabteilung bei Kliemens. Ich ________ (denken) (b): Nach der ganzen Theorie muss ich mich endlich mit der Praxis beschäftigen. Schon am ersten Tag ________ (lassen) (c) mich die Leiterin der Personalabteilung aktiv mitarbeiten. Ich ________ (bekommen) (d) zahlreiche Aufgaben, die ich selbstständig ________ (erledigen) (e). Schon in der zweiten Woche ________ (geben) (f) mir die Personalchefin ein eigenes Projekt. Das war nicht ganz einfach, aber eine Kollegin ________ (unterstützen) (g) mich, wenn ich nicht weiter ________ (kommen) (h). Es ________ (gefallen) (i) mir so gut, dass ich sogar länger ________ (bleiben) (j). Nach dem Praktikum ________ (gehen) (k) es dann auch ganz schnell mit einem festen Job.

KB 2 **5** STRUKTUREN ENTDECKEN

Präteritum und Perfekt

a Markieren Sie die Verben in 3 und 4 und ergänzen Sie die Tabelle. Hilfe finden Sie auch im Wörterbuch.

Infinitiv	Präteritum	Perfekt
sein	war	ist gewesen

b Wann verwendet man Präteritum und Perfekt? Ordnen Sie zu.

Präteritum | Perfekt

GRAMMATIK

Das ________
hört man oft in Gesprächen und liest man oft in persönlichen Briefen/E-Mails.

Das ________
hört man oft in Nachrichten, liest man oft in Zeitungen und Büchern und verwendet man in der gesprochenen Sprache oft bei Modalverben (*können*, *wollen*, …) und bei *sein* und *haben*.

KB 3 **6** KOMMUNIKATION

Kindergarten-Jubiläum

Markieren Sie die Redemittel, die den Bericht zeitlich strukturieren und sortieren Sie dann.

○ Bis zum frühen Abend feierten wir so den 20. Geburtstag. Es war ein wunderbares Jubiläum, an das wir uns noch lange erinnern werden.

① Gleich am Morgen begannen wir mit der Fest-Vorbereitung. Wir freuten uns alle auf die Feier am Nachmittag.

○ Am späten Vormittag kam die Hüpfburg für den Garten. Und gegen Mittag lieferte der Catering-Service die Speisen und Getränke.

○ Am frühen Nachmittag kamen die ersten Gäste. Die Leiterin hielt eine Rede. Anschließend sangen die Kinder Lieder. Das war wirklich süß!

KB 3

KOMMUNIKATION

7 Mein schlimmstes Praktikum: Ordnen Sie zu.

merkwürdig war | sehr enttäuschend | mich nicht wohl | ~~ist mir in schlechter Erinnerung geblieben~~ | viel erwartet

Florian, 17 Jahre, Schulpraktikum
Werbeagentur

Schon der erste Tag *ist mir in schlechter Erinnerung geblieben* (a). Ich musste drei Stunden warten, bis jemand Zeit hatte. Ich hatte mich schon sehr auf das Praktikum gefreut und ______________________ (b). Die Angestellten waren ziemlich unfreundlich. Meine Tätigkeiten bestanden aus privaten Einkäufen und dem regelmäßigen Kaffeekochen. Niemand erklärte oder zeigte mir etwas. Das fand ich ______________________ (c). Besonders ______________________ (d), dass die Angestellten kaum miteinander sprachen. Das Betriebsklima war echt schrecklich. Insgesamt fühlte ich ______________________ (e) und war froh, als das Praktikum endlich vorbei war.

KB 3

HÖREN

8 Hörer-Umfrage: Praktikanten in Deutschland

▶1 05

a Was sagt die Studie? Hören Sie und kreuzen Sie an.

1 40 Prozent von den Praktikanten verdienen ○ kein ○ viel Geld.
2 Mehr als die Hälfte von den Praktikanten erhält später ○ eine ○ keine feste Stelle in dem Praktikumsbetrieb.
3 Über 60 Prozent von den Praktikanten sind insgesamt ○ zufrieden ○ unzufrieden mit ihrem Praktikum.

▶1 06

b Welche Erfahrungen haben die Hörer? Hören Sie weiter und kreuzen Sie an.

	positiv	negativ
1 Herr Wenzel	○	○
2 Herr Kräft	○	○
3 Frau Vogel	○	○

▶1 06

c Was ist richtig? Hören Sie noch einmal und kreuzen Sie an.

1 **Herr Wenzel** hatte bei seinen Praktika nur ein geringes Nettoeinkommen. ○
2 Er hat nicht besonders viel gelernt. ○
3 Nach mehreren Praktika hat er endlich eine gute Stelle gefunden. ○
4 **Herr Kräft** hat erst nach dem Studium Praktika gemacht. ○
5 Er konnte in den Praktika interessante Aufgaben übernehmen. ○
6 Sein Auslandspraktikum hat ihm besonders gut gefallen. ○
7 **Frau Vogel** hat als Schülerin Praktika gemacht. ○
8 Sie hatte ein hohes Bruttogehalt. ○
9 Durch das zweite Praktikum hat sie ihren Traumjob gefunden. ○

TRAINING: SCHREIBEN

1 Lesen Sie den Bericht und markieren Sie:
Wo wird etwas bewertet? rot Wie wird der Text zeitlich strukturiert? blau

MEIN ERSTER ARBEITSTAG IN EINER SPRACHENSCHULE

Ich möchte Deutschlehrerin werden. Deshalb habe ich im Sommer ein Praktikum in einer Sprachenschule gemacht. Schon der erste Tag ist mir in guter Erinnerung geblieben. Gleich am Morgen führte mich die Leiterin durch die Schule. Alle Mitarbeiter waren total nett. Das fand ich sehr angenehm. Danach durfte ich bei einem Unterricht zusehen. Am Anfang haben die Kursteilnehmer ein Spiel gespielt. Dann haben sie einen Text gelesen und anschließend darüber gesprochen. Besonders gut gefiel mir, dass den Teilnehmern der Unterricht viel Spaß gemacht hat. Am Nachmittag habe ich im Büro bei der Anmeldung geholfen. Ich wusste vieles nicht und musste oft fragen. Das fand ich unangenehm. Der erste Tag war zwar anstrengend, aber schön. Nur der Kaffee in der Cafeteria schmeckt schrecklich.

2 Ihr erster Tag als Lerner im Deutschkurs!
Machen Sie zuerst zu jedem Punkt Notizen und schreiben Sie dann einen Bericht.

Mein erster Tag im Deutschkurs
- *Warum Deutsch lernen?*
- *Wann Deutschkurs angefangen?*
- *Wie 1. Tag insgesamt gefallen? Warum?*
- *Was gemacht (am Morgen / dann / am Nachmittag ...)?*
- *Was war besonders gut?*
- *Was war nicht so toll?*

TIPP
Sie möchten Ihren Bericht interessanter machen?
Benutzen Sie möglichst viele verschiedene Ausdrücke wie z. B. *angenehm, prima* ... oder *enttäuschend, schrecklich* ...
Beginnen Sie nicht alle Sätze gleich, sondern strukturieren Sie Ihren Text mit Ausdrücken wie *gleich am Morgen* oder *danach*.

TRAINING: AUSSPRACHE *„r" und „l"*

▶1 07 **1 Welches Wort hören Sie?**
Kreuzen Sie an.

a	○ führen	○ fühlen
b	○ übrig	○ üblich
c	○ wollte	○ Worte
d	○ Herd	○ Held
e	○ beliebt	○ Betrieb
f	○ Leiterin	○ Reiterin
g	○ Albert	○ Arbeit
h	○ Herr	○ hell

▶1 08 **2 Lückendiktat: Hören Sie und ergänzen Sie.**

a Die ______________ im Kindergarten macht ______________ Spaß.
b Ein niedriges Gehalt ist hier ______________, es bleibt netto kaum etwas ______________.
c Ich ______________ ein Praktikum im Kindergarten machen.
d Ich ______________ mich wohl, denn ich war bei den Kollegen sehr ______________.
e Die ______________ ______________ Herrn Böhle durch den ______________.

▶1 09 **Hören Sie noch einmal und sprechen Sie nach.**

TEST

1 Wer sind die Helden des Alltags? Ordnen Sie zu.

WÖRTER

Leiter | Gehalt | duzen | ~~Überstunden~~ | Lärm | übernehmen | Erzieherin | Auszubildenden

■ Das sind für mich alle Krankenschwestern, die viele *Überstunden* (a) machen und viel Verantwortung ______ (b).
● Das ist Herr Fuchs, er ist der ______ (c) unserer Abteilung. Er kümmert sich sehr um die ______ (d). Wir dürfen ihn sogar ______ (e).
▲ Mein Sohn geht seit Kurzem in den Kindergarten. Seine ______ (f) ist die wahre Heldin. Mir wäre der ______ (g) dort zu viel und das ______ (h) zu niedrig.

_ / 7 PUNKTE

2 Ergänzen Sie die Verben im Präteritum in der richtigen Form.

STRUKTUREN

● Wie war dein erster Tag in der neuen Schule?
■ Na ja, es *war* (a) (sein) ganz in Ordnung. Zuerst ______ (b) (halten) der Direktor eine kleine Ansprache, dann ______ (c) (bringen) uns eine Frau in das Klassenzimmer. Meine Klassenlehrerin Frau Brenner ______ (d) (führen) uns später durch das Schulhaus und ______ (e) (zeigen) uns alles. Am besten ______ (f) (gefallen) mir die Sporthalle und die Bibliothek. Ich ______ (g) (bekommen) auch gleich einen Ausweis. Ich ______ (h) (fühlen) mich dort besonders wohl.

_ / 7 PUNKTE

3 Ordnen Sie zu.

KOMMUNIKATION

Gleich am Morgen | Besonders gut | Insgesamt fühle | Schon der erste | Anschließend | Das fand | Ich darf | Etwas unangenehm

Liebe Steffi, lieber Philipp,
ich habe endlich einen Praktikumsplatz gefunden. Vor drei Wochen ging es los. ______ ______ (a) Tag machte mir viel Freude.
Da die Firma nicht sehr groß ist, konnte ich schnell alle Mitarbeiter kennenlernen. ______ ______ (b) ich prima. ______ (c) gefällt mir das Betriebsklima. ______ (d) viele interessante Aufgaben erledigen. ______ ______ (e) hole ich die Post und bearbeite sie. ______ (f) bereite ich die Teambesprechung vor. Gegen 12.30 Uhr gehen wir zusammen zum Mittagessen. ______ (g) ich mich sehr wohl. ______ (h) finde ich nur, dass ich häufig auch am Abend und am Wochenende arbeiten muss.

Liebe Grüße
Laura

_ / 8 PUNKTE

Wörter		Strukturen		Kommunikation	
●	0–3 Punkte	●	0–3 Punkte	●	0–4 Punkte
●	4–5 Punkte	●	4–5 Punkte	●	5–6 Punkte
●	6–7 Punkte	●	6–7 Punkte	●	7–8 Punkte

www.hueber.de/menschen/lernen

LERNWORTSCHATZ

1 Wie heißen die Wörter in Ihrer Sprache? Übersetzen Sie.

Beruf und Arbeit

Auszubildende der/die, -n ________
A: Lehrling der, -e
CH: Lehrling der, -e/die Lehrtochter, ⸚
Erzieher der, - ________
A: Pädagoge der, -n
Gehalt das, ⸚er ________
Klima das ________
Betriebs-/Arbeitsklima das ________
Leistung die, -en ________
Leiter der, - ________
Praxis die ________
Theorie die, -n ________
Überstunde die, -n ________
Verantwortung die ________

beschäftigen (sich), hat sich beschäftigt ________
duzen, hat geduzt ________
erledigen, hat erledigt ________
übernehmen (etwas), du übernimmst, er übernimmt, hat etwas übernommen ________

zuverlässig ________

brutto ________
netto ________

Weitere wichtige Wörter

Gelegenheit die, -en ________
Held der, -en ________
Lärm der ________

entschließen (sich), hat sich entschlossen ________
erwarten, hat erwartet ________
führen, hat geführt ________
überlegen, hat überlegt ________
übrig bleiben, ist übrig geblieben ________
vor·stellen (sich etwas), hat sich etwas vorgestellt ________
zurecht·kommen ist zurechtgekommen ________

gering ________
merkwürdig ________
A/CH: auch: komisch
sozial ________
süß ________
A/CH: auch: herzig

2 Welche Wörter möchten Sie noch lernen? Notieren Sie.

____
____
____
____
____
____
____
____

Mein Beruf ist meine Leidenschaft.

KB 3 **1** **Lösen Sie das Rätsel.**

WÖRTER

a V _ _ O _ _
b H _ _ _ M _ _ _ _ _ _
c O _ _ _
d K _ _ _ _ _ _ _ _
e M _ _ _ _ _ _ _ _
f _ _ _
g M _ _ _ _ _

a b c d e f g

Lösung: ______________________

KB 4 **2** **Anzeigen aus dem Immobilienteil der Zeitung**

LESEN

a **Ordnen Sie die Abkürzungen zu.**

Whg. | renov. | NK | KP | Zi. | Wfl. | ~~EG~~ | WG | inkl. | ZKB

1 Erdgeschoss EG
2 Kaufpreis ______
3 Nebenkosten ______
4 Zimmer, Küche, Bad ______
5 renoviert ______
6 inklusive ______
7 Wohnfläche ______
8 Wohngemeinschaft ______
9 Zimmer ______
10 Wohnung ______

b **Für wen ist welche Anzeige interessant? Notieren Sie den Buchstaben. Für eine Person gibt es keine passende Anzeige. In diesem Fall notieren Sie X.**

1 Stefan hat ab Juli einen neuen Job und sucht eine 1-Zimmer-Wohnung oder ein WG-Zimmer. Er arbeitet in der Innenstadt und möchte auch dort wohnen. Er telefoniert oft per Internet mit seiner Freundin in den USA. D

2 Herr Betz sucht eine 4-Zimmer-Wohnung im Zentrum mit Balkon und Parkplatz. Er möchte im nächsten Monat in eine neue oder neu renovierte Wohnung einziehen. ______

3 Familie Müller sucht eine 4-Zimmer-Wohnung und möchte bald einziehen. Die Müllers hätten gern ein bisschen Natur um sich. Der Kaufpreis oder die Miethöhe spielt keine so große Rolle. ______

4 Herr Helmer möchte nach dem Tod seiner Frau in eine kleinere Wohnung ziehen. Die Mietkosten sollten aber nicht zu hoch sein. Er könnte kleine Reparaturen und andere Tätigkeiten im Haus übernehmen. ______

5 Paul macht im Juni und Juli ein Praktikum bei einem Fotografen und sucht für diese Zeit eine Unterkunft. Er kann nicht mehr als 400 Euro bezahlen. ______

6 Familie Lehmann hat zwei Kinder und möchte eine Wohnung kaufen. Sie sollte im Zentrum liegen. Es ist kein Problem, wenn Familie Lehmann nicht sofort einziehen kann. ______

Ⓐ **WG vermietet möbliertes Zimmer!**
Wir suchen sympathische(n) und zuverlässige(n) Mitbewohner(in) für 2 Monate (Juni/Juli).
Waschmaschine und Internetzugang vorhanden
400 Euro inkl.

Ⓑ **Whg. zu verkaufen**
4 ZKB, EG mit Terrasse und Zugang zum Garten
Wfl. 150 m², ruhige Lage im Vorort, sofort frei; **KP 650 000,–**

Ⓒ **Gelegenheit**
3 ZKB in der Innenstadt,
80 m², Lift, sonniger Balkon
Parkplatz im Hof
nicht renoviert
zurzeit vermietet
KP 290 000,–
von privat, nur an privat

Ⓓ **Zimmer (12 m²) in 2-er WG zu vermieten!**
Weiteres: Waschmaschine, Telefon- und Internet-Flat
Zeit: ab Juli
Lage: im Zentrum
Miete: 350 Euro inklusive NK

Ⓔ HAUSMEISTERSERVICE MÜLLER
freundlich und zuverlässig
Wir kümmern uns um Ihr Heim.

Ⓕ 2 Zi. EG für Hausmeister (stundenweise)
hell, neu renov., 52 m²
Miete: 580 € inklusive NK

KB 5 — WIEDERHOLUNG STRUKTUREN

3 Unsere neue Wohnung: Verbinden Sie.

Markieren Sie dann die Relativpronomen und die Nomen, die dazugehören.

a Endlich haben wir eine Wohnung gefunden,
b Zum Haus gehört ein kleiner Garten,
c Es gibt einen Hausmeister,
d Wir wohnen neben Leuten,
e Endlich haben wir ein Schlafzimmer,
f Wir können in der Küche essen,
g Für das Wohnzimmer kaufen wir ein Sofa,
h Im Keller stehen leider noch alte Möbel,

1 das ich in einer Illustrierten gesehen habe.
2 der sich um alles kümmert.
3 die sehr sympathisch sind.
4 die wir bezahlen können.
5 die wir nicht mehr brauchen.
6 den ich besonders im Sommer schön finde.
7 das ruhig ist.
8 die eng, aber gemütlich ist.

KB 5 — STRUKTUREN ENTDECKEN

4 Meine Nachbarn! Ordnen Sie zu und ergänzen Sie in der richtigen Form.

Nicht alle Wörter passen. Markieren Sie dann die Relativpronomen und die Nomen, die dazugehören.

gefallen | schmecken | ~~gehören~~ | helfen | leihen | danken

a Im ersten Stock wohnt der Vermieter, dem das ganze Haus *gehört*.
b Gegenüber wohnen Leute, denen ich oft Werkzeug ________________ muss.
c Da wohnt auch das kleine Mädchen, dem mein Kuchen immer so gut ________________.
d Frau Lürsen, der ich oft beim Einkaufen ________________, ist seit dem Tod von ihrem Mann oft allein.

BASISTRAINING

KB 5

STRUKTUREN ENTDECKEN

5 Lesen Sie noch einmal die Sätze in 3 und 4.
Schreiben Sie die Relativpronomen in die Tabelle.

	Nominativ	Akkusativ	Dativ
●	*der*		
●			
●			
●			

KB 5

STRUKTUREN

6 Ordnen Sie zu.

der | die | den | dem | denen | ~~der~~ | die | den

a ■ Kennst du die Frau, *der* das große Haus in der Goethestraße gehört?
▲ Ich weiß nicht. Ist das die alte Dame, ________ immer einen Hut trägt?

b ■ Wer ist denn dieser Mann, ________ du kürzlich dein Auto geliehen hast?
▲ Das ist ein alter Freund, ________ ich noch von damals aus der Schule kenne.

c ■ Kannst du mir den Kollegen mal vorstellen, ________ du so nett findest?
▲ Meinst du den, ________ mich schon ein paar Mal zum Kaffeetrinken eingeladen hat?

d ■ Ich habe zwei Kollegen, ________ ich oft helfe.
▲ Sind das die Kollegen, ________ erst kürzlich bei euch in der Firma angefangen haben?

KB 5

STRUKTUREN

7 Was ist richtig? Kreuzen Sie an.

a Ich wohne in einer Wohnung,
in ○ die ⊗ der die Räume groß sind.
für ○ die ○ der ich viel Miete bezahle.

b Endlich kann ich in das Haus ziehen,
von ○ den ○ dem ich schon lange träume.
für ○ das ○ dem sich viele Käufer interessiert haben.

c Ich möchte in einem Wohnblock wohnen,
in ○ den ○ dem es ruhig ist.
in ○ den ○ dem nur freundliche Leute ziehen.

d Ich möchte gern Nachbarn haben,
über ○ die ○ denen ich mich nicht ärgern muss.
mit ○ die ○ denen man auch mal grillen kann.

KB 5

STRUKTUREN

8 Ich wohne gern in der Goethestraße 4.
Ergänzen Sie die Präpositionen und die Artikel.

Ich wohne in einem hellen Apartment mit vielen Fenstern, *durch die* (a) man auf die Berge blicken kann. Ich habe nur nette Nachbarn, ________________ (b) ich mich nie ärgere. Wir haben einen Innenhof, ________________ (c) wir im Sommer grillen. Dort gibt es Blumen und Pflanzen, ________________ (d) ich mich jeden Tag freue. Und mein Nachbar hat eine Katze, ________________ (e) ich mich manchmal kümmern darf.

KB 8 WÖRTER

9 Bilden Sie Wörter und ergänzen Sie.

Deutsche Bevölkerung (KERVÖLUNGBE) (a) wächst nicht mehr

Deutschland ist ein ________________ (CHTDI) (b) bevölkertes Land. Das könnte sich in Zukunft ________________ (DINGSALLER) (c) ändern. Im Jahr 2010 lebten knapp 82 Millionen Menschen in Deutschland, 2060 sind es wahrscheinlich nur noch 65 Millionen.
Ein Grund dafür ist, dass zu wenige Kinder geboren werden.
Auf 1000 ________________ (WOHNEREIN) (d) kommen nur acht Babys.
Frauen mit deutscher ________________ (KEITANGEHÖRIGSTAATS) (e) bekommen durchschnittlich 1,4 Kinder.
Bei ________________ (ISCHENAUSLÄND) (f) Frauen ist die Zahl (1,6) nicht viel höher. Der ________________ (AATST) (g) unterstützt Familien mit Kindern finanziell. Aber die Zahl der Geburten steigt trotzdem nicht.

KB 8 WÖRTER

10 Ordnen Sie zu.

~~zwei Drittel~~ | ein Drittel | die Hälfte | ein Viertel | drei Viertel | ein Fünftel

20 %	33 %	66 % zwei Drittel
25 %	50 %	75 %

KB 8 KOMMUNIKATION

11 „Wohnen in Deutschland“: Ordnen Sie zu.

ein Drittel | etwa ein Viertel | ~~gut zwei Drittel~~ | knapp die Hälfte | mehr als die Hälfte | jeder Zweite

Du, schau mal, hier in der Zeitung steht: Wie wichtig ist den Deutschen eine Wohnung? Also, für gut zwei Drittel (68 %) (a) spielt eine schöne Wohnung eine wichtige Rolle. Für ________________ (58 %) (b) ist die Freizeit sehr wichtig und nur für ________________ (33 %) (c) der Urlaub.
Und dann steht da noch etwas über die Einrichtung: Möbel müssen vor allem praktisch sein und dürfen nicht schnell kaputtgehen. Darauf achtet ________________ (50 %) (d) beim Möbelkauf. Beraten lassen sich die meisten vor allem durch die Familie, aber ________________ (24 %) (e) sogar von einem Innenarchitekten. Und stell dir vor: In Deutschland gibt es gut 16 Millionen Eigentumswohnungen. Das ist ________________ (46 %) (f) von allen Wohnungen.

TRAINING: SPRECHEN

1 Wohnen in Deutschland

a **Arbeiten Sie zu zweit. Wählen ein Thema aus b: 1 oder 2. Lesen Sie Ihre Informationen und die Fragen zu Ihrem Thema. Bereiten Sie sich auf das Gespräch vor. Machen Sie ein paar Notizen.**

- Was ist das Thema der Statistik(en)?
- Welche Informationen in Ihrer Statistik sind besonders interessant?
- Was hat Sie überrascht?

TIPP

Sie möchten über eine Statistik sprechen? Lesen Sie die Zahlen nicht genau ab. Verwenden Sie Angaben wie *ein Viertel*, *die Hälfte* und *etwa*, *knapp* etc. Konzentrieren Sie sich auf die interessanten Punkte, nicht jede einzelne Zahl ist wichtig.

b **Sprechen Sie mit Ihrer Partnerin / Ihrem Partner über Ihr Thema. Fragen Sie Ihre Partnerin / Ihren Partner nach ihren/seinen Informationen und reagieren Sie.**

Meine Statistik zeigt, wie viele Menschen in Deutschland …
Etwa … Prozent von den Leuten, die zwischen 18 und 34 Jahren sind, …
Welche Informationen hast du?

1

Berichten Sie über Ihre Informationen.
Ihre Partnerin / Ihr Partner berichtet über ihre/seine Informationen.

Sprechen Sie dann auch darüber:
- Was glauben Sie, warum leben mehr ältere als jüngere Menschen allein?
- Wie wohnen Sie zurzeit und was gefällt Ihnen daran (nicht)?
- Fragen Sie Ihre Partnerin / Ihren Partner, wie sie/er wohnt und ob es ihr/ihm gefällt.

In Deutschland lebt dieser Anteil von Personen allein:

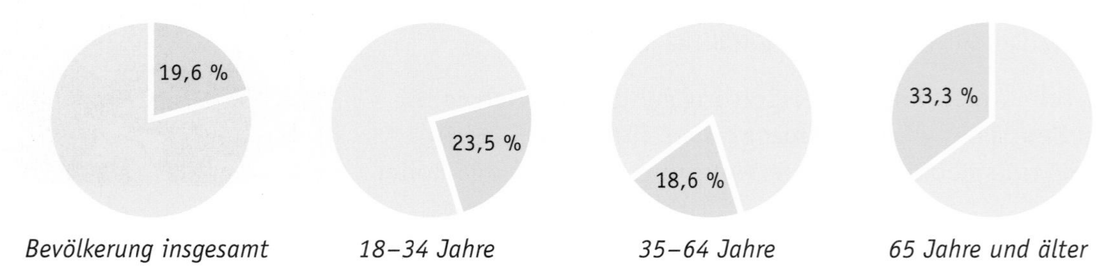

TRAINING: SPRECHEN

2

Berichten Sie über Ihre Informationen.
Ihre Partnerin / Ihr Partner berichtet über ihre/seine Informationen.

Sprechen Sie dann auch darüber:
- Was glauben Sie: Warum leben mehr jüngere Leute in der Großstadt?
- Wo wohnen Sie zurzeit und was gefällt Ihnen daran (nicht)?
- Fragen Sie Ihre Partnerin / Ihren Partner, wo sie/er wohnt und ob es ihr/ihm gefällt.

In Deutschland lebt dieser Anteil von Personen in Großstädten (500 000 und mehr Einwohner):

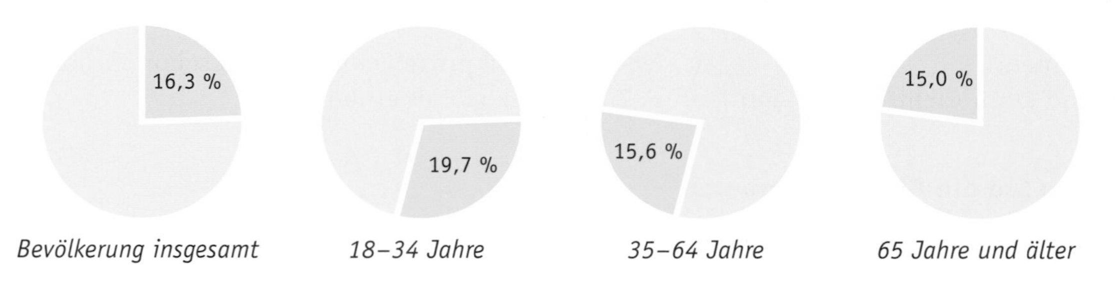

Bevölkerung insgesamt — *18–34 Jahre* — *35–64 Jahre* — *65 Jahre und älter*

TRAINING: AUSSPRACHE *unbetontes „e"*

▶ 1 10 **1 Hören Sie und sprechen Sie nach.**

Innenstadt – Ofen – Fläche – Bewohner –
Mangel – Bürste – Kosten – Lage –
Suche – Bevölkerung – Gebiet – Drittel –
Beruf – Geburtstag – Terrasse – Wagen

2 Was ist richtig? Kreuzen Sie an.

REGEL
In ◯ betonten ◯ nicht betonten Silben spricht man „e" nur reduziert oder gar nicht.

▶ 1 11 **3 Hören Sie und markieren Sie alle unbetonten „e".**

a Auch wenn ich bald 70. Geburtstag habe, möchte ich noch lange arbeiten. Mein Beruf ist meine Leidenschaft!
b Der Sohn von Freunden war mein erster Kunde. Damals herrschte Wohnungsmangel für Studenten. Die Kosten für ein Zimmer waren sehr hoch. Nach langer Suche fanden wir einen Zirkuswagen.
c Für die Ettenhubers fand ich ein Haus mit über 200 Quadratmetern Wohnfläche. Die Bewohner zogen zu ihren Kindern und so übernahmen die Ettenhubers die ganze Einrichtung, auch den schönen Ofen und sogar die Klobürste.
d Am schönsten war die Begegnung mit einer Dame. Sie suchte nur in der besten Lage: eine Wohnung mit Dachterrasse und Lift in der Innenstadt von Frankfurt.
e Fast ein Drittel der deutschen Bevölkerung lebt heute auf 4 Prozent der Fläche in den Großstädten. In wenig besiedelten Gebieten geht die Bevölkerung zurück.

Lesen Sie die Sätze laut und achten Sie besonders auf unbetonte „e".

TEST

1 Wie wohnen Sie? Ordnen Sie zu.

WÖRTER

Apartment | Wohnfläche | ~~Hof~~ | Wohnblock | Ofen | Lift | Innenstadt | Dachterrasse | Vorort | Makler

- ■ Ich wohne mit zwei Freunden auf einem alten *Hof* (a). Dort gibt es nur in der Küche und im Wohnzimmer einen ________________ (b).
- ◆ Seit zwei Jahren wohnen wir in der ________________ (c), mitten im Zentrum. Wir haben lange gesucht und die Wohnung nur mit einem ________________ (d) bekommen.
- ● Mit Kindern ist es in der Stadt zu teuer. Wir wohnen jetzt in einem ________________ (e). Unser Haus hat 120 Quadratmeter ________________ (f).
- ▲ Ich wohne in einem ________________ (g), das sehr klein und dunkel ist. Zum Glück habe ich eine große ________________ (h).
- ▼ In meinem ________________ (i) leben alte und junge Leute. Ich bin schon 75 Jahre alt und kann nicht mehr so gut laufen. Zum Glück gibt es einen ________________ (j).

_ / 9 PUNKTE

2 Ergänzen Sie die Relativpronomen.

STRUKTUREN

a Das ist Hans, mit *dem* ich früher in einer Wohngemeinschaft gelebt habe.
b Ist das nicht die Lehrerin, ____________ seit Kurzem an deiner Schule unterrichtet?
c Das ist das Apartment, von ____________ ich immer geträumt habe.
d Hier wohnen Emely und Anke, ____________ ich beim Umzug geholfen habe.
e Das ist das schöne Haus, für ____________ ich mich interessiere.
f Wer war denn der Mann, ____________ wir gerade im Lift getroffen haben?
g Das sind meine Nachbarn, ____________ mich oft zum Essen einladen.
h Das ist die Frau, ____________ ich die Wohnung gezeigt habe.
i Das ist Max, über ____________ ich mich immer ärgere, weil er so laut Musik hört.

_ / 8 PUNKTE

3 Ordnen Sie zu.

KOMMUNIKATION

ein Viertel | meisten Wohnungen | etwa die Hälfte | hundert Prozent | keine Wohnung | rund

Unser Wohnblock besteht aus neun Stockwerken mit je vier Wohnungen. Es gibt nur wenige 1-Zimmer-Apartments, die ____________________ (a) haben drei oder vier Zimmer. Leider hat überhaupt ____________________ (b) einen Balkon. Insgesamt leben hier ____________________ (c) 100 Personen. 49 Personen, also ____________________ (d), haben einen ausländischen Pass. Bei uns ist immer etwas los, weil fast jeder Vierte, das ist knapp ____________________ (e), unter 18 Jahre ist. Wir sprechen acht verschiedene Sprachen. Aber das ist kein Problem. Da alle von uns, also ____________________ (f), gut Deutsch sprechen, verstehen wir uns ausgezeichnet.

_ / 6 PUNKTE

Wörter		Strukturen		Kommunikation	
●	0–4 Punkte	●	0–4 Punkte	●	0–3 Punkte
●	5–7 Punkte	●	5–6 Punkte	●	4 Punkte
●	8–9 Punkte	●	7–8 Punkte	●	5–6 Punkte

www.hueber.de/menschen/lernen

LERNWORTSCHATZ

1 Wie heißen die Wörter in Ihrer Sprache? Übersetzen Sie.

Wohnen
Bewohner der, - ______
Bürste die, -n ______
Klobürste die, -n ______
CH: WC-Bürste die, -n
Eigentum das ______
Eigentumswohnung die, -en ______
Hausmeister der, - ______
A: auch: Hausbesorger der, -
CH: Abwart der, -e
Heim das, -e ______
Hof der, ¨-e ______
Innenhof der, ¨-e ______
Innenstadt die, ¨-e ______
Kosten die (Pl.) ______
Lage die ______
Lift der, -e ______
A: auch: Aufzug der, ¨-e
Makler der, - ______
Höhe die ______
Miethöhe die ______
A/CH: auch: Mietzins der
CH: Miete die, -n
Mülleimer der, - ______
A: Mistkübel der, -; CH: Abfallkübel der, -
Ofen der, Öfen ______
Quartier das, -e ______
Terrasse die, -n ______
Vorort der, -e ______
Wohnblock der, ¨-e ______
Fläche die, -n ______
Mangel der ______
Wohnungsmangel
Zugang der, ¨-e ______
ziehen, ist gezogen ______
ein·ziehen, ist eingezogen ______
eng ______
entfernt ______
inklusive ______

Bevölkerung
Bevölkerung die ______
Bürger der, - ______
Einwohner der, - ______
Staat der, -en ______
Staatsangehörigkeit die, -en ______

ausländisch ______

Prozentangaben
Hälfte die, -n ______
Drittel das, - ______
Viertel das, - ______
Fünftel das, - ______
CH: Drittel/Viertel/... der, -
ein / zwei / ... Drittel ______
etwa ______
A/CH: auch: ungefähr

Weitere wichtige Wörter
Fotograf der, -en ______
Illustrierte die, -n ______
Interview das, -s ______
Rolle die, -n ______
Tod der, -e ______

amüsieren (sich), hat sich amüsiert ______
herrschen, hat geherrscht ______
werfen, du wirfst, er wirft, hat geworfen ______
einen Blick werfen ______
dicht ______
einsam ______
damals ______
kürzlich ______
A: unlängst
vorhin ______
allerdings ______

2 Welche Wörter möchten Sie noch lernen? Notieren Sie.

WIEDERHOLUNGSSTATION: WORTSCHATZ

1 Ergänzen Sie.

Mein Partner
– ist a u f m e r k s a m (a) und schenkt mir jede Woche Blumen.
– ist natürlich t _ _ _ (b) und immer für mich da.
– hat immer gute Ideen und ist k _ ea _ _ v (c).
– ist _ r _ ß _ ü _ _ _ (d). Wenn wir Essen gehen, lädt er mich ein.
– ist selbstverständlich sehr _ rde _ _ _ i _ _ (e) und räumt regelmäßig die Wohnung auf.
– ist intelligent und _ _ _ g (f).
– lacht viel und hat Humor. Er kann aber auch _ rn _ _ (g) sein.
Leider gibt es ihn nur in meinen Träumen. Aber ich bin sicher, ich finde ihn bald.

2 Ordnen Sie zu. Nicht alle Wörter passen. Verbinden Sie dann die Sätze.

Vollzeit | Überstunden | Leiter | Betriebsklima | ~~Gehalt~~ | Leistung | Verantwortung | Praxis | Erzieher

a ● Als Gehalt bekommen Sie 2500 Euro.
b ● Meine Arbeit ist so langweilig, ich würde gern mehr ________ übernehmen.
c ● Suchst du einen ________-Job?
d ● Wir haben jetzt so viel Theorie gelernt, nun freue ich mich auf die ________.
e ● Bist du mit der ________ von eurer Auszubildenden zufrieden?
f ● Ich mache jeden Tag ________, weil ich neun bis zehn Stunden im Büro bin.
g ● Wie ist das ________ in eurer Firma? Kommst du mit den Kollegen zurecht?

■ Das ist viel zu viel. Du solltest nicht so viel arbeiten.
■ Nein, ich möchte nur 25–30 Stunden arbeiten.
■ Ja! Sie ist sehr fleißig und zuverlässig.
■ Ist das brutto oder netto?
■ Dann sprich doch mit deiner Chefin, vielleicht hat sie noch eine neue Aufgabe für dich.
■ Ich fühle mich dort sehr wohl. Wir verstehen uns ausgezeichnet.
■ Das glaube ich, dann könnt ihr endlich zeigen, was ihr gelernt habt.

3 Wo verbringe ich den Sommer am liebsten? Lösen Sie das Rätsel.

a L I F T
b _ _ _ N
c _ A _ _ E _
d V _ _ _ _ _
e _ _ _ E
f H _ _ _ _ _ _ _ _ _ R
g K _ _ T _ _
h M _ _ _ _ _

a Aufzug = ...
b Damit kann man heizen.
c Er vermietet oder verkauft Häuser oder Wohnungen für andere Personen.
d Viele Familien ziehen aus der Innenstadt in einen ...
e Das Haus liegt in ruhiger ...
f Er sorgt in einem Wohnblock für Ordnung.
g Ein Umzug ist oft sehr teuer. Man hat hohe ...
h Es gibt zu wenige Wohnungen, es herrscht ein Wohnungs...

Lösung: Auf meiner T _ _ _ _ _ _ _.

WIEDERHOLUNGSSTATION: GRAMMATIK

1 Ergänzen Sie die Endungen, wo nötig.

Die Deutsche*n*___ (a) fahren am liebsten mit dem eigenen Auto in Urlaub.

Auszubildende___ (b) und Angestellte___ (c) verdienen im nächsten Jahr mehr.

Dieses Jahr gab es weniger Kranke___ (d) als im Vorjahr.

Computerhersteller kauft seinen größten Konkurrent___ (e).

LOTTO-JACKPOT: FRANZOSE___ (F) GEWINNT 162 MILLIONEN!

17 Jahre alter Junge___ (g) fährt allein mit Auto vom Nachbar___ (h) nach Italien!

2 Ergänzen Sie die Verben im Präteritum.

So haben wir unser Traumhaus gefunden.
Nach der Geburt unserer zweiten Tochter ____________ (werden) (a) unsere Stadtwohnung zu eng. Deshalb *wollten* (wollen) (b) wir ein Haus in einem Vorort kaufen. Aber die Häuser ____________ (sein) (c) viel zu teuer für uns. Da ____________ (lesen) (d) wir in der Zeitung eine Anzeige für ein günstiges Haus mit Garten auf dem Land. Eigentlich ____________ (wollen) (e) wir ja in der Stadt bleiben, aber wir ____________ (besichtigen) (f) das Haus dann doch. Es ____________ (gefallen) (g) uns überhaupt nicht: Nichts ____________ (funktionieren) (h), alles ____________ (sein) (i) alt und kaputt. Aber unsere Kinder ____________ (fühlen) (j) sich dort gleich sehr wohl. Schließlich ____________ (kaufen) (k) wir das Haus dann doch und ____________ (renovieren) (l) es. Das war vor fünf Jahren. Heute sind wir total zufrieden. Wir können uns kein besseres Haus vorstellen.

3 Firma Hoffman sucht ... Schreiben Sie Relativsätze.

Firma Hoffman sucht ...

einen Auszubildenden, *der zuverlässig ist.* ____________ (a)
____________ (b)
____________ (c)

a Er ist zuverlässig.
b Alle Kollegen kommen gut mit ihm zurecht.
c Die Firma kann ihn nach der Ausbildung übernehmen.

eine Praktikantin, ____________ (d)
____________ (e)

d Die Arbeit mit Menschen macht ihr Spaß.
e Die Kunden beschweren sich nicht über sie.

Mitarbeiter, ____________ (f)
____________ (g)

f Ein gutes Betriebsklima ist ihnen wichtig.
g Der Leiter ist zufrieden mit ihnen.

SELBSTEINSCHÄTZUNG Das kann ich!

Ich kann jetzt ...

... Personen beschreiben: L01

Das ist Sabine. Sie ist meine Mitb__________ und man kann sich keine b__________ w__________. Ich k__________ n__________, der so abenteuerlustig ist w__________ sie. Besonders großen R__________ habe ich vor ihrem Mu__________.

... etwas Vergangenes bewerten: L02

Schon der erste Tag ist mir in guter E__________ geblieben, denn er machte mir viel F__________. Das Arbeitsklima war sehr an__________. Das f__________ ich prima. B__________ gut g__________ mir, dass ich von Anfang an selbstständig arbeiten durfte. Ins__________ fühlte ich mich sehr w__________.

... einen Bericht strukturieren: L02

Gl__________ am M__________ hatte ich einen Termin.
Ansch__________ musste ich die Sitzung am Nachmittag vorbereiten.
Ge__________ Mittag musste ich zu einem Geschäftsessen.
A__________ fr__________ N__________ begann die Sitzung.
Er__________ am A__________ konnte ich meine E-Mails beantworten.

... über eine Statistik sprechen: L03

Et__________ die H__________ von uns wohnt zur Miete.
Kn__________ ein V__________ von uns hat einen Balkon.
F__________ 80 P__________ von uns leben allein.

Ich kenne ...

... 12 Charaktereigenschaften: L01

Die finde ich wichtig: __________
Die finde ich nicht so wichtig: __________

... 8 Wörter zum Thema „Arbeit und Beruf“: L02

____

... 8 Wörter zum Thema „Wohnen“: L03

Das habe ich / hätte ich gern: __________
Das habe ich nicht / brauche ich nicht: __________

Ich kann auch ...

... Personen nach ihren Charaktereigenschaften benennen (Adjektive als Nomen): L01

■ Wir fahren morgen in den Urlaub!
▲ Ihr __________! (glücklich)

... Nomen verwenden (*n*-Deklination): L01

Mit einem Kollege_____ ist Amelies Großmutter in den Libanon gereist.
Später hat sie den Kollege_____ dann geheiratet.

... Aussagen verstärken/abschwächen (Gradpartikel: *echt*, ...): L01

■ Ich fand die Dokumentation w__________ interessant.
● Der Film hat mir ü__________ n__________ gefallen.

SELBSTEINSCHÄTZUNG Das kann ich!

… über Vergangenes berichten (Präteritum): L02
Und so ________________ ich mich für ein freiwilliges Praktikum. (entschließen)
Ich ________________ viel Verantwortung und ________________ meine Aufgaben selbstständig. (übernehmen, erledigen) Mit den Kollegen ________________ ich gut ________________. (zurechtkommen)

… eine Sache oder eine Person genauer beschreiben (Relativsätze): L03
Das ist der Mann, __________ mir geholfen hat.
Das ist der Mann, __________ ich geholfen habe.
Das ist der Mann, __________ __________ meine Tochter immer geträumt hat.
Das ist der Mann, __________ __________ meine Tochter sich manchmal auch ärgert.

Üben / Wiederholen möchte ich noch:

____

RÜCKBLICK

Wählen Sie eine Aufgabe zu Lektion 1 ________________

1 Sie gehen ins Ausland und feiern Abschied. Sie laden zwei wichtige Personen ein.
Sehen Sie noch einmal im Kursbuch das Bildlexikon auf Seite 12 und 13 an.

a Machen Sie Notizen zu den Fragen.

Wer?	Wie ist die Person?	Wie lange / Woher kenne ich die Person?	Warum lade ich sie ein?
meine Kollegin Maria	klug, kritisch hat Humor	drei Jahre zusammenarbeiten	hat bei Problemen immer geholfen

b Schreiben Sie einen Text über Ihre Gäste und warum Sie sie einladen. Sehen Sie noch einmal im Kursbuch auf Seite 13 (Aufgabe 6b) nach.

Ich lade meine Kollegin Maria ein. Sie ist sehr wichtig für mich. Sie hat mir immer geholfen, wenn ich ein Problem hatte. Wir arbeiten schon …

2 Welche Person aus einem Film, einer Serie oder einem Buch finden Sie interessant?
Machen Sie Notizen zu den Fragen. Schreiben Sie dann einen Text über diese Person.

- Wer ist die Person? *Homer, Vater aus Serie „Die Simpsons"*
- Wie sieht die Person aus? *dicker Bauch*
- Welche Gewohnheiten und Charaktereigenschaften hat die Person? *Süßigkeiten essen, unvernünftig*
- Warum finden Sie diese Person interessant?

Meine Lieblingsfigur ist Homer aus der Serie „Die Simpsons". Homer ist der Vater der Familie. Er … Ich mag ihn besonders gern, weil …

RÜCKBLICK

Wählen Sie eine Aufgabe zu Lektion 2

1 Lesen Sie noch einmal die Texte im Kursbuch auf Seite 16 und 17 und beantworten Sie die Fragen.

a Wie lange dauert die Ausbildung zum Erzieher?
b Wie ist die Arbeitszeit von Erziehern?
c Was sind typische Aufgaben von Erziehern? Was meinen Sie?
d Welche Stärken/Interessen sollten Erzieher haben? Was meinen Sie?
e Würde Ihnen der Beruf gefallen? Warum / Warum nicht?

2 Wählen Sie einen Beruf, der Ihnen gefallen würde.
Suchen Sie Informationen im Internet und beantworten Sie die Fragen.

a Wie lange dauert die Ausbildung?
b Wie ist die Arbeitszeit?
c Was sind typische Aufgaben?
d Welche Stärken/Interessen sollte man haben?
e Was würde Ihnen an dem Beruf besonders gut gefallen?

Wählen Sie eine Aufgabe zu Lektion 3

1 Lesen Sie noch einmal die Texte im Kursbuch auf Seite 20 und 21.
Zu wem passen die Sätze? Notieren Sie: Joachim (J), Familie Souza Fontes (S), Familie Ettenhuber (E), Frau Hauser (H).

a H war mit den Wohnungen, die der Makler gezeigt hat, nicht zufrieden.
b ______ wollte alleine in einer kleinen Wohnung mit Balkon wohnen.
c ______ lädt gern Freunde und Verwandte ein.
d ______ hat ein Haus mit einem Grundstück von einer alten Dame bekommen.
e ______ wollte einen Aufzug.
f ______ hat alles von den früheren Besitzern übernommen.

2 So wohne ich gern. Schreiben Sie einen Beitrag für ein Internetforum.

a Machen Sie zuerst Notizen.

Lage? Größe? Wie viele Zimmer?
Wie ist die Wohnung eingerichtet?
Was ist Ihnen noch wichtig?

b Schreiben Sie eine Antwort.

Überlegt mal: Wie sieht Eure Traumwohnung aus?

Ich möchte in der Innenstadt wohnen. Ich gehe gern weg.
Meine Wohnung ist total groß. ...

LITERATUR

EIN SELTSAMER FALL

Teil 1: Babette ist weg!

Ich sah auf die Uhr an der Wand. Bald 14 Uhr.
Heute kommt niemand mehr, dachte ich.
Die Sonne schien, nicht eine Wolke war am Himmel zu sehen. Wer nicht arbeiten musste, blieb zu Hause und trank kühle Limonade oder ging ins Schwimmbad.
Niemand braucht an so einem Tag einen Privatdetektiv.
Ich legte meine Füße auf den Schreibtisch und schloss die Augen.
Man hörte leise Stimmen von der Straße, der Ventilator an der Decke drehte sich und ich ...
Plötzlich ein Klopfen an der Tür.
Was? Wer? Wo bin ich? Habe ich geschlafen?
Ich machte die Augen auf.

Das Klopfen wurde lauter.
„Kommen Sie herein", rief ich. Langsam wachte ich wieder auf.
„Sie müssen mir helfen!"
Eine Frau stand in der Tür, etwa 35 Jahre alt. Sie war mittelgroß, hatte braunes Haar und trug elegante Kleidung, die jetzt aber ein bisschen unordentlich aussah.
„Babette ist weg!", sagte sie aufgeregt.
„Setzen Sie sich doch erst einmal." Ich zeigte auf einen Stuhl. „Wer ist Babette? Ihre Tochter? Ihre Schwester? Eine Freundin?"
„Babette ist die Schildköte von meinem Sohn. Jemand hat sie gestohlen."
„Eine Schildkröte? Warum sollte jemand eine Schildkröte stehlen?"
„Ich weiß es auch nicht, Sie sind doch der Detektiv", sagte sie.
„Waren Sie schon bei der Polizei?"
„Die glauben doch nur, dass ich verrückt bin."
Diesen Gedanken hatte ich auch schon ...
„Warum glauben Sie denn, dass die Schildkröte gestohlen worden ist?", fragte ich.
„Sie lebt in einem großen Terrarium. Weggelaufen ist sie sicher nicht."
Gutes Argument.
„Wenn Sie Babette nicht mehr finden, könnten Sie Ihrem Sohn dann nicht vielleicht einfach eine neue Schildkröte kaufen?"
„Babette hat meiner Mutter gehört. Und Linus hat sie nach ihrem Tod bekommen. Die Schildkröte ist die letzte Erinnerung an seine Oma, die er sehr geliebt hat. Sie ist schon über 60 Jahre alt."
„Über 60?"
„Schildkröten können bis zu 150 Jahre alt werden."
„Also gut, ich übernehme den Fall, Frau ..."
„Wie unhöflich, ich habe mich noch gar nicht vorgestellt. Hofstätter ist mein Name."
Sie gab mir die Hand.
„Harry Kanto, sehr erfreut. Und jetzt, Frau Hofstätter, erzählen Sie mir bitte alles Wichtige über Babette ..."

Obwohl ich Ihnen das erklärt habe, ...

KB 4 KOMMUNIKATION

1 Herr Reimer ist telefonisch nie erreichbar.

Sehen Sie den Terminkalender von Herrn Reimer an. Lesen Sie dann: Was sagt die Sekretärin? Ordnen Sie zu.

Montag, 15. Mai

a 9.00 – 10.00 Marketing-Sitzung
b 10.30 – 11.00 Telefonkonferenz
c 11.00 – 12.00 IT-Abteilung
d 12.00 – 13.00 Mittagspause
e ab 15.00 Fahrt zu Firma XpConsult

ist gerade in einer anderen Abteilung | ist heute Nachmittag außer Haus | ist gerade zu Tisch | ist besetzt | ~~ist gerade in einer Sitzung~~ | ruft Sie morgen zurück | spricht gerade | gebe Ihnen die Durchwahl | etwas ausrichten

■ Könnten Sie mich bitte mit Herrn Reimer verbinden?

a ▲ Oh, das tut mir leid, Herr Reimer ist gerade in einer Sitzung.
Könnten Sie später noch einmal anrufen? Ich ______________:
Das ist die 34.

b ▲ Tut mir leid, Herr Reimer ______________.
Sein Anschluss ______________.

c ▲ Tut mir sehr leid, Herr Reimer ______________.
Kann ich ihm ______________?

d ▲ Oh, das tut mir leid, Herr Reimer ______________.

e ▲ Tut mir leid, Herr Reimer ______________.
Geben Sie mir bitte Ihre Telefonnummer. Herr Reimer ______________.

KB 6 WÖRTER

2 Was passt? Kreuzen Sie an.

☒ Ihr Schreiben ○ Empfänger ○ Datum (a) vom 15. März

Sehr geehrte Frau Biedenhoff,
wir möchten uns für die unfreundliche ○ Reaktion ○ Tätigkeit ○ Leistung (b) unserer Verkäuferin entschuldigen. ○ Selbstständig ○ Selbstverständlich ○ Seltsam (c) nehmen wir die kaputte Handtasche zurück.
Wenn Sie die Tasche aber ○ behalten ○ erhalten ○ bereithalten (d) möchten, bekommen Sie von uns 50 Prozent vom Kaufpreis zurück. ○ Erledigen ○ Senden ○ Schreiben (e) Sie uns einfach ○ eine Kopie ○ ein Schreiben ○ ein Papier (f) von Ihrer Rechnung.

Übernachtung am 3. März

Sehr geehrter Herr Hartmeier,
ich habe in Ihrem Hotel ein Einzelzimmer reserviert.
○ Ohne ein ○ Statt einem ○ Mit einem (g) Einzelzimmer habe ich dann aber leider nur ein Doppelzimmer bekommen, das viel teurer war.

Unsere Rechnung vom 17. August

Sehr geehrte Frau Lohner,
wir haben Ihnen vor mehr als zwei Monaten eine Rechnung geschickt und Sie mehrfach ○ erklärt ○ aufgefordert ○ beeinflusst (h), dass Sie diese bezahlen. Aber leider ...

KB 6 **3** **Gründe und Folgen: Markieren Sie den Grund.**
Ergänzen Sie dann *weil* oder *deshalb*.

WIEDERHOLUNG STRUKTUREN

Frage des Tages: Lesen Sie Tageszeitungen? Haben Sie ein Abonnement?

a ■ Ein Abonnement ist teuer. Deshalb lese ich lieber Nachrichten im Internet.
b ▲ Ich lese jeden Tag Zeitung, ______ ich mich informieren will.
c ● Ich habe eine Tageszeitung abonniert, ______ es praktisch ist.
d ◆ Ich lese nicht jeden Tag Zeitung. ______ brauche ich kein Abonnement.
e ■ Ich habe wenig Zeit. ______ lese ich nur am Wochenende Zeitung.
f ● Ich kaufe mir keine Tageszeitungen mehr, ______ man sich im Internet schneller informieren kann.

KB 6 **4** **Was passt? Kreuzen Sie an.**

STRUKTUREN

a Ich arbeite gern als Verkäufer,
(X) obwohl ○ weil ich oft samstags arbeiten muss.
b Ich mag meine Arbeit,
○ obwohl ○ weil ich gern mit Menschen arbeite.
c Meine Arbeit macht mir Spaß,
○ obwohl ○ weil die Kunden manchmal unfreundlich sind.
d Ich bin mit meinem Job zufrieden,
○ obwohl ○ weil ich nicht viel verdiene.
e Ich gehe gern in die Arbeit,
○ obwohl ○ weil die Kollegen nett sind.

KB 6 **5** **Ordnen Sie zu.**

STRUKTUREN

Trotzdem schenke ich ihnen oft Bücher. | Trotzdem lese ich es zu Ende. | Trotzdem habe ich sie abonniert. | ~~Trotzdem kaufe ich oft eine Fernsehzeitschrift.~~ | Trotzdem liest sie immer noch Jugendzeitschriften.

a Ich sehe fast nie fern. Trotzdem kaufe ich oft eine Fernsehzeitschrift.
b Meine Freundin ist 22. ______
c Meine Kinder lesen nicht gern. ______
d Die Tageszeitung ist ziemlich teuer. ______
e Das Buch ist langweilig. ______

KB 6 **6** **Einkaufsgewohnheiten: Was passt?**
Verbinden Sie und markieren Sie dann die Verben.

STRUKTUREN ENTDECKEN

a Ich ärgere mich oft über den Service.
b Ich kaufe oft im Laden gegenüber ein,
c Ich bestelle nie etwas im Internet,
d Die Werbung gefällt mir.

Trotzdem kaufe ich das Produkt nicht.
obwohl die Lebensmittel dort teuer sind.
Trotzdem beschwere ich mich nie.
obwohl viele Produkte online günstiger sind.

BASISTRAINING

KB 6 **7** **Schreiben Sie die Sätze aus 6 in die Tabelle. Markieren Sie die Verben.**
Ergänzen Sie dann die übrigen Sätze.

Strukturen entdecken

a	Ich ärgere mich oft über den Service.	Trotzdem	beschwere ich mich nie.
	Ich beschwere mich nie,	obwohl	ich mich oft über den Service ärgere.
b	Die Lebensmittel sind im Laden gegenüber teuer.	Trotzdem	
	Ich kaufe oft im Laden gegenüber ein,	obwohl	
c		Trotzdem	
		obwohl	
d		Trotzdem	
		obwohl	

KB 6 **8** **Reklamationen: Ergänzen Sie die Sätze mit *trotzdem* oder *obwohl*.**

Strukturen

a Ich habe das Abonnement gekündigt. (Ich erhalte die Zeitung immer noch regelmäßig.)
b Sie haben die Rechnung nicht bezahlt. (Wir haben Sie schon zweimal dazu aufgefordert.)
c Wir haben keine Zeitung bestellt. (Wir haben schon mehrere Ausgaben erhalten.)
d Sie bezahlt 200 Euro für die Handtasche. (Sie ist schon kaputt.)
e Wir haben Ihr Schreiben nicht erhalten.
(Sie haben es vor fünf Tagen gesendet.)
f Ich bin mit Ihrem Service nicht zufrieden.
(Ich bleibe Kunde bei Ihnen.)

a Trotzdem erhalte ich die Zeitung immer noch regelmäßig.

KB 6 **9** **Ergänzen Sie.**

Wörter

MACHEN SIE EIN BUCH MIT IHREN EIGENEN FOTOS.

Das sagen die Kunden über unsere Fotobücher:

★★☆☆ Die Qu a l i t ä t (a) ist nicht so gut. Viele Fotos sind zu b __ a __ s (b) geworden.
★★☆☆ Am Anfang kann man die Software nicht so leicht b __ d __ e __ en (c).
Ich konnte zum Beispiel das Fotobuch nicht spe __ c __ e __ n (d) und musste dann alles noch einmal machen. ☹
★★★★ gute Homepage, einfache B __ d __ e __ u __ g (e) der Software, schnelle Lieferung
★★★☆ schnelle Re __ k __ i __ n (f) bei Reklamationen
★★★★ superschnelle Lieferung und das so __ __ r (g) vor Weihnachten. Danke.
★★★★ Ein Buch v __ l __ (h) mit Erinnerungen. Toll!

KB 7 **10** **Was schreibt man in einem formellen Brief? Ordnen Sie zu.**
Nicht alle Ausdrücke passen.

SCHREIBEN

Hallo Susanna | Mit freundlichen Grüßen | ~~Rolf Beuer~~ | Sehr geehrte Damen und Herren | Herzlichst | Dein Rolf | ~~Meine Bestellung vom 10. März~~ | Mit den besten Wünschen

a Betreff *Meine Bestellung vom 10. März*

b Anrede ______________________,
...

c Grußformel ______________________

d Unterschrift *Rolf Beuer*

KB 7 **11** **Reklamieren: Ordnen Sie zu und schreiben Sie Sätze oder Satzanfänge.**

SCHREIBEN

wenn bis nächste Woche nichts von Ihnen hören, dann ... | obwohl schon eine E-Mail schicken keine Antwort erhalten | ~~sehr ärgerlich sein~~ | Sie auffordern möchten, dass ...

a Sie schreiben, dass Sie überhaupt nicht zufrieden sind:
Das ist wirklich sehr ärgerlich.

b Sie schreiben, was Sie bis jetzt gemacht haben:
____

c Sie schreiben, was die Firma tun soll:
____

d Sie schreiben, was Sie tun werden:
____

KB 7 **12** **Schreiben Sie eine Reklamation.**

SCHREIBEN

Sie haben im Internet eine Kaffeemaschine bestellt. Nach ein paar Tagen haben Sie ein Paket bekommen und sich gewundert, dass es so leicht war. Als Sie das Paket geöffnet haben, haben Sie gesehen, dass nichts außer der Rechnung im Paket war. Sie haben der Firma schon eine E-Mail geschickt. Aber die Firma hat noch nicht reagiert. Sie sind sehr enttäuscht. Zum Glück haben Sie die Rechnung noch nicht bezahlt.

Schreiben Sie eine formelle E-Mail. Die Sätze in 11 helfen.

a **Erklären Sie die Situation:** Was haben Sie bestellt? Was haben Sie bekommen? Was haben Sie gemacht? Wie hat die Firma reagiert?
b **Schreiben Sie, was die Firma tun soll:** die Maschine schicken oder die Maschine behalten
c **Schreiben Sie, was Sie machen, wenn bis nächste Woche nichts passiert:** Rechnung selbstverständlich nicht bezahlen und/oder sich im Internet auf der Kundenseite beschweren

Meine Bestellung vom 15. März
Sehr geehrte Damen und Herren,
ich habe vor zwei Monaten bei Ihnen eine Kaffeemaschine (Modell Aroma 3000) bestellt, die ich bis heute nicht bekommen habe ...

TRAINING: HÖREN

1 Automatische Ansagen am Telefon

Lesen Sie zuerst die Situationen. Überlegen Sie dann: Welche Ansage passt? Ordnen Sie zu.

Situation:

a Sie interessieren sich für Öffnungszeiten z.B. von einer Bank oder einer Arztpraxis. 6

b Sie haben die Nachricht auf dem Anrufbeantworter nicht richtig verstanden. ____

c Sie rufen z.B. eine Firma an und hören eine automatische Ansage. Sie möchten mit einem Mitarbeiter sprechen. ____

d Sie haben eine Nachricht von jemandem auf dem Anrufbeantworter und möchten diese Person gleich zurückrufen. ____

e Sie sind am Wochenende sehr krank und brauchen einen Arzt. ____

f Sie möchten einen Mitarbeiter vom Telefonservice sprechen, aber das geht nicht. ____

Sie hören:

1 Bitte wählen Sie eine Zahl, damit ich Sie mit dem zuständigen Mitarbeiter verbinden kann.

2 Wenn Sie direkt mit dem Absender der Nachricht verbunden werden möchten, wählen Sie die Eins.

3 Wenn Sie die Nachricht noch einmal hören möchten, drücken Sie die Drei.

4 Unser Telefonservice ist im Moment nicht erreichbar.

5 In dringenden Notfällen wenden Sie sich bitte an den ärztlichen Notdienst unter der Nummer 116 117.

6 Wir sind von Montag bis Freitag von 8 bis 20 Uhr für Sie da.

TIPP

Sie möchten automatische Ansagen am Telefon verstehen?
Es gibt oft typische Sätze z.B. Anweisungen, was man tun muss, wenn man verbunden werden will. Wenn Sie diese Sätze kennen, verstehen Sie die Ansagen besser.
Überlegen Sie sich vor dem Hören auch genau, welche Informationen für Sie wichtig sind. Sie müssen nicht alles verstehen.

▶1 12

2 Sie hören vier Ansagen am Telefon. Zu jedem Text gibt es zwei Aufgaben.

Lesen Sie die Aufgaben vor dem Hören. Kreuzen Sie die richtige Lösung an. Sie hören jeden Text zweimal.

Ansage 1

	richtig	falsch
1 Annika soll Jens zu Hause zurückrufen.	○	○

2 Wenn man die Nachricht speichern möchte, muss man …
- (a) die Taste 1 drücken.
- (b) die Taste 2 drücken.
- (c) die Taste 3 drücken.

TRAINING: HÖREN

Ansage 2

	richtig	falsch
3 Den Telefonservice der Bank kann man unter der Woche bis 20 Uhr erreichen.	○	○

4 In Notfällen muss man …
(a) zur Bank gehen, wenn der Schalter geöffnet ist.
(b) eine Nummer wählen.
(c) eine E-Mail senden.

Ansage 3

	richtig	falsch
5 Die Praxis macht zurzeit Urlaub.	○	○

6 Normalerweise ist die Praxis …
(a) von Montag- bis Freitagvormittag geöffnet.
(b) vormittags nur am Montag und Freitag geöffnet.
(c) am Mittwoch geschlossen.

Ansage 4

	richtig	falsch
7 Wenn man eine Zeitschrift kündigen möchte, muss man die Eins wählen.	○	○

8 Man kann ein Abonnement …
(a) telefonisch kündigen.
(b) nur schriftlich kündigen.
(c) zu jeder Zeit kündigen.

TRAINING: AUSSPRACHE *Satzmelodie und Satzakzent*

1 Frau Helferlein am Telefon

▶ 1 13 **a Hören Sie und markieren Sie die Satzmelodie in Strophe 2: ↘ → ↗.**

1
Firma <u>Fröh</u>lich →, Kundenservice →, guten <u>Tag</u>. ↘
Frau <u>Mai</u>er? ↗ Mo<u>ment</u> →, ich ver<u>bin</u>de. ↘
Bleiben Sie bitte am Appa<u>rat</u>. ↘
<u>Hör</u>en Sie? ↗ Frau Maier ist zu <u>Tisch</u>. ↘
Könnten Sie <u>spä</u>ter noch einmal anrufen? ↗
Vielen Dank für Ihren <u>An</u>ruf → und auf <u>Wie</u>derhören. ↘

2
Firma Fröhlich ___, womit können wir Ihnen helfen? ___
Sie möchten mit Herrn Krause sprechen. ___
Oh ___, das tut mir leid. ___ Sein Anschluss ist besetzt. ___
Geben Sie mir bitte Ihre Telefonnummer. ___
Herr Krause ruft zurück. ___
Vielen Dank für Ihren Anruf ___ und auf Wiederhören. ___

▶ 1 13 **b Hören Sie noch einmal und markieren Sie den Satzakzent in Strophe 2: ___**

c Jetzt sind Sie Frau Helferlein. Sprechen Sie.

TEST

1 Ordnen Sie zu.

WÖRTER

Ansage | Datum | ~~Absender~~ | Durchwahl | Verlag | Werbung | Apparat

a ■ Von wem ist der Brief? ▲ Das weiß ich nicht, hier steht kein Absender.
b ■ Welches ______________ haben wir heute? ▲ Den 12. März.
c ■ Können Sie mir bitte die ______________ von Frau Petrow geben?
▲ Ja, gern. Wählen Sie am Ende die 13.
d ■ „Hallo ich bin der Anrufbeantworter von Ina und Jo. Und wer bist du?"
▲ Das ist ja eine lustige ______________.
e ■ Ich möchte bitte mit Herrn Rau sprechen.
▲ Bleiben Sie am ______________, ich stelle Sie zu meinem Kollegen durch.
f ■ Hast du heute schon die Post geholt?
▲ Ja, aber da waren nur ein paar Rechnungen und ______________.
g ■ Von wem ist das Lehrwerk *Menschen*? ▲ Vom Hueber-______________.

_ / 6 PUNKTE

2 Ergänzen Sie die Sätze mit *trotzdem* oder *obwohl*.

STRUKTUREN

a Frau Simonis hat viel Geld. Trotzdem ist sie nicht glücklich.
(Sie ist nicht glücklich.)
b Ich habe eine schlechte Note in dem Test bekommen, ______________________.
(Ich habe viel gelernt.)
c ______________________ und über 150 Kilo wiegt, will er nicht abnehmen.
(Er ist sehr dick.)
d Meine Mutter hat seit Tagen Schmerzen. ______________________.
(Sie will nicht zum Arzt gehen.)
e Er fährt nie Auto, ______________________.
(Er hat einen Führerschein.)
f Mein Vater ist Bäcker und steht jeden Tag um vier Uhr auf. ______________________.
(Die Arbeit macht ihm Spaß.)

_ / 5 PUNKTE

3 Was sagen die Personen? Ergänzen Sie.

KOMMUNIKATION

■ Guten Tag, Sie s _ _ _ v _ _ b _ _ _ _ _ (a) mit dem Fotostudio Sauter.
Mein Name ist Nadine Goll. Wie k _ _ _ _ c _ I _ n _ _ he _ f _ _ (b)?
▲ Hallo Frau Goll, h _ _ _ _ s _ (c) Thoma. Kann ich bitte mit der Chefin sprechen?
■ Hören Sie, Frau Thoma, es tut mir sehr leid, aber sie ist g _ r _ _ _ _ u
T _ _ _ _ (d). Kann ich ihr e _ w _ _ a _ _ r _ _ _ _ e _ (e)?
▲ Nicht nötig. Ich rufe einfach s _ ä _ _ _ n _ _ _ ei _ _ _ _ _ n (f).
Könnten Sie mir die D _ r _ _ w _ _ _ _ _ b _ _ (g)?
■ Aber natürlich, das ist die 512.

_ / 7 PUNKTE

Wörter		Strukturen		Kommunikation	
●	0–3 Punkte	●	0–2 Punkte	●	0–3 Punkte
●	4 Punkte	●	3 Punkte	●	4–5 Punkte
●	5–6 Punkte	●	4–5 Punkte	●	6–7 Punkte

www.hueber.de/menschen/lernen

LERNWORTSCHATZ

1 Wie heißen die Wörter in Ihrer Sprache? Übersetzen Sie.

Kundenservice

Bedienung die, -en ____
Qualität die ____
Reaktion die, -en ____
Schreiben das, - ____
Verlag der, -e ____
Werbung die ____

abonnieren, hat abonniert ____
auf·fordern, hat aufgefordert ____
bedienen, hat bedient ____
behalten, du behältst, er behält, hat behalten ____
enttäuschen, hat enttäuscht ____
enttäuscht sein ____
erhalten, du erhältst, er erhält, hat erhalten ____
senden, hat gesendet ____

-fach (zweifach/dreifach/mehrfach) ____

sogar ____
statt ____

Am Telefon

Apparat der, -e ____
am Apparat ____
Ansage die, -n ____
Anschluss der, ¨-e ____
Auskunft die, ¨-e ____
Durchwahl die, -en ____
CH: Direktwahl die, -en
Taste die, -n ____

bereit ____
bereit·halten, du hältst bereit, er hält bereit, hat bereitgehalten ____
drücken, hat gedrückt ____
verbinden, hat verbunden ____
zurück·rufen, hat zurückgerufen ____

automatisch ____
besetzt ____

außer Haus ____

Weitere wichtige Wörter

Abteilung die, -en ____
Datum das ____
Jugend die ____
Kopie die, -n ____

speichern, hat gespeichert ____

blass ____
CH: auch: bleich
voll ____

selbstverständlich ____

obwohl ____
trotzdem ____

2 Welche Wörter möchten Sie noch lernen? Notieren Sie.

____
____
____

Siglinde Appeldorn
Waldvögeleinstr. 6
Mediengruppe Nord

Sehr geehrte Damen und Herren,

Mein Schreiben vom 10. Mai, mein Anruf

Mediengruppe Nord
ABC-Straße 12
20354 Hamburg

Mit freundlichen Grüßen
Siglinde Appeldorn

Buchholz, 16. Juni 20..

Siglinde Appeldorn

Bald wird in fast jedem Haushalt ein PC stehen.

KB 3 WÖRTER

1 Ordnen Sie zu und ergänzen Sie den Artikel.

~~Drucker~~ | Laptop | Festplatte | Laufwerk | Monitor/Bildschirm | Tastatur | Maus | Smartphone

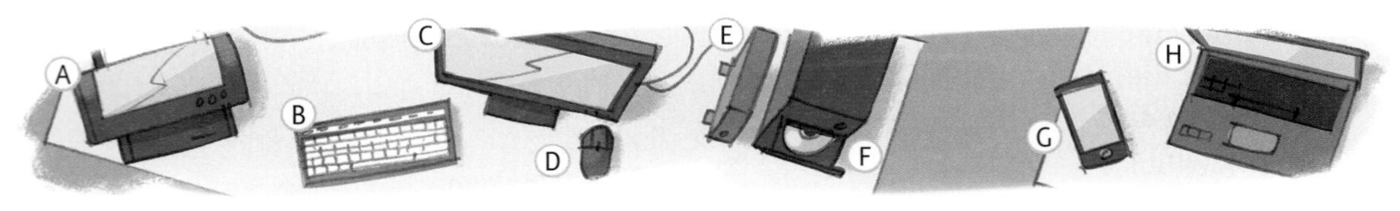

a der Drucker

KB 4 WÖRTER

2 Ergänzen Sie.

SIND COMPUTER UND INTERNET FÜR KINDER UND JUGENDLICHE GEFÄHRLICH?

paula1234

Ja, ich bin davon ü b e r z e u g t (a). Ich f __ rch __ e (b), bald gibt es Kinder, die noch nicht richtig laufen, aber schon ein Smartphone bedienen können. Aber ist das dann F __ r __ s __ hr __ tt (c)?

LUCKY

Ich bin der A __ s __ ch __ (d), dass Computer und Internet für Jugendliche wichtig sind. Denn in unserer modernen Welt haben digitale Medien eine z __ n __ r __ le (e) Bedeutung. Man kann die Zeit nicht mehr z __ r __ c __ dr __ hen (f).

--nerd07--

M __ n __ h __ (g) Psychologen b __ h __ __ p __ e __ (h), dass Computer und andere digitale G __ r __ t __ (i) Kinder und Jugendliche negativ beeinflussen. Ich bin aber der Ü __ e __ z __ u __ u __ g (j), dass sie durch das Internet viel lernen können. Deshalb ist es Uns __ __ n (k), wenn man digitale Medien verbietet.

Jürgen

Junge Leute sind heute pausenlos per Internet und Smartphone in Kontakt mit ihren Freunden. Sie schreiben M __ tt __ i __ u __ g __ __ (l) oder chatten. Trotzdem sind sie einsamer als wir früher. Denn Computer sind keine A __ t __ rn __ __ iv __ (m) zum p __ r __ ö __ l __ c __ e __ (n) Kontakt zu anderen Menschen.

KB 5 STRUKTUREN ENTDECKEN

3 Arbeit im Jahr 2100

Ergänzen Sie *werden* in der richtigen Form und markieren Sie die Verben im Infinitiv.

a Wir werden überall arbeiten können. Es __________ keine Büros mehr geben.
b Wir __________ nur noch interessante Aufgaben selbst erledigen.
c Langweilige und schwere Arbeiten __________ Roboter übernehmen.
d Computer __________ unsere Sprache erkennen. Deshalb __________ man mit dem Computer nur noch sprechen und nichts mehr schreiben.

BASISTRAINING

KB 5 **4** **Schreiben Sie Vorhersagen im Futur I.**

Strukturen

a Ich sage dir jetzt deine Zukunft vorher.
Ich werde dir jetzt deine Zukunft vorhersagen.
b Du machst dein Diplom als Physiker mit der Note „Sehr gut“.
____________________________.
c Die Harvard-Universität bietet dir eine Stelle an.
____________________________.
d Du verliebst dich in eine berühmte Schauspielerin.
____________________________.
e Ihr heiratet und bekommt fünf Kinder.
____________________________.
f Eure Kinder sind sehr klug und hübsch.
____________________________.
g Deine Frau bekommt einen Oscar und du erhältst den Nobelpreis.
____________________________.

KB 7 **5** **Welches Verb passt? Ordnen Sie zu.**

Wörter

a das Computersystem mit einem Passwort	ausschalten
b rund um die Uhr Pizza	sichern
c eine gesunde Ernährung	arbeiten
d sich bei einer Prüfung besonders	empfehlen
e mit moderner Technik	liefern
f im Flugzeug alle technischen Geräte	anstrengen

KB 7 **6** **Lesen Sie die Umfrage und ordnen Sie zu.**

Kommunikation

Ich kann mir gut | Vermutlich wird | Ich halte es für | Es wird wohl | ~~Ich glaube~~ | Ich vermute auch | Dazu gibt es wohl

Wir haben Leser gefragt: Hat das Auto noch Zukunft?

Ich glaube (a), es wird einen großen technischen Fortschritt geben. In nicht so ferner Zukunft werden die Autos keinen Fahrer mehr brauchen. Sie werden von Computern gefahren. ________________ (b) vorstellen, dass man sich auf der Fahrt im Auto einen Film anschaut.

________________ (c) nur noch Elektroautos geben, die mit Strom fahren und leise sind. ________________ (d), dass es neue öffentliche Verkehrssysteme geben wird, die für die Umwelt besser sind.

________________ (e) der Autoverkehr in den Städten zu einem großen Problem. Aber wir brauchen Autos. ________________ (f) in nächster Zeit keine realistische Alternative. ________________ (g) unmöglich, dass wir dieses Problem in den nächsten 10 Jahren lösen können.

BASISTRAINING

KB 7 SPRECHEN

7 Die Welt in 100 Jahren

Äußern Sie Ihre Vermutungen zu den Vorhersagen und diskutieren Sie mit Ihrer Partnerin / Ihrem Partner.

(A) Roboter werden sich um Alte und Kranke kümmern.

(B) Wir werden nur noch arbeiten, wenn es uns Spaß macht.

(C) Es wird keine Autos mehr geben.

(D) Wir können Menschen auf der ganzen Welt verstehen, weil moderne Telefone alle Sprachen automatisch übersetzen.

(E) Computer verstehen, was wir denken. Wenn man sich etwas wünscht, macht der Computer das.

(F) Die Menschen werden über 100 Jahre alt werden.

Ich kann mir nicht gut vorstellen, dass sich Roboter um alte und kranke Leute kümmern. Es ist doch traurig, wenn Roboter das machen.

Ja, das finde ich auch schrecklich. Aber ich glaube, dass Roboter vielleicht Menschen dabei unterstützen können.

KB 8 STRUKTUREN

8 Sätze im Futur

a Lesen Sie die Sätze und ordnen Sie die Bilder zu.

- ◯ Der Regen wird sicher bald aufhören.
- (1) Ich werde dich immer lieben.
- ◯ Ab morgen werde ich mehr auf meine Ernährung achten.
- ◯ Du wirst deinem Bruder sofort das Auto zurückgeben, sonst passiert was!

1 
2 
3 
4 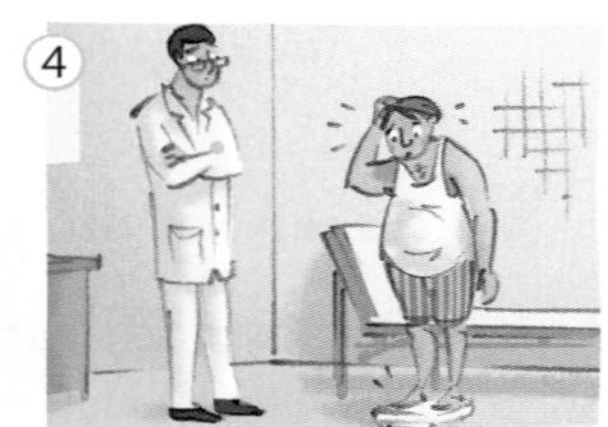

b Welcher Satz bedeutet was? Ordnen Sie zu.

Versprechen/Vorsatz/Plan: 1 ________
Vorhersage/Vermutung: ________
Warnung/Aufforderung: ________

KB 8 STRUKTUREN

9 Vorsätze fürs neue Jahr: Schreiben Sie Sätze.

a Im neuen Jahr werde ich weniger Überstunden machen.
(machen / Im neuen Jahr / ich / weniger Überstunden / werden)

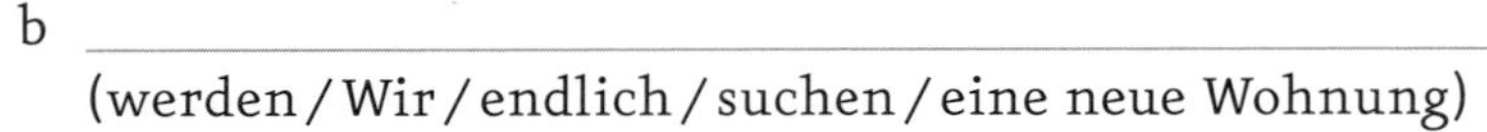

b ______________________________.
(werden / Wir / endlich / suchen / eine neue Wohnung)

c ______________________________.
(weniger Geld / ausgeben / werden / für Kleidung / Ich)

d ______________________________.
(möglichst oft / Sport machen / ich / werden / Ab morgen)

TRAINING: LESEN

1 Lesen Sie nur die Überschrift des Zeitungsartikels.

Notieren Sie: Wie könnte das Einkaufen in Zukunft einfacher werden?

– beim Bezahlen kein Geld brauchen ...

TIPP
Sie möchten einen Zeitungsartikel leichter verstehen? Lesen Sie zuerst die Überschrift(en) und sammeln Sie vor dem Lesen Ideen zum Thema.

2 Was ist richtig? Lesen Sie den Text und dann die Aufgaben. Kreuzen Sie an.

In Zukunft macht das Einkaufen richtig Spaß.

Mit der modernen Technik könnte es zumindest viel einfacher werden.

Nach der Arbeit muss ich noch ganz schnell in den Supermarkt. Ich beeile mich, aber das Bezahlen dauert. Schließlich trage ich die schweren Tüten nach Hause, nur die Butter fehlt. Ärgerlich! – Diese Situation kennen Sie doch auch, oder? Aber die moderne Technik wird das Einkaufen vermutlich schon bald viel einfacher machen. Das fängt schon mit dem Einkaufszettel an. Wir geben die Lebensmittel, die wir brauchen, über eine App ins Smartphone ein. Beim Einkaufen scannen wir dann alle Dinge, die wir in den Einkaufswagen legen. So sehen wir, was wir schon haben. Wenn man ein bestimmtes Produkt sucht, kann man sich anzeigen lassen, wo man es im Supermarkt findet. Auch das Bezahlen geht einfacher und schneller. Man fährt mit dem Einkaufswagen durch einen Scanner und Sekunden später bekommt man die Rechnung, die man per Handy bezahlt. Bargeld, Kreditkarten und lange Wartezeiten? Das war einmal. Wir können uns endlich wieder mit Dingen beschäftigen, die uns wirklich Spaß machen, zum Beispiel wieder mal in die Stadt gehen und richtig shoppen!

1 Das Thema des Artikels ist, dass
- (a) man beim Einkaufen immer die Butter vergisst.
- (b) das Einkaufen heute viel Spaß macht.
- (c) das Einkaufen in Zukunft leichter wird.

2 Der Autor
- (a) hat viel Zeit zum Einkaufen.
- (b) muss beim Bezahlen warten.
- (c) hat alles gekauft, was er braucht.

3 Eine App im Smartphone
- (a) hilft dem Kunden, wenn er ein Produkt sucht.
- (b) kontrolliert, ob der Kunde alles bezahlt hat.
- (c) scannt die Preise.

4 In Zukunft
- (a) dauert das Bezahlen nicht mehr lang.
- (b) bezahlt man mit Kreditkarte.
- (c) bekommt man keine Rechnung mehr.

TRAINING: AUSSPRACHE *Wortakzent (Komposita und Fremdwörter)*

1 Hören Sie und markieren Sie den Wortakzent.

▶1 14

das Laufwerk – die Tastatur –
die Festplatte – die Kommunikation –
das Diplom – der Computer –
das System – der Assistent – der Roboter

▶1 15 **Hören Sie noch einmal und sprechen Sie nach.**

2 Was ist richtig? Kreuzen Sie an.

REGEL
Komposita haben den Wortakzent auf dem ◯ ersten Wort. ◯ zweiten Wort.
Wörter mit den Endungen *-em, -ent, -om, -tion, -ur* haben den Wortakzent ◯ auf der ersten Silbe. ◯ auf der letzten Silbe.
Für Wörter aus dem Englischen gibt es keinen einheitlichen Wortakzent.

TEST

1 Ordnen Sie zu.

WÖRTER

Tastatur | Monitor | System | Mitteilung | ~~Laufwerk~~ | Maus

a Eine DVD legt man in das Laufwerk ein, wenn man auf dem Computer einen Film sehen will.
b Mit einem Passwort loggt man sich in das ______________ ein.
c Mit dem Smartphone kann man eine ______________ schreiben.
d Auf der ______________ gibt es Buchstaben, Zahlen und Sonderzeichen.
e Auf dem ______________ kann man Texte lesen, die man mit dem Computer geschrieben hat.
f Mit der ______________ kann man im Internet Links oder Bilder anklicken. _ / 5 PUNKTE

2 Ergänzen Sie *werden* in der richtigen Form und ordnen Sie das passende Verb zu.

STRUKTUREN

kommen | anrufen | bleiben | verkaufen | essen | ~~lernen~~ | machen | haben

a Ab morgen werde ich regelmäßig für meine Prüfung lernen.
b Ihr ______________ jetzt sofort eure Hausaufgaben ______________.
c In Italien scheint seit Wochen die Sonne. Anne und Phillip ______________ noch länger dort ______________.
d Ich ______________ im neuen Jahr weniger Schokolade ______________.
e Wir wollen mehr auf die Umwelt achten und ______________ unser Auto ______________.
f In wenigen Jahren ______________ jedes Schulkind ein Smartphone ______________.
g Es ist schon 23 Uhr. Du ______________ jetzt sofort nach Hause ______________!
h Er hat deinen Geburtstag nicht vergessen. Er ______________ bestimmt noch ______________. _ / 7 PUNKTE

3 Wie wird die Welt in Zukunft sein? Ordnen Sie zu.

KOMMUNIKATION

Ich kann mir gut | Dazu gibt es keine | Ich glaube, in | Das halte ich | Ich vermute

■ ______________ (a) 20 Jahren werden die Menschen nur noch 25 bis 30 Stunden pro Woche arbeiten.
▲ Das kann sein. ______________ (b) aber, dass sich noch viel mehr ändern wird. Nur noch wenige Menschen werden sich zum Beispiel ein Auto kaufen können.
■ ______________ (c) für unmöglich. Ein Auto braucht man doch! ______________ (d) Alternative.
▲ Doch! Man kann auch Carsharing machen. Und man kann mit dem Zug oder dem Rad fahren.
■ Ja, das stimmt.
▲ ______________ (e) vorstellen, dass es in Zukunft ganz neue Transportmittel geben wird. _ / 5 PUNKTE

Wörter		Strukturen		Kommunikation	
●	0–2 Punkte	●	0–3 Punkte	●	0–2 Punkte
●	3 Punkte	●	4–5 Punkte	●	3 Punkte
●	4–5 Punkte	●	6–7 Punkte	●	4–5 Punkte

www.hueber.de/menschen/lernen

LERNWORTSCHATZ

1 Wie heißen die Wörter in Ihrer Sprache? Übersetzen Sie.

Technik
Festplatte die, -n ____________
Fortschritt der, -e ____________
Gerät das, -e ____________
Kommunikation die ____________
Laufwerk das, -e ____________
Maus die, ¨-e ____________
Mitteilung die, -en ____________
Monitor der, -en, auch -e ____________
CH: Bildschirm der, -e
System das, -e ____________
Tastatur die, -en ____________
Technik die, -en ____________
Transport der, -e ____________

drehen (sich), hat sich gedreht ____________
zurück·drehen (sich), hat sich zurückgedreht ____________

technisch ____________

Vermutungen
Ansicht die, -en ____________
der Ansicht sein ____________
Überzeugung die, -en ____________
der Überzeugung sein ____________

behaupten, hat behauptet ____________
fürchten (sich), hat sich gefürchtet ____________
überzeugen, hat überzeugt, überzeugt sein ____________

vermuten, hat vermutet ____________

vermutlich ____________
A: wahrscheinlich

Weitere wichtige Wörter
Alternative die, -n ____________
Diplom das, -e ____________
Ernährung die ____________
Platz der, ¨-e ____________
Sinn der, -e ____________
Verkehr der ____________
Versprechen das, - ____________
versprechen (etwas), du versprichst, er verspricht, hat etwas versprochen ____________
Warnung die, -en ____________
warnen, hat gewarnt ____________

anstrengen (sich), hat sich angestrengt ____________
liefern, hat geliefert ____________

fern ____________
persönlich ____________
rund ____________
rund um die Uhr ____________

zentral ____________

manch- ____________

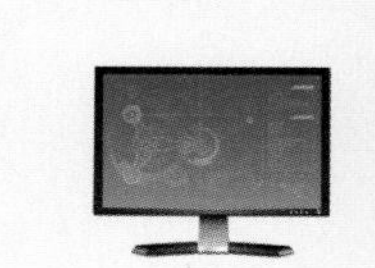

2 Welche Wörter möchten Sie noch lernen? Notieren Sie.

____
____
____

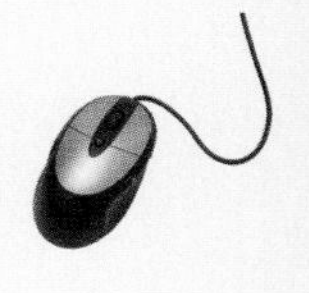

Fühlen Sie sich wie zu Hause.

KB 5 **1** **Ordnen Sie zu.**

KOMMUNIKATION

Der sieht aber lecker aus. Und er riecht so gut | Das ist aber ein schöner Blumenstrauß | Es hat wirklich ausgezeichnet geschmeckt | Es ist schon spät | Gern geschehen | Kommen Sie gut nach Hause | ~~Vielen Dank für Ihre Gastfreundschaft~~

■ Herzlich willkommen, Frau Stemmler. Kommen Sie rein!
▲ Guten Abend, Frau Härtl. Vielen Dank für Ihre Gastfreundschaft (a). Die sind für Sie!
■ Oh! ______ (b). Vielen Dank!

■ Darf ich Ihnen etwas von dem Rinderbraten anbieten?
▲ Ja, gern. ______ (c).
■ Vielen Dank.

▲ ______ (d). Ich muss langsam gehen. Noch einmal herzlichen Dank für die Einladung.
■ ______ (e).

▲ Danke noch einmal. ______ (f) und es war ein schöner Abend.
■ Danke. Das freut mich. ______ (g)!

KB 5 **2** **Schreiben Sie eine E-Mail.**

SCHREIBEN

Sie waren bei Ihrer Geschäftspartnerin Frau Winter zum Essen eingeladen.
– Sie möchten sich noch einmal bedanken.
– Was hat Ihnen besonders gefallen?
– Sie möchten Frau Winter zum Essen einladen.

Schreiben Sie zu allen drei Punkten und denken Sie an eine passende Anrede und Grußformel.

Liebe Frau Winter,
ich möchte mich noch ...

KB 6 **3** **Ordnen Sie zu.**

KOMMUNIKATION

Das ist kein Problem | Ich bin allergisch gegen | leider nicht anbieten | wie schade | Wenn es keine Umstände macht | ~~Wenn es Sie nicht stört~~

a ▲ Bitte setzen Sie sich doch.
■ Wenn es Sie nicht stört, würde ich lieber hier sitzen.

b ■ Ich wollte den Aperitif eigentlich ohne Eis.
▲ ______. Ich mache Ihnen sofort einen neuen.

c ▲ Möchten Sie ein Bier oder ein Glas Rotwein zu dem Schweinebraten?
■ ______, hätte ich lieber eine Cola.
▲ Oh, das tut mir leid. Eine Cola kann ich Ihnen ______. Wie wäre es mit einem Orangensaft oder einem Wasser?
■ Dann nehme ich gern einen Orangensaft.

d ■ Mhm, Obstsalat. Sehr lecker. Ist der mit Nüssen?
▲ Ja, in dem Salat sind Haselnüsse.
■ ______________________ Nüsse.
▲ Oh, ______________________! Dann kann ich Ihnen leider nur einen Espresso anbieten.
■ Ach, das macht doch nichts! Ein Espresso ist wunderbar!

KB 7 **4** **Ergänzen Sie den Richtig-Reisen-Blog.**

WÖRTER

Mark2014

Hallo, ich fahre nächsten Monat geschäftlich nach Japan. Ich war noch nie dort und weiß auch nicht viel über das Land und die Kultur. In welcher Reihenfolge begrüße (ßebeürg) (a) ich meine Geschäftspartner? Sollte man ein Gastgeschenk dabei haben? Gibt es Tabuthemen für eine ______________________ (gnuUnhaltert) (b)? Was muss man beim Essen ______________________ (achebten) (c)? Wer ______________________ (stibemmt) (d), wann das Geschäftsessen beendet ist? ... Meint ihr, ich sollte mich vorher informieren? Oder habt ihr vielleicht ein paar Tipps für mich?

Kommentare

JANAK

______________________ (lage) (e), ob ich privat oder geschäftlich unterwegs bin. Ich ______________________ (foinerierm) (f) mich immer ______________________ (rehvor) (g). Dadurch wird das Reisen doch auch gleich viel interessanter.

leon...89

Ja, das mache ich auch. Das ist für mich auch ein ______________________ (cheiZen) (h) von Respekt. Außerdem möchte ich mich wohlfühlen und das geht am besten, wenn ich mich richtig ______________________ (lahverte) (i). Für Japan kann ich dir aber leider keine Tipps geben.

Teddybär

Na ja. Ich denke, es gibt so viele Regeln, dass man sich sowieso nicht auf alle Situationen vorbereiten kann. ______________________ (Derah) (j) halte ich Ratgeber für ______________________ (lissonn) (k). Ich ______________________ (chobebate) (l) die Menschen lieber vor Ort. Dabei erfährt man meiner Meinung nach am meisten.

REISEFAN

Ich habe schon viel Zeit in fremden Ländern ______________________ (bravercht) (m), mich aber ______________________ (sächchiltat) (n) noch nie vorbereitet. Klar habe ich auch schon mehrere Missverständnisse erlebt. Aber in ______________________ (loschen) (o) Fällen hilft meistens Freundlichkeit und ein Lachen. Das ist in Japan doch bestimmt genauso.

Lotusblüte

Also, ich war schon oft in Japan. Da gibt es schon einige ______________________ (ppTsi) (p), die ich dir geben kann ...

BASISTRAINING

KB 7

5 Wie heißt das Gegenteil? Notieren Sie.

WÖRTER

a außen ≠ innen
b Begrüßung ≠ A______
c verschiedene Interessen ≠ g______ Interessen
d viel Zeit haben ≠ es e______ haben
e sinnvoll ≠ s______
f einen Vorschlag annehmen ≠ einen Vorschlag a______
g auf einem Fest bleiben ≠ ein Fest v______
h einen Wunsch offen lassen ≠ einen Wunsch er______

KB 7

6 Was ist richtig? Kreuzen Sie an.

WIEDERHOLUNG STRUKTUREN

	als	obwohl	weil	wenn	
a Ich muss leider gehen,	○	⊗	○	○	der Gastgeber das Essen noch nicht beendet hat.
b Unsere Kollegin kann leider nicht kommen,	○	○	○	○	sie eine Erkältung hat.
c Sie sollten die Besteckreihenfolge beachten,	○	○	○	○	Sie mehrere Gänge bekommen.
d Der Gastgeber hielt eine Rede,	○	○	○	○	alle Gäste da waren.

KB 7

7 Falls Sie vorher gehen müssen, …

STRUKTUREN ENTDECKEN

a Markieren Sie *falls*, vergleichen Sie mit den Konjunktionen in 6 und kreuzen Sie an.

1 Falls Sie vorher gehen müssen, sollten Sie sich entschuldigen.
2 Sie sollten sich nicht mit der Serviette die Nase putzen, falls Sie eine Erkältung haben.
3 Sie sollten die Besteckreihenfolge beachten, falls Sie mehrere Gänge bekommen.
4 Falls der Gastgeber eine Rede halten möchte, sollten Sie das Gespräch mit Ihrem Tischnachbarn unterbrechen.

GRAMMATIK
Falls hat die gleiche Bedeutung wie
○ *als.* ○ *obwohl.* ○ *weil.* ○ *wenn.*

b Markieren Sie jetzt die Verben in a und kreuzen Sie an.

GRAMMATIK
Nach *falls* steht das Verb
○ an Position 2. ○ am Ende.

KB 7

8 Schreiben Sie die Sätze mit *falls*.

STRUKTUREN

a Falls Sie das Essen langweilig finden______, dürfen Sie natürlich nachwürzen.
(Sie finden das Essen langweilig.)
b Sie können natürlich vorher gehen, ______.
(Sie haben einen wichtigen Grund.)
c ______
______, sollten Sie an gute Tischmanieren denken.
(Sie essen nach einem Vorstellungsgespräch in der Kantine.)
d Informieren Sie sich über die Tischmanieren, ______.
(Sie haben Geschäftskontakte im Ausland.)

TRAINING: SPRECHEN

6

1 Vorschläge machen: Ordnen Sie zu.

~~Ja, das ist eine gute Idee.~~ | ~~Das ist keine so gute Idee.~~ | ~~Lass uns doch …~~ |
Du hast recht. | Darf ich etwas vorschlagen? | Also, ich weiß nicht. Das finde ich nicht so gut. |
Was hältst du davon, wenn wir … | Einverstanden. | Ich finde das nicht so gut. |
Ich bin (auch) dafür. | Ja gut, machen wir es so. | Wir könnten doch …? |
Ehrlich gesagt finde ich das nicht so gut. | Wollen wir nicht lieber …

etwas vorschlagen	positiv reagieren	negativ reagieren
Lass uns doch …	*Ja, das ist eine gute Idee.*	*Das ist keine so gute Idee.*

TIPP

In Prüfungen müssen Sie oft mit Ihrer Partnerin / Ihrem Partner gemeinsam etwas planen. Lernen Sie die Sätze aus der Tabelle, die Ihnen am besten gefallen, auswendig. Benutzen Sie diese Sätze auch im Alltag, wenn Sie auf Deutsch Vorschläge machen oder darauf reagieren. Dann ist es in der Prüfung leichter.

2 Zusammen mit Ihrer Partnerin / Ihrem Partner eine Einladung planen

Sie arbeiten beide erst seit vier Wochen in der Firma. Deshalb möchten Sie die anderen Kollegen aus Ihrer Abteilung einladen.

a Bereiten Sie sich alleine vor. Machen Sie Notizen zu den folgenden Punkten:

Einladung
- Wann am besten?
  kurz vor Arbeitsschluss, weil mehr Zeit
- Wen einladen?
- Wie einladen (mündlich/schriftlich)?
- Was gibt es zu essen?
- Welche Getränke?
- Wo findet die Feier statt?
- Was noch machen?
- …

b Diskutieren Sie dann mit Ihrer Partnerin / Ihrem Partner über Ihre Vorschläge für die Feier.

TRAINING: AUSSPRACHE *Konsonantenverbindungen mit „r"*

▶ 1 16

1 Hören Sie und sprechen Sie nach.

der Braten – die Freundschaft –
der Hemdkragen – der Blumenstrauß –
die Begrüßung – trinken – sich freuen –
streiten – verbringen – probieren –
groß – betrunken

▶ 1 17

2 Hören Sie und sprechen Sie dann.

Zur Begrüßung einen Blumenstrauß
Ich freue mich!

Serviette im Hemdkragen
Großer Fehler!

Den Braten probieren
Oh! Wie lecker!

Streiten vor Gästen
Keine Gastfreundschaft!

Zu viel Rotwein getrunken
Total betrunken!

Einen schönen Abend verbracht
Oh ja!

TEST

WÖRTER

1 Ergänzen Sie die Vokale und ordnen Sie zu.

Vrstndns | ~~bschd~~ | Nchtsch | Zchn | ntrhltng | Gstgschnk | Pltz

- ■ Ich möchte ein paar Kollegen zum Essen zu mir nach Hause einladen. Was muss ich beachten?
- ● Denk daran, in Deutschland gibt man sich zur Begrüßung und zum Abschied (a) die Hand.
- ▲ Sie bringen sicher ein ______________ (b) mit. Bedanke dich dafür.
- ◆ Biete deinen Gästen einen ______________ (c) an.
- ■ Du gibst das ______________ (d), dass die Gäste mit dem Essen beginnen können.
- ● Zeig ______________ (e), wenn ihnen etwas nicht schmeckt.
- ▼ Lass dir beim Essen so viel Zeit, dass du noch eine ______________ (f) führen kannst.
- ◆ Als ______________ (g) würde ich Eis und Obst anbieten, das essen alle gern.

_ / 6 PUNKTE

STRUKTUREN

2 Schreiben Sie Sätze mit *falls*.

a Du hast Zeit. Wir möchten dich gern am Wochenende besuchen.
b Das Vorstellungsgespräch ist erfolgreich. Ich arbeite ab Mai bei der Firma Bär.
c Nehmen Sie eine Tablette. Die Erkältung wird stärker.
d Wir kommen nicht zu Ottos Fest. Er wird beleidigt sein.
e Der Ausflug wird verschoben. Es regnet.
f Du hast Probleme mit der Grammatik. Ich kann dir gern helfen.

a Falls du Zeit hast, möchten wir dich gern am Wochenende besuchen.

_ / 5 PUNKTE

KOMMUNIKATION

3 Auf einer Vernissage: Ergänzen Sie das Gespräch.

- ■ Hallo und herzlich ______________ (a), Herr Ascione. Schön, dass es ______________ (b) hat.
- ▲ Vielen Dank für Ihre Einladung.
- ■ Die Vernissage beginnt in einer halben Stunde, danach gibt es etwas zu essen. Darf ich Ihnen ein Glas Sekt mit Orangensaft ______________ (c)?
- ▲ Wenn es keine ______________ (d) macht, hätte ich lieber nur einen Orangensaft.
- ■ Das ist kein ______________ (e).
- ▲ Ihre Bilder sind sehr beeindruckend und das Essen hat ausgezeichnet ______________ (f).
- ■ Das ______________ (g) mich. Darf ich Ihnen noch etwas Kaffee nachschenken?
- ▲ Nein, danke. Es ist schon spät. Ich muss jetzt langsam gehen.
- ■ Oh. Schade! Kommen Sie gut nach ______________ (h).

_ / 8 PUNKTE

Wörter		Strukturen		Kommunikation	
●	0–3 Punkte	●	0–2 Punkte	●	0–4 Punkte
●	4 Punkte	●	3 Punkte	●	5–6 Punkte
●	5–6 Punkte	●	4–5 Punkte	●	7–8 Punkte

www.hueber.de/menschen/lernen

LERNWORTSCHATZ

6

1 Wie heißen die Wörter in Ihrer Sprache? Übersetzen Sie.

Einladungen

Abschied der, -e ______
Begrüßung die, -en ______
Freundschaft die, -en ______
Gastfreundschaft die ______
Kantine die, -n ______
CH: auch: Mensa die, Mensen
Nachtisch der, -e ______
CH: Dessert das, -s
Reihenfolge die, -n ______
Unterhaltung die, -en ______
Verständnis das ______

ab·lehnen, hat abgelehnt ______
begrüßen, hat begrüßt ______
bestimmen, hat bestimmt ______
erfüllen, hat erfüllt ______
geschehen, es geschieht, ist geschehen ______
gern geschehen ______
riechen, hat gerochen ______
setzen (sich), hat sich gesetzt ______
verbringen, hat verbracht ______
verhalten (sich), du verhältst dich, er verhält sich, hat sich verhalten ______
verlassen, du verlässt, er verlässt, hat verlassen ______

dabei haben ______
es eilig haben ______
gleich sein ______

außen ______
innen ______

vorher ______

Weitere wichtige Wörter

Erkältung die, -en ______
A: Verkühlung die, -en
Fall der, ¨-e ______
Vorstellung die, -en ______
Vorstellungsgespräch das, -e ______
Zeichen das, - ______

beachten, hat beachtet ______
beleidigen, hat beleidigt ______
beobachten, hat beobachtet ______
informieren (sich), hat sich informiert ______

betrunken ______
senkrecht ______
sinnlos ______

egal ______
eigentlich ______
tatsächlich ______

daher ______
falls ______

mehrer- ______
solch- ______
verschieden- ______

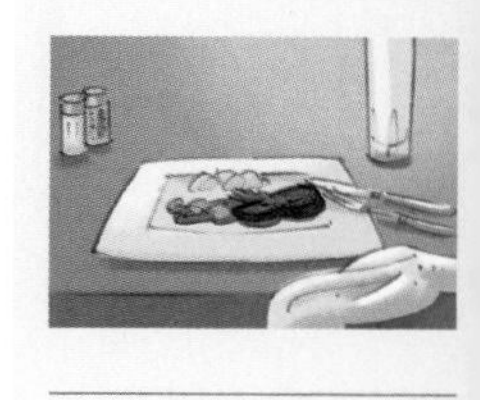

2 Welche Wörter möchten Sie noch lernen? Notieren Sie.

WIEDERHOLUNGSSTATION: WORTSCHATZ

1 Am Telefon

a Markieren Sie noch sieben Wörter.

TRANSZURÜCKRUFENVERBEREITTNTDSDURCHWAHLANDRVERBINDENDR
TASTEBERAUSKUNFTKUTOANSAGEKUANSCHLUSSANS

b Ordnen Sie die Wörter aus a zu.

1 Es tut mir leid, aber ich kann Ihnen leider keine Auskunft geben.
2 Der nächste Mitarbeiter wird sich um Sie kümmern. Bitte halten Sie Ihre Kundenkarte ______________.
3 Wenn Sie mit einem Kollegen aus der Abteilung Kundenservice sprechen möchten, wählen Sie bitte die ______________ -2345.
4 Herr Lehner ist leider außer Haus. Kann er Sie ______________?
5 Dies ist der ______________ von Familie Peters. Wir freuen uns über eine Nachricht.
6 Zum Löschen der Nachricht drücken Sie bitte die ______________ 2.
7 Das ist wirklich ärgerlich. Bei der Firma ABC läuft rund um die Uhr nur die automatische ______________ .
8 Guten Tag, können Sie mich bitte mit Frau Krüger ______________?

2 Moderne Technik: Ordnen Sie zu.

Maus | Smartphone | Tastatur | ~~Monitor~~ | Laufwerk | Festplatte

WER KANN MIR HELFEN?

- Die Bilder auf dem Monitor (a) sind so klein. Wie kann ich sie größer machen?
- Meine ______________ (b) ist voll. Ich kann nichts mehr speichern.
- Wie kann ich Bilder, die ich mit dem ______________ (c) gemacht habe, auf dem PC speichern?
- Meine rechte ______________taste (d) funktioniert nicht mehr.
- Ich kann keine CD in das ______________ (e) legen.
- Mein Freund aus Italien schreibt immer „Strasse". Seine ______________ (f) hat kein „ß".

3 Otto macht alles falsch. Ordnen Sie zu.

~~Begrüßung~~ | Nachtisch | Unterhaltung | Reihenfolge | Abschied | Gastfreundschaft | Verständnis

a Er schaut den Gastgeber bei der Begrüßung nicht direkt an.
b Er benutzt das Besteck in der falschen ______________.
c Er isst den ______________ vor der Hauptspeise.
d Er führt eine ______________ und spricht dabei mit vollem Mund.
e Er zeigt kein ______________ für die Probleme von seinen Gesprächspartnern.
f Er bedankt sich nicht für die ______________.
g Er geht ohne ______________ nach Hause.

WIEDERHOLUNGSSTATION: GRAMMATIK

1 Perfekter Service am Telefon: Ergänzen Sie die Sätze.

a Falls wir einmal nicht persönlich erreichbar sind, rufen wir Sie selbstverständlich zurück. (wir / nicht persönlich / erreichbar / sein)
b Rufen Sie bitte zu einem späteren Zeitpunkt noch einmal an, falls ______. (besetzt / sein / alle Apparate)
c Falls ______, kommt ein Mitarbeiter zu Ihnen. (können / Ihnen / wir / telefonisch / nicht helfen)
d ______, teilen Sie uns das bitte mit. (mit / Sie / sein / nicht zufrieden / unserem Service)

2 Das Firmenjubiläum

Ordnen Sie zu und ergänzen Sie die Verben im Futur I.

tanzen | wissen | machen | haben | ~~reden~~ | geben

■ Am Freitag ist doch die Feier. Kommst du auch?
● Ja, klar. Obwohl ich nicht besonders viel Lust habe. Ich kann mir schon vorstellen, wie es wird. Der Chef wird bei der Begrüßung wieder stundenlang reden (a), obwohl niemand mehr zuhört. Es ______ wieder nur vegetarisches Essen ______ (b). Herr Lundt aus der Marketingabteilung ______ wie immer mit allen jungen Frauen ______ (c). Meine Kollegin Lydia ______ wieder schreckliche Fotos ______ (d) und an die ganze Abteilung verschicken. Spätestens am Montag ______ dann alle ______ (e), wer sich unmöglich verhalten hat. Aber wenigstens kommt Andy. Mit ihm ______ wir sicher wieder viel Spaß ______ (f).

3 Mein 30. Geburtstag

Was passt? Kreuzen Sie an.

a Die Geburtstagsparty gestern war toll, ☒ obwohl ◯ trotzdem ich eigentlich gar nicht feiern wollte.
b Es waren 20 Gäste bei mir, ◯ obwohl ◯ trotzdem ich nur 10 eingeladen habe.
c Meine Wohnung ist klein. ◯ Obwohl ◯ Trotzdem haben alle Platz gefunden.
d Ich habe mir nichts gewünscht. ◯ Obwohl ◯ Trotzdem habe ich viele schöne Geschenke bekommen.
e Fast alle Gäste sind bis 3 Uhr geblieben, ◯ obwohl ◯ trotzdem sie am nächsten Tag arbeiten mussten.
f Die Musik war laut. ◯ Obwohl ◯ Trotzdem haben sich die Nachbarn nicht beschwert.
g Nächstes Jahr feiere ich wieder, ◯ obwohl ◯ trotzdem ich heute den ganzen Tag aufräumen musste.

SELBSTEINSCHÄTZUNG Das kann ich!

Ich kann jetzt ...

... einen Anrufer verbinden: L04
Für Reklamationen muss ich Sie mit meinem Kollegen v________________.
Ich st________ Sie du__________. B______________ Sie bitte am A______________.

Hören Sie, es tut mir sehr leid, aber der Kollege ist gerade a____________
H___________. Könnten Sie später noch einmal a__________________?
Ich gebe Ihnen die D__________________: Das ist die 123.
Hören Sie, mein Kollege spricht gerade. Kann ich ihm etwas a________________?

... reklamieren: L04
Ich muss leider sagen, dass mich Ihr Service sehr ent__________________ hat.
Ich möchte Sie auf________________, dass Sie mir ab s___________ die richtige Zeitschrift schicken.

... Vermutungen über Zukünftiges äußern: L05
Ich v________________, dass wir in unserer Firma bald nur noch Projektarbeitsplätze haben.
V__________________________ wird es nur noch papierlose Büros geben.
Wir w____________________ wo____________ nicht mehr rund um die Uhr erreichbar sein.

... Besuch hereinbitten: L06
■ H________________ w____________________, Frau Müller!
Kommen Sie doch rein. Schön, dass es g____________________ hat.
▲ Vielen Dank für Ihre G______________________________!

... jemandem etwas anbieten: L06
■ S__________ Sie sich! D__________ ich Ihnen ein Glas Sekt a______________?
■ Darf ich I______________ von der Vorspeise g______________?

... Sonderwünsche äußern: L06
▲ Wenn es Sie nicht s____________, würde ich lieber hier sitzen.

▲ Es tut mir leid, aber ich habe eine Weizena______________. Wenn es keine Um____________ macht, hätte ich lieber Reis.
■ Oh, das tut mir l__________! Aber Reis kann ich Ihnen leider n_________ an______________.

Ich kenne ...

... 6 Wörter zum Thema „Kundenservice“: L04

____

... 8 Wörter zum Thema „Technik“: L05
Das habe ich / hätte ich gern: ______________________________

____

Das habe ich nicht / brauche ich nicht: ______________________________

____

... 8 Wörter zum Thema „Einladungen“: L06

____

SELBSTEINSCHÄTZUNG Das kann ich!

Ich kann auch ...

... Gegensätze ausdrücken (Satzverbindung: *obwohl, trotzdem*): L04 ○ ○ ○

Ich habe Ihnen das mehrfach erklärt. ______________ hat sich bis heute nichts geändert.
Es hat sich bis heute nichts geändert, ______________ ich Ihnen das mehrfach erklärt habe.

... Vorhersagen/Vermutungen, Warnungen/Aufforderungen und Versprechen/ Vorsätze/Pläne ausdrücken (Futur I): L05 ○ ○ ○

Bald __________ in fast jedem Haushalt ein PC stehen.
Du __________ jetzt sofort die Musik leiser machen!
Ich __________ morgen mit dem Rauchen aufhören.

... Bedingungen ausdrücken (Satzverbindung: *falls*): L06 ○ ○ ○

Sie haben das Essen beendet. Legen Sie die Serviette neben den Teller.
Legen Sie ______________________________________.

Üben / Wiederholen möchte ich noch:

____

RÜCKBLICK

Wählen Sie eine Aufgabe zu Lektion 4

1 Lesen Sie noch einmal den Erfahrungsbericht im Kursbuch auf Seite 158. Korrigieren Sie die Sätze.

a Ich habe das Handy vor ~~einem Monat~~ gekauft. zwei Monaten
b Das Handy ist zu klein. ______________
c Die Qualität von den Bildern ist gut. ______________
d Ich höre mit dem ApfelOne gern Musik. ______________
e Nach einem Tag war der Speicher fast voll. ______________
f Mit dem ApfelOne kann man schnell surfen. ______________

2 Schreiben Sie einen Erfahrungsbericht über ein Produkt, das Sie in letzter Zeit gekauft haben.
Wählen Sie ein Produkt (Elektrogerät, Kleidung, Möbel ...).
Schreiben Sie über die Qualität, das Aussehen, den Preis und was Ihnen sonst noch an dem Produkt gefällt oder nicht gefällt.

★★★★☆ Ich habe vor zwei Monaten einen neuen Fernseher gekauft. Der Fernseher war zwar ziemlich teuer. Aber ich bin damit sehr zufrieden. Der Bildschirm hat eine gute Qualität. Die Bilder sind scharf und die Farben sehr schön. Auch der Sound gefällt mir ganz gut. Leider sieht man auf dem schwarzen Gerät sofort, wenn es schmutzig ist. Deshalb sollte man den Fernseher lieber in einer anderen Farbe kaufen.

RÜCKBLICK

Wählen Sie eine Aufgabe zu Lektion 5

1 Lesen Sie noch einmal den Text im Kursbuch auf Seite 34.
Welche Sätze passen zu wem? Kreuzen Sie an.

	Willy	Frank
a Die meisten Menschen sind von Computern nicht überzeugt.	○	⊗
b Kinder werden mit Computern lernen.	○	○
c Wenn man mit dem Computer einen Text schreiben will, braucht man dafür oft länger als mit der Schreibmaschine.	○	○
d Wir werden auch für die private Kommunikation Computer benutzen.	○	○
e Es ist ein Fortschritt, dass uns Computer Arbeit abnehmen.	○	○

2 Zukunftsvision: Mein persönlicher Roboter
Stellen Sie sich vor, dass Sie in Zukunft einen Roboter haben werden. Wie sieht er aus? Was kann er? Machen Sie zuerst Notizen, schreiben Sie dann einen Text.

Wie sieht der Roboter aus?
silbern, hat freundliches Gesicht mit großen Augen
Welche Eigenschaften hat er?
sehr freundlich, immer aufmerksam
Welche Arbeiten übernimmt er?
Kaffee ans Bett bringen und wecken, E-Mails beantworten
Kann er noch etwas? kann sprechen

Mein persönlicher Roboter ist ganz silbern und sieht nett aus. Er hat ein freundliches Gesicht mit großen Augen ...

Wählen Sie eine Aufgabe zu Lektion 6

1 Wie verhalten Sie sich bei einem Geschäftsessen?
Lesen Sie noch einmal die Tipps im Kursbuch auf Seite 40 und beantworten Sie die Fragen.

a Wann dürfen Sie mit dem Essen anfangen?
b Was machen Sie mit der Serviette beim und nach dem Essen?
c Was sollten Sie beim Nachwürzen beachten?
d Wann können Sie das Geschäftsessen verlassen?

2 Private Einladungen: Wie verhält man sich richtig?

a Wählen Sie ein Land, das Sie kennen, und recherchieren Sie zu vier Themen.

Pünktlichkeit | Gastgeschenk | Absage | Begrüßung | Abschied | jemanden mitbringen | ...

b Schreiben Sie dann einen Ratgeber.

Die private Einladung in Brasilien
Vier Regeln, die Sie unbedingt beachten sollten:
1) Bringen Sie ein kleines Geschenk mit!
In Brasilien ist es üblich, ...

EIN SELTSAMER FALL

Teil 2: Geld oder Liebe

Ich sah noch einmal das Foto an, das ich von Frau Hofstätter hatte: Linus mit Babette; ein kleiner Junge mit hellem Haar und Sommersprossen, der eine Schildkröte in der Hand hält und fröhlich lacht.
Ich notierte die wichtigsten Informationen in meinem Heft:

1. Babette, die Schildkröte, ist weg; wahrscheinlich gestohlen.
2. Linus, der Besitzer, ist mit seiner Klasse auf Klassenfahrt. Morgen, Samstag, kommt er am Nachmittag zurück. Da sollte Babette wieder zu Hause sein.
3. Zeitpunkt des Diebstahls: vermutlich gestern (Donnerstag) Abend. Herr und Frau Hofstätter haben an diesem Tag nicht zu Hause übernachtet.

Wenn ich als Detektiv eines gelernt habe, dann das:
Es geht fast immer um Geld oder Liebe.
Geld also ... Wo verkauft man am besten eine gestohlene Schildkröte?
Im Internet natürlich.
Die nächsten zwei Stunden surfte ich durchs Netz. Ich fand kleine Schildkröten, große Schildkröten, Wasserschildkröten, Landschildkröten, Schildkröten mit grünem Panzer, Schildkröten mit braunem Panzer, alte Schildkröten (100 Jahre – extra teuer!), junge Schildkröten (erst drei Monate alt – Sonderangebot!). Schildkröten aus Schweden, aus Italien, Schildkröten aus Österreich und aus der Schweiz.
Aber eines fand ich nicht: eine Schildkröte aus unserer Stadt oder aus der Umgebung. Die nächste wurde 200 km entfernt verkauft und die war ein sechs Monate altes Schildkrötenbaby.
Geld war also wohl nicht der Grund für den Diebstahl.
Und Liebe?
Nein, das passt nicht bei Schildkröten.

Ich fuhr zu Frau Hofstätter. Vielleicht konnte ich am „Tatort“ einen Hinweis finden.
Ich sah mir Linus‘ Zimmer an: Fotos von Linus und Babette an der Wand, ein riesiges Terrarium neben dem Schreibtisch. Der Junge hatte seine Schildkröte wirklich sehr gern.
Ich fand nichts, was mir helfen konnte.
„Ist noch etwas anderes gestohlen worden, Frau Hofstätter?“, fragte ich.
„Nur ein paar Bücher und einige CDs. Und ein Bild.“
„War es ein teures Bild?“
„Nein, eigentlich nicht. Und es gehört gar nicht uns, sondern meinem Schwager[1] Thomas. Er wollte es nächste Woche abholen.“
„Wurde die Eingangstür aufgebrochen?“
„Nein. Das ist seltsam, oder?“
Ja, das ist wirklich seltsam.
„Gut, Frau Hofstätter, ich rede jetzt mit Ihren Nachbarn. Vielleicht hat einer von ihnen etwas gesehen.“

1: Schwager der, ¨-: Ehemann von der Schwester oder Bruder von dem Ehemann / der Ehefrau

Kann ich Ihnen helfen?

KB 5 **1 Ordnen Sie zu und ergänzen Sie in der richtigen Form. Nicht alle Wörter passen.**

Wörter

rechnen | raten | aufklären | pflegen | entscheiden | denken | nachdenken | fressen | ~~Pflicht~~ | Gesellschaft | Verständnis | Gewohnheit

MEINE TOCHTER WÜNSCHT SICH EIN HAUSTIER. WAS MUSS ICH BEACHTEN?

Es ist wichtig, dass Sie sich für ein Haustier __________ (a), das zu Ihrer Familie passt. Ich __________ (b) Ihnen, ein Tier aus dem Tierheim zu holen. Dort kann man Sie auch __________ (c), was die Tiere __________ (d) und welche __________ (e) sie haben. Manche Tiere leben zum Beispiel nicht gern allein, sondern brauchen __________ (f). Es ist gut, wenn Kinder ihre Tiere selbst füttern und __________ (g). So lernen sie früh, dass man *Pflichten* (h) übernehmen muss. Sie müssen allerdings auch damit __________ (i), dass Kinder das Füttern auch mal vergessen. Und ganz wichtig! __________ Sie schon vorher darüber __________ (j), was Sie mit dem Tier machen wollen, wenn Sie in Urlaub fahren.

KB 5 **2 Hausarbeit? Nein danke!**

Strukturen

a Verbinden Sie.

1 Es ist nicht leicht, Hemden	spülen zu müssen.
2 Ich vergesse immer, den Müll	zu bügeln.
3 Momentan habe ich überhaupt keine Zeit, Wäsche	zu sein.
4 Ich finde es anstrengend, die Fenster	rauszubringen.
5 Ich habe keine Lust, den Herd sauber	zu machen.
6 Es ist langweilig, viel Geschirr	zu putzen.
7 Aber ab morgen fange ich an, ordentlicher	zu waschen.

Strukturen entdecken

b Nach welchen Ausdrücken steht der Infinitiv mit *zu*? Markieren Sie die Ausdrücke in a und ordnen Sie zu.

bestimmte Verben	Konstruktionen mit *es*	Nomen + *haben*
vergessen	*es ist (nicht) leicht, ...*	*(keine) Zeit haben, ...*

KB 5 **3 Mein Hund Oskar**

Strukturen

a Schreiben Sie Sätze mit Infinitiv und *zu*.

1 toll sein – Es – einen Hund als Haustier – haben
Es ist toll, einen Hund als Haustier zu haben.

2 liegen – Mein Hund Oskar – auf dem Sofa – es schön finden
Mein Hund Oskar findet es __________.

3 Oskar – Aber – auch toll finden – spielen – im Park mit anderen Hunden
__________.

4 immer Angst haben – Er – bekommen – nicht genug Futter

____.

5 nicht – aufhören – Oskar – fressen

____, auch wenn er schon satt ist.

6 mir nicht mehr – Ich – vorstellen können – leben – ohne ihn

____.

7 Ich – sich einen Hund – kaufen – nur jedem empfehlen können

____.

STRUKTUREN ENTDECKEN

b Nach welchen Ausdrücken steht der Infinitiv mit *zu*? Markieren Sie in a und ergänzen Sie die Tabelle in 2b.

KB 5

4 Ergänzen Sie die Verben mit oder ohne *zu*.

STRUKTUREN

a Man soll den Tieren jeden Tag frisches Wasser geben (geben).
b Es ist eure Pflicht, mit dem Hund ______________ (spazieren gehen).
c An eurer Stelle würde ich den Kaninchenkäfig öfter ______________ (sauber machen).
d Fangt endlich an, Verantwortung ______________ (übernehmen).
e Ihr müsst für das Kaninchen Möhren ______________ (kaufen).
f Ihr habt versprochen, selbst auf eure Tiere ______________ (aufpassen).

KB 7

5 Welches Verb passt? Kreuzen Sie an.

WÖRTER

	schwitzen	tauchen	gehen	ausschalten	anschaffen	haben
a am Wochenende frei	○	○	○	○	○	⊗
b im Roten Meer	○	○	○	○	○	○
c den Fernseher	○	○	○	○	○	○
d beim Joggen	○	○	○	○	○	○
e sich neue Wanderschuhe	○	○	○	○	○	○
f in den Zoo	○	○	○	○	○	○

KB 7

6 Kundenberatung: Welche Sätze sind ähnlich? Ordnen Sie zu.

KOMMUNIKATION

a ○ Kann ich etwas für Sie tun?
b ○ Ich möchte mir etwas anschaffen.
c ○ Denken Sie daran, dass …
d ○ Außerdem sollten Sie bedenken, dass …
e ② Dann würde ich Ihnen dieses Produkt empfehlen.
f ○ Es gibt Unterschiede.
g ○ Sie haben recht.
h ○ Das ist ein guter Hinweis.
i ○ Ich habe mich schon entschieden.
j ○ Das kommt für mich nicht infrage.

1 Und Sie müssen auch noch berücksichtigen, dass …
2 Ich rate Ihnen (also), dieses Produkt zu kaufen.
3 Kann ich Ihnen helfen?
4 Vergessen Sie nicht, dass …
5 Das finde ich auch.
6 Ich weiß schon, was ich nehme.
7 Ich möchte mir etwas kaufen.
8 Das möchte ich auf keinen Fall.
9 Das ist ein guter Tipp.
10 Die Produkte sind nicht gleich.

BASISTRAINING

KB 7 **7** **Ordnen Sie zu.**

KOMMUNIKATION

Ihren Rat | noch überlegen | ~~Ihnen helfen~~ | Unterschiede | ein guter Hinweis | anprobieren | für Sie nicht infrage | anschaffen | Ihnen empfehlen | im Angebot

■ Kann ich *Ihnen helfen* (a)?
● Ja, gern. Ich möchte mir Joggingschuhe ______________________ (b). Und da brauche ich jetzt ______________________ (c). Die hier gefallen mir! Ich jogge immer im Park.
■ Dann kommen die Schuhe hier ______________________ (d). Ich würde ______________________ (e), nicht zu weiche Schuhe zu nehmen. Momentan haben wir ein paar Modelle ______________________ (f). Hier, sehen Sie. Aber da gibt es große ______________________ (g).
● Danke, das ist ______________________ (h). Könnte ich mal die Grauen dort in Größe 38 ______________________ (i)?
■ Hier bitte.
● Danke. Toll, die passen sehr gut. Wie viel kosten die denn?
■ 169 Euro.
● Was? Ich dachte, das ist ein Angebot. Das muss ich mir ______________________ (j).

KB 7 **8** **Kundenberatung: Hören Sie das Gespräch.**
▶1 18 **Für welchen Rucksack entscheidet sich die Kundin? Rucksack:** ____

HÖREN

A

B

C

Größe: 35 Liter
Preis: 49,90€
wasserdicht

D

Größe: 20 Liter
Preis: 69,90 €
mit Trinksystem
ideal fürs Mountainbike

KB 8 **9** **Lösen Sie das Rätsel.**

WÖRTER

					a	E	R		I		H		
							A						
					b	A			G				N
			c	T							R		
		d	B										
	e	N							L				
f	U							R					
			g	J		W		I		S			
				h	K	Ö							

Lösung:
Das Wetter ist so schön!
Deshalb will ich unbedingt ______________________

a In Deutschland gibt es immer mehr Mütter und auch Väter, die ihre Kinder allein ohne einen Partner / eine Partnerin ...
b Das Gegenteil von *Geld sparen* ist *Geld* ...
c nicht am Abend oder in der Nacht: ...
d sich bewegen → die ... (Nomen)
e Das Gegenteil von *der Vorteil* ist *der* ...
f *circa* = ...
g In der Prüfung gibt es für jede Frage ... 3 Punkte.
h 

TRAINING: LESEN

1 Eine Besucherordnung von einem Zoo verstehen

Lesen Sie die Aufgaben und dann den Text. Was ist richtig? Kreuzen Sie an.

Besucherordnung

Bitte beachten Sie folgende Hinweise:

1 Unsere Tiere brauchen spezielles Futter, sonst werden sie krank. Daher gilt im Zoo absolutes Fütterungsverbot.

2 Auch Tiere brauchen Ruhepausen. Versuchen Sie bitte nicht, durch lautes Rufen auf sich aufmerksam zu machen. Es ist verboten, über die Absperrung zu steigen, die Gehege zu betreten oder die Tiere anzufassen.

3 Kindern unter 12 Jahren ist der Besuch im Zoo nur zusammen mit Erwachsenen gestattet. Eltern haften für ihre Kinder.

4 Das Mitbringen von Hunden und anderen Haustieren ist untersagt.

5 Sie dürfen gern fotografieren oder filmen. Bitte beachten Sie aber das Blitz-Verbot in manchen Tierhäusern.

6 Bitte beachten Sie die Öffnungszeiten. Verlassen Sie den Zoo spätestens bis 19.00 Uhr.

1 Tiere darf man
- (a) streicheln, wenn Sie an die Absperrung kommen.
- (b) laut rufen, wenn sie einen nicht beachten.
- (c) nicht füttern, weil es nicht gut für die Gesundheit der Tiere ist.

2 Die Besucher
- (a) können mit ihrem Hund in den Zoo kommen.
- (b) , die den Zoo mit ihren Kindern besuchen, sind für ihre Kinder verantwortlich.
- (c) sollen den Zoo nach 19 Uhr verlassen.

3 Fotos mit Blitz
- (a) darf man überall machen.
- (b) darf man nicht überall machen.
- (c) darf man überhaupt nicht machen.

TIPP

In Haus- oder Besucherordnungen steht, was man (nicht) darf. Dafür gibt es typische Ausdrücke. Wenn Sie diese Ausdrücke kennen, dann verstehen Sie die Texte besser. Besucherordnungen finden Sie auch oft in Prüfungen.

TRAINING: AUSSPRACHE *Konsonantenverbindung „pf"*

▶1 19 **1 Was hören Sie? Kreuzen Sie an.**

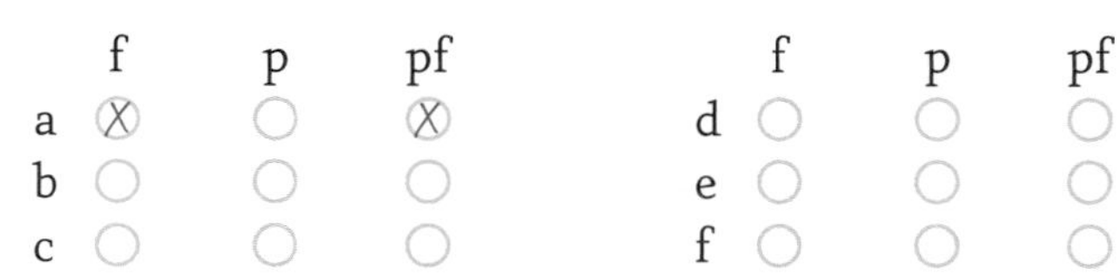

	f	p	pf		f	p	pf
a	⊗	○	⊗	d	○	○	○
b	○	○	○	e	○	○	○
c	○	○	○	f	○	○	○

▶1 20 **Hören Sie noch einmal und sprechen Sie nach.**

TEST

WÖRTER

1 Ordnen Sie zu.

rausgehen | ausgeben | ~~entscheiden~~ | Gesellschaft | fressen | Rat | rechnen | anschaffen

- ◆ Meine Tochter möchte ein Haustier, kann sich aber nicht entscheiden (a). Mit welchen Kosten muss ich __________ (b)? Habt ihr einen guten __________ (c) für mich?
- ■ Ich würde mir auf keinen Fall Fische __________ (d). Die sind so langweilig!
- ● Kaninchen sind echt süß. Du solltest aber mindestens zwei kaufen, weil sie __________ (e) brauchen. Und sie müssen immer genug zu __________ (f) haben.
- ▲ Wie viel Geld willst du __________ (g)? Ein Hund zum Beispiel ist nicht billig. Und du musst jeden Tag drei- bis viermal mit ihm __________ (h)!

_ / 7 PUNKTE

STRUKTUREN

2 Ordnen Sie zu und ergänzen Sie *zu*, wo nötig.

haben | regnen | treffen | sauber machen | ~~rausgehen~~ | übernehmen | beraten

a ● Ich habe keine Zeit, mit dem Hund rauszugehen. Kannst du das machen?
▲ Muss das sein? Es fängt gleich an __________ .

b ● Soll ich mir Meerschweinchen oder Hamster kaufen?
▲ Es ist wirklich nicht leicht, eine Entscheidung __________. Aber ich kann dich gern __________.

c ● Unsere Tochter möchte so gern ein Haustier __________. Sollen wir es ihr erlauben?
▲ Warum denn nicht? Mit einem Tier lernt sie, Verantwortung __________.

d ● Ist es notwendig, das Gehege jeden Tag __________?
▲ Nein, nur zwei- bis dreimal die Woche.

_ / 6 PUNKTE

KOMMUNIKATION

3 Was sagen die Personen? Ergänzen Sie.

- ■ Guten Tag, kann ich etwas für Sie tun?
- ● Ich m ö c h t e mich mal um _ _ _ _ _ _ _ _ (a). Mein Sohn wünscht sich einen Hund. Und da br _ _ _ _ _ ich jetzt Ihren R _ _ (b).
- ■ Ein Hund ist immer ein toller Freund für Kinder. Aber zu _ ä _ _ _ _ mu _ _ ich Ihnen _ _ g _ n (c), dass Sie viel Zeit für einen Hund brauchen. Und S _ _ m _ _ _ _ _ auch ber _ _ _ s _ _ _ _ _ _ g _ _ (d), dass ein Hund viel kostet. Auß _ _ _ _ _ sol _ _ _ _ Sie bed _ _ _ _ _ _ (e), dass Sie einen Hund nicht immer mit in den Urlaub nehmen können.
- ● Ja, also, da muss m _ _ ja wirk _ _ _ _ einiges bea _ _ _ _ _ _ (f). Ich glaube, ein Hund k _ _ _ _ für uns doch ni _ _ _ i _ fr _ _ _ (g).

_ / 7 PUNKTE

Wörter		Strukturen		Kommunikation	
●	0–3 Punkte	●	0–3 Punkte	●	0–3 Punkte
●	4–5 Punkte	●	4 Punkte	●	4–5 Punkte
●	6–7 Punkte	●	5–6 Punkte	●	6–7 Punkte

www.hueber.de/menschen/lernen

LERNWORTSCHATZ

7

1 Wie heißen die Wörter in Ihrer Sprache? Übersetzen Sie.

Beratung
Hinweis der, -e ______
Pflicht die, -en ______
Rat der ______
Unterschied der, -e ______

an·schaffen (sich etwas), hat sich etwas angeschafft ______
auf·klären, hat aufgeklärt ______
berücksichtigen, hat berücksichtigt ______
entscheiden (sich), hat sich entschieden ______
nach·denken, hat nachgedacht ______
raten, du rätst, er rät, hat geraten ______
rechnen, hat gerechnet ______
mit etwas rechnen ______

Tier(pflege)
Bewegung die, -en ______
Gesellschaft die ______
Möhre die, -n ______
A: Karotte die, -n
CH: Rüebli das, -
Zoo der, -s ______
A: auch: Tiergarten der, ⸚

aus·geben, du gibst aus, er gibt aus, hat ausgegeben ______
Geld ausgeben ______
erziehen, hat erzogen ______
pflegen, hat gepflegt ______
fressen, du frisst, er frisst, hat gefressen ______

raus ______
raus·gehen ______

Weitere wichtige Wörter
König der, -e ______
Königin die, -nen ______
Nachteil der, -e ______
Vorteil der, -e ______

aus·schalten, hat ausgeschaltet ______
schwitzen, hat geschwitzt ______
tauchen, ist getaucht ______

ernsthaft ______
frei ______
frei haben ______

jeweils ______
momentan ______
tagsüber ______
ungefähr ______

zunächst ______
A/CH: auch: zuerst

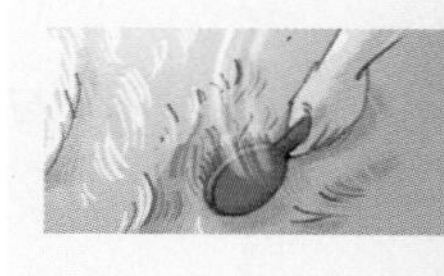

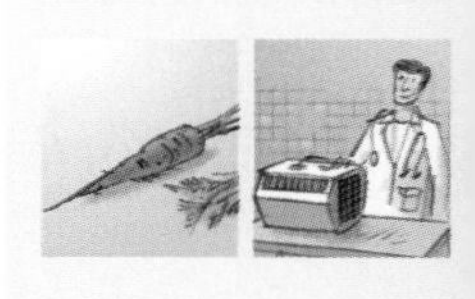

2 Welche Wörter möchten Sie noch lernen? Notieren Sie.

______
______
______

Während andere lange nachdenken, …

KB 3 **1** **Was passst? Ordnen Sie zu.**

WÖRTER

a	(8) die Lösung für ein Problem	1	studieren
b	○ den neuen Fernseher nicht ohne Anleitung	2	spielen dürfen
c	○ ein neues Haus	3	zusammenzählen
d	○ im Park nicht auf dem Rasen	4	bedienen können
e	○ an der Universität Psychologie	5	erledigen
f	○ ein leckeres Gericht	6	kochen
g	○ die Zahlen richtig	7	festhalten
h	○ sich mit einer Hand	8	finden
i	○ die Arbeit schnell	9	bauen

KB 3 **2** **So macht die Arbeit Spaß: Was ist richtig? Markieren Sie.**

WÖRTER

a In meinem Job kann ich selbst entscheiden, wann und wo ich arbeite. Es ist mir wichtig, diese Pflicht / Langeweile / Freiheit zu haben.

b Meine Arbeit macht mir Spaß. Ich könnte nicht jeden Tag stundenlang / selten / kürzlich das Gleiche machen. Tätigkeit / Freude / Langeweile finde ich furchtbar.

c Wie kann man bloß / nämlich / ebenso den ganzen Tag am Schreibtisch sitzen? Für eine Tätigkeit im Büro wäre ich überhaupt nicht geeignet / sinnvoll / zuverlässig. Ich arbeite lieber mit den Händen. Deshalb bin ich Mitarbeiter / Handwerker / Angestellter geworden.

d Ich schreibe Bücher, meistens Romane. Ich bin Schriftsteller / Regisseur / Journalist. Das ist mein Traumberuf.

KB 3 **3** **Beim Vorstellungsgespräch: Was passt? Kreuzen Sie an.**

STRUKTUREN

a Ich würde gerne bei Ihnen arbeiten, ⊗ da/weil ○ denn ○ deshalb ich Ihre Firma interessant finde.

b Ich mag den Kontakt zu Kunden, ○ da/weil ○ denn ○ deshalb möchte ich gern im Verkauf arbeiten.

c Ich habe mich bei Ihnen als Sekretärin beworben, ○ da/weil ○ denn ○ deshalb ich bin meiner Meinung nach gut für die Stelle geeignet.

d Ich möchte bei Ihnen eine Ausbildung als Mechaniker machen, ○ da/weil ○ denn ○ deshalb ich mich für Autos interessiere.

KB 3 **4** **Was soll ich studieren? Ordnen Sie zu und ergänzen Sie die Sätze.**

STRUKTUREN

Sie sind sehr kreativ. | ~~Sie arbeiten gern mit Menschen.~~ | Sie haben schon eine Ausbildung als Krankenschwester gemacht. | Sie beschäftigen sich viel mit Technik und Computern.

a Für Sie kommt ein sozialer Studiengang infrage, *da Sie gern mit Menschen arbeiten.*

b Sie wären für ein Kunststudium geeignet, da ______________________.

c Sie sollten Informatik studieren, da ______________________.

d Ein Medizinstudium wäre für Sie nicht so schwer, da ______________________.

BASISTRAINING

KB 3

5 Der Berufstest: Ordnen Sie zu.

KOMMUNIKATION

auch sehr gut vorstellen | ~~ein technischer Typ bin~~ | sehr gut geeignet | nicht erwartet | denke eher | das passt nicht | passt das Ergebnis | meinen Fähigkeiten | Ergebnis sagt

■ Du hast doch auch diesen Berufstest gemacht? Was war denn dein Ergebnis?
● Der Test sagt, dass ich ein technischer Typ bin (a). Ich finde aber, ______ (b). Das entspricht ______ (c) überhaupt nicht.
■ Das hätte ich bei dir auch ______ (d).
● Ich ______ (e), dass ich künstlerisch begabt bin. Und du, hast du deine Punkte auch schon zusammengezählt?
■ Ja, das ______ (f), dass ich ein handwerklicher Typ bin und da ich gern mit meinen Händen arbeite, ______ (g) gut zu mir.
● Das kann ich mir bei dir ______ (h). Für handwerkliche Berufe bist du ______ (i).

KB 5

6 Das kann man auch machen. Ordnen Sie zu.

WÖRTER

gleichzeitig | tippen | kündigen | einschalten | ~~Cafeteria~~ | Kantine | Feierabend

a am Schreibtisch Pause machen – in der Pause in die Cafeteria gehen
b die Kaffeemaschine ausschalten – die Kaffeemaschine ______
c Überstunden machen – pünktlich ______ machen
d mit der Hand schreiben – am Computer ______
e eine Aufgabe nach der anderen erledigen – alle Aufgaben ______ erledigen
f einen Vertrag unterschreiben – einen Vertrag ______
g mittags im Restaurant essen – mittags in die ______ gehen

KB 5

7 Ergänzen Sie *bis* oder *seit(dem)*.

WIEDERHOLUNG STRUKTUREN

a Seit(dem) ich eine neue Stelle habe, gehe ich wieder gern zur Arbeit.
b ______ mir die Arbeit wieder Spaß macht, strenge ich mich viel mehr an.
c Ich habe lange gesucht, ______ ich diese Stelle gefunden habe.
d ______ ich ganz selbstständig arbeiten kann, wird es aber noch ein paar Wochen dauern.
e Ich verdiene besser, ______ ich mehr Verantwortung übernommen habe.
f ______ ich eine eigene Abteilung leiten kann, muss ich noch viel lernen.

BASISTRAINING

KB 5 STRUKTUREN ENTDECKEN

8 Kein Morgen ohne Smartphone!

Ordnen Sie die Sätze zu und markieren Sie die Verben.

während er frühstückt | bevor er duscht | während er zur Arbeit fährt | während er das Frühstück macht | bevor er aus dem Haus geht | ~~bevor Felix aufsteht~~

a Bevor Felix aufsteht, schaut er auf sein Smartphone.

b Er schreibt ein paar SMS, ______________________.

c ______________________, wirft er immer wieder einen Blick auf sein Handy.

d Er chattet mit Freunden, ______________________.

e Er informiert sich über das Wetter, ______________________.

f ______________________, liest er die Nachrichten und hört gleichzeitig Musik.

KB 5 STRUKTUREN

9 Oje, Frau Schön! Verbinden Sie die Sätze mit *während* oder *bevor*.

a Zuerst gießt sie die Blumen. Dann macht sie den Computer an.
b Sie macht sich einen Tee in der Küche. Danach fängt sie mit der Arbeit an.
c Sie beantwortet E-Mails und telefoniert gleichzeitig mit ihrem Mann.
d Sie spricht mit Kollegen über ihr Wochenende. Dann arbeitet sie weiter.
e Sie schreibt Rechnungen und isst gleichzeitig ihr Mittagsessen.
f Sie muss noch eine Konferenz vorbereiten. Danach hat sie einen Termin.
g Sie sitzt in der Konferenz und schreibt gleichzeitig SMS.
h Sie kann nach Hause gehen. Sie muss noch viel Arbeit erledigen.

a Bevor sie den Computer anmacht, gießt sie die Blumen.
b ...
c Während sie ...

KB 6 ▶1 21 HÖREN

10 Studium oder Berufsausbildung: Hören Sie die Radiosendung.

a Über welche Themen spricht der Berater? Bringen Sie die Themen in die richtige Reihenfolge.

◯ Dauer der Ausbildung ◯ praktische Erfahrungen ◯ Gehalt
◯ Vorbereitung auf den Berufsalltag ◯ Jobchancen

b Hören Sie noch einmal. Studium oder Berufsausbildung? Markieren Sie die richtige Lösung.

Mit einem Studium hat man meistens gute/schlechte (1) Jobchancen und es gibt viele/wenige (2) Arbeitslose.
Nach dem Studium verdient man oft mehr/weniger (3).
Man wird im Studium aber oft besser/schlechter (4) auf den Berufsalltag vorbereitet.
Ein Studium dauert meistens kürzer/länger (5) als eine Berufsausbildung.

8

TRAINING: SCHREIBEN

1 Lesen Sie die E-Mail von Renata. Lesen Sie dann die Antwort und ordnen Sie zu.

Lieber Paul,
ich hoffe, es geht Dir gut. Bei mir beginnen bald die Abiturprüfungen. Außerdem muss ich mir überlegen, was ich nach der Schule machen will. Du hast mir schon oft erzählt, dass Dir Dein Beruf total Spaß macht. Aber ehrlich gesagt, weiß ich gar nicht so viel darüber. Kannst Du mir ein wenig über Deinen Beruf schreiben? Ich freue mich auf Deine Antwort.
Viele Grüße, Renata

obwohl | aber | ~~dass~~ | da | trotzdem | denn

Liebe Renata,
ich mag meinen Beruf, ________________ (a) er oft ganz schön anstrengend ist. Wenn man Familie hat, ist das nicht immer einfach, ________________ (b) man muss auch oft nachts und am Wochenende arbeiten. Als Krankenpfleger muss man in Deutschland nicht studieren, ________________ (c) man lernt in der Ausbildung viel Theorie. Man muss kontaktfreudig und hilfsbereit sein, ________________ (d) man viel mit Menschen arbeitet. Leider verdient man nicht so viel, ________________ (e) macht mir meine Arbeit viel Spaß.
Ich hoffe, *dass* (f) ich Dir helfen konnte.

2 Schreiben Sie Renata eine E-Mail über Ihren (Traum-)Beruf, Ihre Ausbildung oder Ihr Studium.

TIPP: Verbinden Sie Ihre Sätze mit Konjunktionen wie *denn, aber, da* ... Dann wird Ihr Text lebendiger.

Schreiben Sie, welche Fähigkeiten und Eigenschaften man haben muss, welche Vor- und Nachteile es gibt und Glückwünsche für ihre Abiturprüfungen. Schreiben Sie auch eine passende Einleitung und einen passenden Schluss. Vergessen Sie nicht die Anrede und einen Gruß am Schluss.

TRAINING: AUSSPRACHE *Pausen und Satzmelodie*

AUSSPRACHE → ↘ AUSSPRACHE

▶ 1 22 **1 Aus dem Leben von Kai Müller**

a Hören Sie und achten Sie auf die Pausen.

Am Morgen hole ich mir die Aufträge im Büro → | und fahre direkt zum ersten Kunden. ↘ | Den ganzen Tag bin ich unterwegs ___ |, hole ___ |, transportiere ___ | und liefere Waren. ___ | Ich fahre gern Lkw ___ |, auch wenn ich oft lange sitzen muss. ___ | Da es oft Staus gibt ___ |, komme ich nicht immer pünktlich zu den Kunden. ___ | Die meisten haben zum Glück Verständnis. ___ | Bevor ich nach Hause gehe ___ |, stelle ich den Lkw in der Firma ab. ___ | Am Abend faulenze ich ___ |, sehe fern ___ | und esse Chips. ___

b Hören Sie noch einmal und ergänzen Sie die Satzmelodie: → oder ↘.
Lesen Sie den Text dann laut.

TEST

1 Traumberufe: Ordnen Sie zu.

WÖRTER

Freiheit | Schriftstellerin | Krankenpflegerin | Fähigkeiten | ~~Handwerker~~ | Langeweile

a Mein Sohn will nicht studieren. Er möchte Handwerker werden, am liebsten Schreiner.
b Ich habe immer davon geträumt, als __________ auf einer einsamen Insel zu leben und berühmte Bücher zu schreiben.
c Ich möchte immer etwas zu tun haben. __________ darf es bei mir nicht geben!
d Meine Tochter kümmert sich gern um andere Menschen. Sie wird bestimmt eine gute __________.
e Ich liebe meine __________ und möchte selbstständig sein. Dann kann ich entscheiden, wann ich arbeite.
f Meine Freundin war schon immer kreativ und arbeitet jetzt als Designerin. Das entspricht ganz ihren __________.

_ / 5 PUNKTE

2 Ergänzen Sie *da*, *während* und *bevor*.

STRUKTUREN

a Bevor ich mit der Arbeit beginne, trinke ich einen Kaffee in der Cafeteria.
b Ich erledige oft viele Dinge gleichzeitig. Zum Beispiel telefoniere ich, __________ ich eine E-Mail schreibe.
c Mein Freund muss jeden Tag sehr früh aufstehen, __________ er Bäcker ist.
d Ich kann nie in Ruhe arbeiten. __________ ich die Briefe für meinen Chef getippt habe, hat ständig das Telefon geklingelt.
e Ich habe in meinem Heimatland zwei Jahre Deutsch gelernt, __________ ich zum Studieren nach Deutschland ging.
f __________ ich mich für andere Menschen interessiere, sind für mich pädagogische Studiengänge geeignet.

_ / 5 PUNKTE

3 Ordnen Sie zu.

KOMMUNIKATION

Das entspricht doch | Das passt | Das Ergebnis hat | Für technische Berufe | Zu meinen Stärken | Das hätte ich

Vor ein paar Wochen war ich beim Arbeitsamt. Ich wollte wissen, für welchen Beruf ich geeignet bin und habe einen Test gemacht. Manche Fragen waren wirklich komisch. __________ (a) mich auch sehr überrascht. Ich soll ein technischer Typ sein? __________ (b) nicht erwartet. __________ (c) gar nicht meinen Fähigkeiten! Der Test sagt zum Beispiel, dass mir der Kontakt mit Menschen nicht so wichtig ist. __________ (d) überhaupt nicht! __________ (e) gehört Teamfähigkeit. Und ich bin sehr hilfsbereit. __________ (f) bin ich nicht geeignet.

_ / 6 PUNKTE

Wörter		Strukturen		Kommunikation	
●	0–2 Punkte	●	0–2 Punkte	●	0–3 Punkte
●	3 Punkte	●	3 Punkte	●	4 Punkte
●	4–5 Punkte	●	4–5 Punkte	●	5–6 Punkte

www.hueber.de/menschen/lernen

8

LERNWORTSCHATZ

1 **Wie heißen die Wörter in Ihrer Sprache? Übersetzen Sie.**

Beruf

Anleitung die, -en ____________
Cafeteria die, -s, auch -ien ____________
Ergebnis das, -se ____________
Fähigkeit die, -en ____________
Feier die, -n ____________
Feierabend der, -e ____________
Freiheit die, -en ____________
Handwerker der, - ____________
Krankenpfleger der, - ____________
Langeweile die ____________
Lösung die, -en ____________
Psychologie die ____________
Schriftsteller der, - ____________

ein·schalten, hat eingeschaltet ____________
erledigen, hat erledigt ____________
tippen, hat getippt ____________

geeignet sein ____________

Weitere wichtige Wörter

Rasen der, - ____________

bauen, hat gebaut ____________
fest·halten, du hältst fest, er hält fest, hat festgehalten ____________

lecker ____________
A/CH: fein
zählen, hat gezählt ____________
zusammen ____________
zusammen·zählen ____________

gleichzeitig ____________
stundenlang ____________

bloß ____________

bevor ____________
während ____________

2 **Welche Wörter möchten Sie noch lernen? Notieren Sie.**

Sport trägt zu einem größeren Wohlbefinden bei.

KB 3 **1 Ergänzen Sie und vergleichen Sie.**

WÖRTER

	Deutsch	Englisch	Meine Sprache oder andere Sprachen
a	die Mahlzeiten	meals	
b		food	
c		fresh air	
d		fitness	
e		a vegetarian	
f		break	

KB 4 **2 „Unsere 10 Goldenen Regeln": Was sagen die Mitarbeiter dazu? Ordnen Sie zu. Nicht alle Wörter passen.**

WÖRTER

Arbeitnehmer | Beziehungen | erledigen | fühle … wohl | im Freien | ~~Netzwerke~~ | Schachtel | schaden | Suchtverhalten | Unternehmensleitung | unterstützt | verbringe | Weiterbildung

a ● Ich __________ mich tatsächlich sehr __________ an meinem Arbeitsplatz. In unseren Projekten arbeiten wir auch mit Kollegen aus anderen Abteilungen. Dadurch bilden sich immer wieder neue soziale Netzwerke. Das ist meiner Ansicht nach auch der Grund für das gute Betriebsklima und die guten __________ unter den Kollegen.

b ▲ Ich bin Ende 50 und schon lange im Betrieb. Deshalb finde ich es schön, dass es Angebote für ältere __________ gibt.

c ■ Ich rauche. Und natürlich __________ Zigaretten der Gesundheit. Aber ich denke, dass mein __________ Privatsache ist. Ich werde das Angebot „Risiko Suchtmittel" nicht nutzen.

d ● Mich stört am meisten, dass ich so viel Zeit im Büro __________. An erster Stelle stehen deshalb für mich die Fitnessangebote __________.

e ■ Ich denke, dass die Regeln eine gute Idee sind, aber noch wichtiger finde ich die berufliche __________. Aber auch hier werden wir von unserer __________ mit Angeboten __________.

BASISTRAINING

KB 5 Strukturen entdecken

3 Ergänzen Sie die Tabelle und markieren Sie die Endungen.

		+	++	+++
Nominativ	Sg.	der gute Beruf ein guter Beruf	der bessere Beruf ein ___ Beruf	der beste Beruf
	Pl.	die guten Berufe gute Berufe	die ___ Berufe ___ Berufe	die ___ Berufe ___ Berufe
Akkusativ	Sg.	den guten Beruf einen guten Beruf	den ___ Beruf einen ___ Beruf	den ___ Beruf
	Pl.	die guten Berufe gute Berufe	die ___ Berufe ___ Berufe	die ___ Berufe ___ Berufe
Dativ	Sg.	dem guten Beruf einem guten Beruf	dem ___ Beruf einem ___ Beruf	dem ___ Beruf
	Pl.	den guten Berufen guten Berufen	den ___ Berufen ___ Berufen	den ___ Berufen ___ Berufen

KB 5 Strukturen

4 Was ist richtig? Kreuzen Sie an.

lifestyle.de – WEITERE THEMEN

a Der ◯ neuesten ⊗ neueste Fitness-Trend im Check. » mehr
b Zur neuen Diät mit den ◯ sicherste ◯ sichersten Erfolgen. » mehr
c Urlaubsreif? Bei Sofortbuchung noch ◯ niedrigeren ◯ niedrigere Preise. » mehr
d Die 10 ◯ besten ◯ beste Gesundheitstipps nach neuesten Erkenntnissen. » mehr
e Ein ◯ glücklicheres ◯ glücklicheren Leben mit Meditation. Ein Erfahrungsbericht. » mehr
f Wir suchen das ◯ familienfreundlichste ◯ familienfreundlichstes Unternehmen. » mehr

KB 5 Strukturen

5 Gesundheitstipps fürs Büro: Ergänzen Sie in der richtigen Form.

SO BLEIBEN SIE GESUND:
TIPPS FÜR bessere (GUT, ++) (a) ARBEITSBEDINGUNGEN!

- Der ___ (gut, +++) (b) Tipp gegen Rückenschmerzen: Stehen Sie regelmäßig auf!
- Stellen Sie Ihren Bürostuhl richtig ein! Auch der ___ (gesund, +++) (c) Bürostuhl kann sonst nicht helfen.
- Bei Stress und Verspannungen tragen Entspannungsübungen zu ___ (groß, ++) (d) Wohlbefinden bei.
- Lüften Sie regelmäßig! Die ___ (frisch, ++) (e) Luft im Büro hilft bei Müdigkeit.
- Nehmen Sie sich Zeit fürs Essen und verteilen Sie ___ (kleine, ++) (f) Mahlzeiten über den Tag!

Sie werden bald merken: So fühlen Sie sich ___ (gut, ++) (g) in der Arbeit!

KB 7 LESEN

6 Lesen Sie die Pressemitteilung und beantworten Sie die Fragen.

Deutschlands gesündestes Unternehmen gesucht

Zum siebten Mal wird im Herbst der Preis für das gesündeste Unternehmen verliehen: Hat Ihr Unternehmen ein betriebliches Gesundheitsmanagement? Dann können Sie sich bis zum 30.06. bewerben.
5 Stress am Arbeitsplatz verursacht immer höhere Kosten. Gleichzeitig steigt das Durchschnittsalter der Beschäftigten. Deshalb suchen die Krankenkassen jedes Jahr Betriebe, denen die Gesundheit und die Zufriedenheit ihrer Mitarbeiter am Herzen liegen. Denn mit einem guten Gesundheitsmanagement fühlen sich die Mitarbeiter wohler.
Ist Gesundheitsmanagement für Ihr Unternehmen mehr als ein Yogakurs? Tun Sie etwas für
10 das Betriebsklima? Gibt es Sport- und Entspannungsprogramme sowie gesunde Mahlzeiten? Berücksichtigen Sie auch ältere Arbeitnehmer und Arbeitnehmer mit kleineren Kindern? Dann bewerben Sie sich jetzt.

a Wofür kann man den Preis gewinnen? *für ein gutes Gesundheitsmanagement*
b Wie oft gab es den Preis schon? ______
c Wer verleiht den Preis? ______
d Welche Beispiele für ein gutes Gesundheitsmanagement werden genannt?
______

KB 8 KOMMUNIKATION

7 Soll man das Rauchen in Restaurants verbieten?

a Ordnen Sie die Folien den Aussagen auf Seite 75 zu.

(1)
„Darf man hier rauchen?“
Soll man das Rauchen in Restaurants verbieten?

Stellen Sie Ihr Thema vor. Erklären Sie den Inhalt und die Struktur Ihrer Präsentation.

(2)
Soll man das Rauchen in Restaurants verbieten?
Meine persönlichen Erfahrungen

Berichten Sie von Ihrer Situation oder einem Erlebnis im Zusammenhang mit dem Thema.

(3)
Soll man das Rauchen in Restaurants verbieten?
Raucher und Nichtraucher in meinem Heimatland

Berichten Sie von der Situation in Ihrem Heimatland und geben Sie Beispiele.

(4)
Soll man das Rauchen in Restaurants verbieten?
Vor- und Nachteile & meine Meinung

Nennen Sie Vor- und Nachteile und sagen Sie dazu Ihre Meinung. Geben Sie auch Beispiele.

(5)
Soll man das Rauchen in Restaurants verbieten?
Abschluss & Dank

Beenden Sie Ihre Präsentation und bedanken Sie sich bei den Zuhörern.

○ ________________ (a)
in den meisten Restaurants in Deutschland nicht mehr geraucht wird.
________________ (b) in Deutschland in einem Restaurant war, musste ich zum Rauchen vor die Tür gehen. Das war sehr unangenehm, denn es war stürmisch und es hat geregnet.

① In meiner Präsentation geht es um das Thema (c) Rauchverbot in Restaurants. Zum Inhalt meiner Präsentation: ________________ (d) von meinen persönlichen Erfahrungen berichten. ________________ (e) in meinem Heimatland. Anschließend möchte ich auf die Vor- und Nachteile eingehen. ________________ (f).

○ ________________ (g).
Besten Dank für Ihre Aufmerksamkeit! Haben Sie noch Fragen?

○ ________________ (h).
Wenn im Restaurant nicht geraucht werden darf, ist das natürlich viel gesünder. Die Nichtraucher müssen nicht im Rauch sitzen und die meisten Raucher rauchen weniger. Gleichzeitig ist es aber auch viel ungemütlicher. ________________ (i) gehört die Zigarette nach einem guten Essen einfach dazu. Deshalb bin ich gegen ein Rauchverbot in Restaurants.

○ ________________ (j).
Dort wird in den meisten Restaurants geraucht. Niemand würde zum Rauchen ins Freie gehen. Nichtraucherschutz ________________ (k).

b Ordnen Sie die Redemittel in a zu.

Danach erzähle ich von der Situation | Das letzte Mal, als ich | Ich bin nun mit meinem Vortrag am Ende | Ich habe die Erfahrung gemacht, dass | In meinem Heimatland ist das ganz anders | ~~In meiner Präsentation geht es um das Thema~~ | Meiner Meinung nach | spielt in meinem Heimatland keine große Rolle | Und damit komme ich zu den Vor- und Nachteilen | Zum Schluss können Sie natürlich noch Fragen stellen | Zunächst möchte ich

KB 9 WÖRTER

8 Im Intranet der *Fürstenrieder Confiserie*: Ergänzen Sie.

Intranet – Fürstenrieder Confiserie

FÜRSTENRIEDER CONFISERIE

Entspannungsübungen

Legen Sie sich be q u e m (a) hin.
Sch _ _ _ _ _ _ (b) Sie die Augen.
A _ _ _ _ Sie einige Male t _ _ _ ein und _ _ _ (c).
Sp _ _ _ _ _ (d) Sie dann Ihren ganzen Körper an.
Ha _ _ _ _ (e) Sie die Spannung eine halbe Mi _ _ _ _ (f) lang.
Entspannen Sie dann den Kö _ _ _ _ (g) wieder.
Wieder _ _ _ _ _ (h) Sie das Ganze noch zweimal.
Abschließend at _ _ _ (i) Sie mehrmals tief durch.

TRAINING: SPRECHEN

1 Eine Präsentation strukturieren

a Verbinden Sie.

1 Ich habe	keine große Rolle.
2 Ich bin nun	geht es um das Thema ...
3 Ich danke	Folgendes erlebt: ...
4 Und damit komme ich	Ihnen fürs Zuhören.
5 In meiner Präsentation	Ihnen erläutern, ...
6 Zuerst möchte ich	zu den Vor- und Nachteilen.
7 ... spielt in meinem Heimatland	mit meinem Vortrag am Ende.

b Welche Redemittel aus a passen zu welcher Folie aus 2?

Folie 1: 5, ______ Folie 2: ______ Folie 3: ______ Folie 4: ______ Folie 5: ______

c Was kann man in einer Präsentation noch sagen? Ergänzen Sie weitere Ausdrücke, die Sie kennen.

Folie 1: Zum Inhalt meiner Präsentation: ...
______
______
______
______
______
______
______

TIPP

Für die Präsentation in der Prüfung „Zertifikat B1“ bekommen Sie fünf Folien zu einem Thema. Die Anweisungen zu den Folien sind immer ähnlich. Merken Sie sich für jede Folie passende Sätze. Denn in Prüfungen wird nicht nur bewertet, was Sie zum Thema sagen, sondern auch, wie Sie es sagen.

2 Sie bekommen fünf Folien zu Ihrem Thema und Anweisungen dazu.

Machen Sie sich Notizen zu den Folien. Halten Sie dann eine Präsentation (circa 3–5 Minuten).

Stellen Sie Ihr Thema vor. Erklären Sie den Inhalt und die Struktur Ihrer Präsentation.

Folie 1
„Ich bin überzeugter Vegetarier!“
Sollte man sich vegetarisch ernähren?

______
______
______
______
______

Berichten Sie von Ihrer Situation oder einem Erlebnis im Zusammenhang mit dem Thema.

Folie 2
Sollte man sich vegetarisch ernähren?
Meine persönlichen Erfahrungen

______
______
______
______
______

TRAINING: SPRECHEN

Berichten Sie von der Situation in Ihrem Heimatland und geben Sie Beispiele.

Folie 3
Sollte man sich vegetarisch ernähren?
Vegetarisches Essen in meinem Land

____
____
____
____
____

Nennen Sie Vor- und Nachteile und sagen Sie dazu Ihre Meinung. Geben Sie auch Beispiele.

Folie 4
Sollte man sich vegetarisch ernähren?
Vor- und Nachteile von vegetarischer Ernährung & meine Meinung

____
____
____
____
____

Beenden Sie Ihre Präsentation und bedanken Sie sich bei den Zuhörern.

Folie 5
Sollte man sich vegetarisch ernähren?
Abschluss & Dank

____
____
____
____
____

TRAINING: AUSSPRACHE *Zischlaute*

AUSSPRACHE – sch – AUSSPRACHE

▶ 1 23 **1 Hören Sie und sprechen Sie nach.**

a In meiner Präsentation geht es um das Thema Passivrauchen.
b Zunächst möchte ich Ihnen die Definition nennen.
c Anschließend möchte ich auf einige Studien eingehen.
d Dazu zeige ich Ihnen Beispiele aus meiner praktischen Arbeit als Ärztin.
e Mein letzter Punkt ist der Nichtraucherschutz.
f Zum Schluss können Sie gern Fragen stellen.

2 Ordnen Sie zu.

REGEL

t | tz | st | s | ß

– Am Wortanfang und zwischen Vokalen klingt _s_ weich. Hartes „s“ schreibt man auch ss oder ____.
– „sch“ spricht man auch dann, wenn am Wort- und Silbenanfang *sp* oder ____ steht.
– Man spricht „ts“, aber man schreibt *z*, ____ oder ____ (vor *-ion*).

▶ 1 24 **3 Zischlaute-Diktat: Hören Sie und ergänzen Sie.**

Für eine _Z_igarette braucht man circa 5–7 Minuten. Raucher machen al___o mehr Pau___en am Arbeit___plat___. Wie lö___t man da___ Problem? Al___ Bei___piel möchte ich Ihnen von der ___itua___ion in meinem Betrieb er___ählen: Nichtraucher___ut___ ___pielt dort eine gro___e Rolle. Die Raucher mü___en drau___en rauchen. Die Nichtraucher bekommen eine Apfel-Pau___e. Während die Raucher rauchen, können die Nichtraucher einen Apfel e___en. Intere___ante___ Kon___ept, oder?

TEST

1 So bleiben Sie fit. Ordnen Sie zu.

WÖRTER

Nahrungsmittel | Entspannungsübungen | Situation | Abwehrkräfte | ~~Mahlzeit~~ | Krankenkassen | Luft

- Essen Sie regelmäßig. Wir empfehlen mittags eine warme Mahlzeit (a).
- Achten Sie auf gesunde ______________ (b) wie zum Beispiel Obst oder Gemüse.
- Gehen Sie täglich an die frische ______________ (c), das stärkt die ______________ (d).
- Nutzen Sie die Fitnessangebote, die ______________ (e) ihren Mitgliedern anbieten.
- Machen Sie ______________ (f), wenn Sie im Büro Stress haben.
- Sagen Sie Ja zum Leben, auch wenn eine ______________ (g) mal etwas schwieriger ist.

_ / 6 PUNKTE

2 Ergänzen Sie die Adjektive in der richtigen Form.

STRUKTUREN

Der zufriedene Mitarbeiter ist der glücklichere (glücklich ++) (a) Mitarbeiter. Das weiß auch der Chef der Firma „Freudensprung". Deshalb bekommen die Mitarbeiter ein ______________ (gut ++) (b) Gehalt als in anderen Firmen. Und in der Kantine gibt es das ______________ (gesund +++) (c) Essen.
Die ______________ (alt ++) (d) Kinder der Mitarbeiter können nach der Schule ihre Hausaufgaben in der Firma machen. Für die ______________ (klein ++) (e) Kinder gibt es einen eigenen Kindergarten.
Die Mitarbeiter dürfen mittags eine ______________ (lang ++) (f) Pause machen, können schwimmen gehen oder auch den Fitnessraum mit den ______________ (modern +++) (g) Geräten benutzen.

_ / 6 PUNKTE

3 Neues aus der Kantine: Ordnen Sie zu.

KOMMUNIKATION

Danach zeige | Wir haben die Erfahrung | Abschließend können | Ich danke Ihnen | Zunächst werde | Und nun komme | Ich möchte

Guten Tag. Ich bin der Chefkoch der Firma „Freudensprung". ______________ (a) Ihnen heute unsere neuen Speisepläne vorstellen. ______________ (b) ich Ihnen ein paar Informationen zu den Nahrungsmitteln geben, die wir verwenden. ______________ (c) ich Ihnen, was sich alles ändern wird. ______________ (d) Sie gern Fragen stellen.
...
______________ (e) ich zum wichtigsten Punkt. ______________ (f) gemacht, dass es in der Firma viele Allergiker gibt.
Deshalb werden wir in Zukunft besondere Mahlzeiten anbieten. Damit bin ich nun mit meinem Vortrag am Ende. ______________ (g) fürs Zuhören.

_ / 7 PUNKTE

Wörter		Strukturen		Kommunikation	
●	0–3 Punkte	●	0–3 Punkte	●	0–3 Punkte
●	4 Punkte	●	4 Punkte	●	4–5 Punkte
●	5–6 Punkte	●	5–6 Punkte	●	6–7 Punkte

www.hueber.de/menschen/lernen

LERNWORTSCHATZ

1 Wie heißen die Wörter in Ihrer Sprache? Übersetzen Sie.

Wellness
Freie das ______
im Freien ______
Krankenkasse die, -n ______
Mahlzeit die, -en ______
Nahrungsmittel das, - ______
Nichtraucher der, - ______
Risiko das, Risiken ______
Sucht die, ⸚e ______
Suchtmittel das, - ______
Verhalten das ______

atmen, hat geatmet ______
ein·/aus·atmen ______
nutzen, hat genutzt ______
schaden, hat geschadet ______

bequem ______
wohl ______
wohl·fühlen (sich), hat sich wohlgefühlt ______

Weitere wichtige Wörter
Arbeitnehmer der, - ______
Beziehung die, -en ______
Dank, der ______
besten Dank ______
Durchschnitt der, -e ______
Durchschnittsalter das ______
Inhalt der, -e ______
Leitung die, -en ______
Unternehmensleitung die, -en ______
CH: auch: Geschäftsleitung die, -en
Netz das, -e ______
Netzwerk das, -e ______
Preis der, -e ______
Schachtel die, -n ______
Situation die, -en ______
Stelle die, -n ______
erste/zweite/dritte Stelle ______
Tatsache die, -n ______
Übung die, -en ______
Verbot das, -e ______
Verhältnis das, -e ______
Weiterbildung die, -en ______
Zusammenhang der, ⸚e ______

berichten, hat berichtet ______
schließen, hat geschlossen ______
verursachen, hat verursacht ______

persönlich ______
tief ______

2 Welche Wörter möchten Sie noch lernen? Notieren Sie.

______
______
______
______
______

WIEDERHOLUNGSSTATION: WORTSCHATZ

1 Im Fahrradgeschäft

a Bilden Sie noch fünf Verben.

~~um~~ | rech | sichti | schaffen | ra | scheiden | berück | ~~schauen~~ | an | ten | nen | gen | ent

umschauen, ______________________________

____

b Ordnen Sie die Verben aus a zu.

■ Kann ich Ihnen helfen?
● Ja. Ich möchte mir ein Elektrofahrrad anschaffen (1). Jetzt wollte ich mich mal bei Ihnen ____________ (2).
■ Sehr gern!
● Was ____________ (3) Sie mir? Und mit welchen Kosten muss ich ____________ (4)?
■ Wir haben einige Angebote, aber Sie müssen ____________ (5), dass man damit nur 50 bis 60 Kilometer fahren kann. Dann braucht das Fahrrad wieder Strom.
● Aha! Kann ich gleich eine Probefahrt machen?
■ Natürlich! Hinter dem Geschäft ist auch ein kleiner Berg. Danach können Sie sich in Ruhe ____________ (6).

2 Lösen Sie das Rätsel und finden Sie das Lösungswort.

a Hier wird erklärt, wie etwas funktioniert. _ n _ _ _ _[5] u _ _
b Er schreibt Bücher. _ _ _ _ i _ _ s t _ _ _ _ _
c Sie kann etwas, es entspricht ihren ... _ ä[1] _ _[8] _ k _ _ _ _ _ _
d Er kümmert sich um kranke Menschen. _ r _ _ _ _ _ _ _[3] _ _ g _ _
e Man weiß nicht, was man tun soll, man hat ... L _[9] _ _ _ w e _ _ _
f Nach der Arbeit geht man nach Hause und hat ... _ e i _ _[2] b _ _ _
g Er arbeitet mit den Händen. _ _ _ d w _[7] _ _ _ _

Wo trinkt Herr Durstig seinen Kaffee? In der _ _ _ E _ E _ _ _
1 2 3 4 5 6 7 8 9

3 Wellness-Angebote: Ordnen Sie zu. Nicht alle Wörter passen.

Atmung | Weiterbildung | Krankenkasse | Nahrungsmittel | Risiko | Wohlfühlen | ~~Sucht~~ | Mahlzeit | Freien | Nichtraucher

SCHLUSS MIT DER Sucht (a)!
Sie wollen endlich ____________ (b) werden? Wir zeigen Ihnen, wie es funktioniert.
Sprechen Sie mit Ihrer ____________ (c), sie übernimmt einen Teil der Kosten.

YOGA zum ____________ (d) – jeden Montag 18 bis 20 Uhr.
Vergessen Sie den Alltagsstress und erleben Sie, wie Ihre ____________ (e) immer ruhiger wird. Im Juli und August im ____________ (f).

GESUNDES ESSEN FÜR VEGETARIER
Wir zeigen Ihnen, wie man eine leckere ____________ (g) kocht.
Vor dem Kurs treffen wir uns auf dem Stadtmarkt und kaufen alle ____________ (h) ein.

WIEDERHOLUNGSSTATION: GRAMMATIK

1 Schlechte Laune in der Arbeit: Ordnen Sie zu und ergänzen Sie *zu*, wo nötig.

haben | vorstellen | kümmern | erledigen | telefonieren | tippen | arbeiten | ~~verschieben~~

a Ich habe keine Lust, schon wieder alle Termine zu verschieben.
b Warum muss immer ich mit unzufriedenen Kunden ______________?
c Es ist langweilig, stundenlang Briefe ______________.
d Heute möchte ich am liebsten den ganzen Tag frei ______________.
e Was soll ich denn noch alles tun? Ich kann nicht alles gleichzeitig ______________.
f Es ist nicht meine Pflicht, mich um jeden Kunden persönlich ______________.
g Puh! Ich kann mir nicht ______________, noch 20 Jahre hier als Sekretärin ______________.

2 Unser Betriebskindergarten: Was passt? Kreuzen Sie an.

Jubiläum: Fünf Jahre Betriebskindergarten

○ Bevor ⊗ Da ○ Während (a) in unserer Stadt ein großer Mangel an Kindergartenplätzen herrscht, hat sich die Firma Behringer vor fünf Jahren entschieden, einen eigenen Kindergarten einzurichten. Wir haben den Chef Herrn Dr. Breuer gefragt, ob es sich gelohnt hat: „Ja, auf jeden Fall. ○ Bevor ○ Da ○ Während (b) es den Betriebskindergarten gab, war es für viele Eltern schwierig, am Abend auch mal länger zu arbeiten. Morgens mussten sie ihre Kinder oft erst einmal in einen weit entfernten Kindergarten bringen, ○ bevor ○ da ○ während (c) sie selbst in die Arbeit fahren konnten. Jetzt ist der Kindergarten in unserer Firma. Unsere Mitarbeiter können in Ruhe ihre Arbeit erledigen, ○ bevor ○ da ○ während (d) sich Erzieher um die Kleinen kümmern. ○ Bevor ○ Da ○ Während (e) unsere Mitarbeiter Beruf und Familie jetzt besser vereinbaren können, sind sie auch viel zufriedener."

3 Tierische Rekorde: Ergänzen Sie die Adjektive im Komparativ oder Superlativ.

Der schnellste (schnell) (a) Mensch der Welt braucht für 100 Meter nur knapp 10 Sekunden. Das ______________ (schnell) (b) Tier ist der Fächerfisch. Er braucht nur 3,27 Sekunden für 100 Meter, allerdings im Wasser.

Frosch ist nicht gleich Frosch. Den ______________ (groß) (c) Frosch fand man im Jahr 1906 in Afrika. Es ist der Goliathfrosch. Er wird über 30 Zentimeter lang.
In Papua-Neuguinea lebt der ______________ (klein) (d) Frosch. Er ist nur sieben bis acht Millimeter lang. Bis heute hat man keinen ______________ (klein) (e) gefunden.

SELBSTEINSCHÄTZUNG Das kann ich!

Ich kann jetzt ...

... Kundenberatungsgespräche führen: L07

▲ Kann ich __________ für Sie _________?
■ Ich möchte mir eine Outdoorjacke an___________________.
▲ Zun__________ muss ich Ihnen sa_________, dass es bei Outdoorjacken große U_________________ gibt. Außerdem ...
■ Danke, das ist ein guter H___________. Denn ich brauche die Jacke für Klettertouren.
▲ Dann würde ich I__________ diese hier e_________________________.

... Stellung nehmen: L08

Das Er__________ sagt, dass ich ein handwerklicher Typ bin.
Das hätte ich nicht er___________, denn das ent__________ meinen Fä_________________ nicht. Meine St___________ sind Kontaktfreude und Hilfsbereitschaft. Ich d_________, dass ich eh_____ für soziale Berufe ge___________ bin.

... eine Präsentation strukturieren: L09

Einleitung:
In meiner Präsentation g_______ es um das T__________: Rauchen in Betrieben.
Zunächst möchte ich Ihnen von meinen per______________ Erfahrungen ber______________.
Danach erlä__________ ich die Si____________________ in meinem Heimatland.
Anschließend werde ich auf die Vor- und Nach__________ ein_______________.
Und ab_______________________ können Sie noch Fragen st___________.

Übergänge:
Ich habe die Er____________________ gemacht, dass in den meisten Betrieben nicht mehr geraucht wird.
Und nun k______________ ich zur Situation in meinem Heimatland: In meinem Heimatland sp___________ Nichtraucherschutz keine große R___________. Dort wird in den meisten Betrieben geraucht.
Und d__________ komme ich zu den __________- und __________teilen ...

Abschluss:
Ich d___________ Ihnen fürs Z____________________. Haben Sie noch F______________?

Ich kenne ...

... 8 Wörter zum Thema „Tierpflege“: L07

____

... 6 Tiere: L07

Tiere, die ich mag: _______________________________
Tiere, die ich nicht mag: __________________________

... 8 Stärken und Schwächen: L08

Das sind meine Stärken / So bin ich: ____________________
Das sind meine Schwächen / So bin ich: __________________

... 8 Wörter zum Thema „Wellness“: L09

Das ist mir wichtig: ______________________________
Das ist mir nicht so wichtig: _______________________

SELBSTEINSCHÄTZUNG *Das kann ich!*

Ich kann auch ...

... Ausdrücke verwenden, die ein weiteres Verb brauchen (Infinitiv mit zu): L07

Ich würde Ihnen empfehlen, ____________________.
(einen Auslauf einrichten)
Ich habe keine Zeit, ____________________.
(das alles übernehmen)
Es ist nicht leicht, ____________________.
(eine Entscheidung treffen)

... Gründe angeben (Satzverbindung: *da*): L08

Für Sie wäre ein Ausbildungsberuf besser als ein Studium,
____________________.
(Sie sitzen nicht gern am Schreibtisch.)

... zeitliche Beziehungen von Sätzen ausdrücken (Satzverbindung: *während*, *bevor*): L08

Sie packen schon an, __________ andere noch nachdenken.
Es geht Ihnen nicht gut, __________ es nicht allen gut geht.

... Nomen näher beschreiben (Adjektivdeklination mit Komparativ und Superlativ): L09

Der __________ (gut +++) Arbeitsplatz der Welt.
Hätten Sie gern __________ (lang ++) oder __________ (kurz ++) Pausen?

Üben / Wiederholen möchte ich noch:

____

RÜCKBLICK

Wählen Sie eine Aufgabe zu Lektion 7 ____________________

1 Sehen Sie noch einmal das Bildlexikon auf Seite 48 und 49 an.
Suchen Sie Wörter zum Thema Haustier.

HEU
HAUSTIER
FÜTTERN

2 Tiere in der Stadt
Schreiben Sie eine Antwort auf die Frage aus einem Forum.

Schreiben Sie zu folgenden Punkten:
- Warum kann man in der Stadt (k)ein Tier haben?
- Was sollte man unbedingt berücksichtigen, wenn man sich in der Stadt ein Tier anschafft?

Tiere in der Stadt?
Das finde ich unmöglich!
Was meint Ihr dazu?

RÜCKBLICK

Wählen Sie eine Aufgabe zu Lektion 8

1 Lesen Sie noch einmal die Testauswertung im Kursbuch auf Seite 53.
Was passt zu welchem Typ? Notieren Sie: technisch (t), handwerklich (h), kreativ (k), oder sozial (s).

a Dieser Typ arbeitet gern mit Menschen. s
b Er möchte frei und selbstständig arbeiten können. ______
c Er möchte unbedingt wissen, wie etwas funktioniert. ______
d Ein Ausbildungsberuf passt gut zu ihm. ______
e Er möchte gern, dass sich die anderen wohlfühlen. ______

2 Einen passenden Beruf finden
Lesen Sie den Forumsbeitrag von Dana82 und schreiben Sie dann Ihre Meinung.

Dana82

Hallo Leute,
ich bin in einem halben Jahr mit der Schule fertig und weiß noch überhaupt nicht, wie es weitergehen soll. Woher weiß ich, welcher Beruf für mich geeignet ist? Was soll ich machen: mich beraten lassen, einen Berufsfindungstest oder ein Praktikum machen? Könnt Ihr mir Tipps geben? Danke.

Schreiben Sie Ihre Meinung.
– Was halten Sie von: Berufsberatung, Berufsfindungstests und Praktika?
– Was sollte Dana machen?

Wählen Sie eine Aufgabe zu Lektion 9

1 Lesen Sie noch einmal den Text im Kursbuch auf Seite 56.
Welche Angebote würden Sie nutzen? Welche nicht? Ergänzen Sie jeweils zwei Angebote.

Angebot	Würden Sie es nutzen?	Warum? / Warum nicht?
Flaschen mit frischem Wasser	Ja, auf jeden Fall.	Ich trinke viel Wasser. Das ist gesund.

2 Der beste Arbeitsplatz der Welt
Machen Sie Notizen und beschreiben Sie Ihren Arbeitsplatz.

	Angebote	Warum?
Arbeitsplatz	viele Pflanzen, schöne Musik	alle sollen sich wohlfühlen
Arbeitszeiten		
Betriebsklima		
…		

Schreibbüro Tamara
Bei uns sollen sich alle Mitarbeiter wohlfühlen.
Deshalb gibt es in den Büros viele Pflanzen.
Außerdem läuft den ganzen Tag schöne Musik. …

EIN SELTSAMER FALL

Teil 3: Der Fremde im schwarzen Auto

Links von Familie Hofstätter wohnte Frau Breitwieser, eine Dame um die 60.
Sie machte die Tür einen Spaltbreit auf.
„Ja, bitte?" Sie sah mich unfreundlich an.
„Guten Abend, Kanto mein Name. Sie kennen doch den kleinen Jungen von nebenan, Linus. Seine Schildkröte ist verschwunden."
„Was habe ich damit zu tun?"
„Sie ist gestohlen worden und ich dachte: Vielleicht haben Sie gestern Abend irgendetwas Ungewöhnliches gesehen."
„Nichts habe ich gesehen. Und wer sind Sie überhaupt?"
„Ich ..."
„Lassen Sie mich in Ruhe! Gehen Sie, sonst rufe ich die Polizei."
Tür zu.
Sehr freundliche Nachbarn.

Rechts wohnte eine junge Familie. Frau Matzke öffnete die Tür und ich erklärte ihr das Problem.
„Ein lieber Junge, der kleine Linus", sagte sie.
„Eine tolle Schildkröte", sagte ihr Sohn Rolf, der ungefähr neun Jahre alt war.
Seine Augen leuchteten.
Der hätte auch gern eine Schildkröte. Aber würde er Babette stehlen?
„Wir haben leider nichts gesehen", sagte Frau Matzke. „Wir waren gestern im Theater."
„Und du, warst du auch im Theater?"
„Ich war bei meiner Oma", sagte der Junge und strahlte.
Der hat also ein gutes Alibi[1]. Schade.

„Na gut, dann vielen Dank. Auf Wiedersehen."
Auf der anderen Seite der Straße wohnte das Ehepaar Marin. Es war erst vor Kurzem eingezogen.
„Lassen Sie mich überlegen ... Ja, da war etwas", sagte Herr Marin. „Ein unbekannter Mann ist vor dem Haus der Hofstätters herumgelaufen."
„Wie hat er ausgesehen?"
„Ich bin mir nicht sicher, es war schon fast dunkel ... Er war groß, hatte dunkle Haare und einen dunklen Bart. Kathrin! Komm doch mal her! Kannst du dich an den Mann vor dem Haus der Hofstätters erinnern?"
Frau Marin kam zur Tür.
„Er hatte eine große Schachtel in der Hand", sagte sie. „Und er hatte ein tolles Auto. Groß, schwarz, dunkle Scheiben."
„Haben Sie vielleicht die Nummer gesehen?"
„Hm, lassen Sie mich nachdenken ... ich glaube, sie hat mit BS – HT begonnen."
„Vielen Dank! Sie haben mir sehr geholfen."
Ich notierte die Nummer und verabschiedete mich.
Ein großes schwarzes Auto und die Nummer beginnt mit BS – HT. Also, wenn mir da nicht mein alter Freund Oberpullner helfen kann ... Keine Sorge, Babette, bald finde ich dich!

1: Alibi das, -s: Beweis, dass man zur Tatzeit nicht am Tatort war

Hätte ich das bloß anders gemacht!

KB 3 **1** **Was ist richtig? Kreuzen Sie an.**

WÖRTER

■ Hi, Kathrin!

● Hallo Jola, dich habe ich ja schon ☒ wochenlang ○ kürzlich ○ stundenlang (a) nicht mehr gesehen und jetzt treffe ich dich ○ zufällig ○ zuverlässig ○ zusammen (b) hier auf dem Markt. ○ Wann ○ Weshalb ○ Woher (c) warst du denn so lange nicht mehr beim Volleyball-Training? Wart ihr ○ raus ○ los ○ weg (d)?

■ Ja, wir waren in Italien im Urlaub. Es war toll. Nur auf der Hinfahrt hatten wir ein kleines Problem: Wir haben kurz an einem Supermarkt angehalten und Getränke gekauft. Leider haben wir ○ völlig ○ überhaupt nicht ○ wahnsinnig (e) vergessen, die Autofenster zuzumachen. Wir waren vielleicht ○ ein Viertel ○ eine Viertelstunde ○ rund um die Uhr (f) weg und haben ○ gar nicht bemerkt ○ uns nicht gemerkt ○ nicht erkannt (g), dass es angefangen hat zu regnen. Aber als wir zurückkamen, war unser Auto innen total ○ trocken ○ nass ○ bequem (h) und ○ das ganze Zeug ○ die ganze Überzeugung ○ das ganze Zeugnis (i), das wir im Auto hatten, auch.

KB 4 **2** **Markieren Sie und ordnen Sie zu.**

WÖRTER

REDEBENZINBATTERIEMOTORSTRECKESCHLÜSSELSTAUPORTEMONNAIERECHNUNG

a eine neue Batterie kaufen
b den ________________ im Schloss stecken lassen
c an der Tankstelle ________________ tanken
d kein Geld im ________________ haben
e den ________________ starten
f auf der Autobahn im ________________ stehen
g eine weite ________________ mit dem Zug fahren
h die ________________ genau prüfen
i auf der Hochzeit eine ________________ halten

KB 4 **3** **Im Großraumbüro**

WIEDERHOLUNG STRUKTUREN

a **Ergänzen Sie.**

1 Frau Demel, würden Sie mir bitte mal helfen?
2 Du sollt_____ dir nicht immer so viel Stress machen.
3 Wie wär_____ es mit einem Tässchen Kaffee?
4 Könnt_____ du die Verträge bitte noch einmal prüfen?
5 Wir könnt_____ doch heute Mittag zusammen in die Kantine gehen.
6 Ich würd_____ gern einfach mal in Ruhe arbeiten.

b **Was bedeuten die Sätze in a? Ordnen Sie zu.**

Vorschlag: _____ _____; Ratschlag: _____; Wunsch: _____; Bitte: 1 _____

KB 4 Wiederholung Strukturen

4 Wünsche: Die perfekte Hochzeit. Ordnen Sie zu.

würden | würde | ~~würden~~ | würden | wäre | wäre | hätte | wäre | hätten

a Wir würden gern in einem schönen alten Schloss feiern. Dort _____ wir Platz für viele Gäste.
b Ich _____ gern berühmt, dann _____ viele Stars zu unserer Hochzeit kommen.
c Ich _____ gern ein schönes Kleid von einem berühmten Designer.
d Mein Mann _____ mir einen tollen Ring mit Diamanten schenken.
e Wir _____ eine Hochzeitsreise nach Venedig machen.
f Am liebsten _____ ich Millionärin. Dann _____ es egal, wie viel die Hochzeit kostet.

KB 4 Strukturen entdecken

5 Ordnen Sie die Sätze den Bildern zu und schreiben Sie sie in die Tabelle.

○ Wäre ich bloß schneller zur Bushaltestelle gelaufen. | ⓐ ~~Hätte ich doch bloß den Schlüssel nicht vergessen.~~ | ○ Wäre ich nur langsamer gefahren. | ○ Hätte ich doch wenigstens meine Kreditkarte mitgenommen. | ○ Hätte ich doch bloß früher getankt.

a b c d e

a Hätte	ich	doch bloß den Schlüssel nicht	vergessen.
b			
c			
d			
e			

KB 4 Strukturen

6 Die Traumfrau

Ordnen Sie zu und ergänzen Sie *hätte* oder *wäre* in der richtigen Form und das Partizip.

bleiben | reden | geben | einladen | sein | ~~sehen~~

a Hätte ich sie doch früher gesehen.
b _____ sie bloß ein bisschen länger _____.
c _____ ich doch nicht so viel dummes Zeug _____.
d _____ ich doch lustiger _____.
e _____ ich sie doch auf ein Getränk _____.
f _____ ich ihr doch nur meine Telefonnummer _____.

KB 4 STRUKTUREN

7 Was für ein Urlaub! Was denkt Paul?

Schreiben Sie Wünsche im Konjunktiv II der Vergangenheit mit *nur*, *doch* oder *bloß*.

a nicht mit dem Fahrrad fahren
b ein Hotel buchen
c Urlaub im Süden machen
d nicht so viel Gepäck mitnehmen
e keinen Campingurlaub machen
f zu Hause bleiben

a Wäre ich doch nicht mit dem Fahrrad gefahren!

KB 6 KOMMUNIKATION

8 Ordnen Sie zu.

nur nicht telefoniert | verstehe ich | wirklich dumm gelaufen | über mich geärgert | ~~total blöd~~ | wäre das alles | war so zornig | sehr ärgerlich | zu glauben

■ Stell dir vor, ich habe am Samstag meine Wohnungstür zugemacht und der Schlüssel war drinnen. Ich habe ihn einfach stecken lassen. Das war total blöd (a)! Ich ______ (b) auf mich.
● Das ist ja wirklich ______ (c).
■ Hätte ich ______ (d), als ich aus der Wohnung gegangen bin! Dann ______ (e) nicht passiert.
● Oh je, das ist ja ______ (f). Was hast du denn dann gemacht?
■ Ich habe eine Schlüsselfirma angerufen. Die haben die Tür in drei Sekunden aufgemacht und ich habe 200 Euro bezahlt.
● Was, 200 Euro?! Nicht ______ (g)!
■ Ja, ich habe mich so ______ (h)!
● Das ______ (i).

KB 6 KOMMUNIKATION

9 Wie kann man reagieren? Ergänzen Sie.

a ● Ich wollte mit meinem besten Freund zusammenziehen. Aber jetzt hat er einen Job in einer anderen Stadt gefunden.
◆ Man weiß nie, ob es nicht s______ b______ ist, wie es ist.

b ● Mein Freund hat mich verlassen.
◆ Oh, das ist wirklich traurig. Aber alles im L______ hat einen S______.

c ● Ich habe einen Briefumschlag weggeworfen. Am nächsten Tag habe ich gemerkt, dass da 100 Euro drin waren. Ich habe mich so geärgert.
◆ Oh je, da k______ man wohl nichts m______ m______.

d ● Ich habe die Praktikumsstelle, die ich so gern wollte, nicht bekommen.
◆ Vielleicht k______ es ja ein a______ Mal.

e ◆ Seit 20 Jahren spiele ich Lotto und kreuze immer die gleichen Zahlen an. Diesen Samstag habe ich vergessen, den Schein abzugeben, und genau meine Zahlen wurden gezogen.
■ Oh je, das ist ja wir______ du______ ge______!
◆ Vielleicht hätte ich ja viel Geld gewonnen. Das ärgert mich.
■ Das ver______ ich!

KB 6 **10** **Lesen Sie Peters E-Mail.**

SCHREIBEN

Hallo …,
im Moment geht es mir leider nicht so gut. Ich wollte doch ein Semester in den USA studieren. Aber das hat leider nicht geklappt. Die Uni hat meine Bewerbung abgelehnt, obwohl mein Sprachtest ziemlich gut war. Das ist total blöd. Ich weiß nicht, was ich jetzt machen soll.
Viele Grüße
Peter

Antworten Sie Peter. Schreiben Sie über folgende Punkte:

- Reagieren Sie auf Peters Enttäuschung.
- Geben Sie einen Ratschlag, was Peter jetzt tun soll.
- Berichten Sie über eine Situation, in der Sie enttäuscht waren und was Sie dann gemacht haben.

Vergessen Sie nicht, eine kurze Einleitung und einen kurzen Schluss zu schreiben.

KB 7 **11** **Probleme**

WÖRTER

a **Ergänzen Sie.**

	Dein Forum für Probleme
Bella	Eine Freundin hat gesagt, dass sie mir Geld geliehen hat. Aber mir f ä l l t überhaupt nicht mehr e i n (1), wann das war. Allerdings kann ich mir auch nicht vorstellen, dass sie l ___ g ___ (2).
Jana_89	Wenn bei meiner Freundin etwas nicht klappt, muss ich mir stundenlang anhören, wie schlimm es ist. Aber wenn bei mir etwas s ___ h ___ e ___ g ___ ___ t (3), sagt sie immer nur: „Mach dir doch nicht immer so viele G ___ d ___ n ___ en. (4)!“
Cinderella	Neulich habe ich z ___ f ___ ll ___ g (5) b ___ m ___ r ___ t (6), dass mein Freund ganz viele SMS von einer anderen Frau bekommt. Was soll ich jetzt machen?

b **Wählen Sie ein Problem aus a und schreiben Sie einen Kommentar.**

SCHREIBEN

Hallo Bella,
das ist echt blöd. An deiner Stelle würde ich …

TRAINING: LESEN

1 Lesen Sie den Text. Was bedeuten die markierten Wörter? Kreuzen Sie an.

TIPP
Sie möchten unbekannte Wörter in einem Text verstehen? Überlegen Sie genau: Was haben Sie schon gelesen? Und was steht im Satz mit dem unbekannten Wort? Dann verstehen Sie besser, was das Wort bedeutet.

Heikes Blog

Samstag, 14. Februar

So ein Missgeschick!

Gestern war es in der Arbeit ziemlich stressig. Wir hatten viel zu tun und mussten länger bleiben. Als wir um acht Uhr endlich fertig waren, hatte ich es ziemlich eilig. Ich wollte unbedingt die S-Bahn erwischen (a) und nicht 40 Minuten auf die nächste warten. Also schnappte (b) ich mir schnell Handtasche und Mantel und rannte los (c). Ich habe es gerade noch geschafft.

Müde, aber froh saß ich in der S-Bahn. Da klingelte in meiner Nähe ein Handy. Ich ärgerte mich, weil es so laut war und ich meine Ruhe wollte. Da regte sich ein Mann neben mir total auf (d) und sagte: „Was für ein Lärm! Wollen Sie nicht endlich Ihr Telefon ausschalten oder wenigstens mal rangehen (e)?" Jetzt erst bemerkte ich, dass das Klingeln aus meiner Tasche kam. Ich wunderte mich, denn mein Handy läutet normalerweise ganz anders.

Egal, ich öffnete die Tasche und wollte das Handy suchen. Ich dachte mir: „Seltsam, das ganze Zeug da in der Tasche gehört mir doch gar nicht und das ist ja auch nicht mein Handy." Da erkannte ich, dass das gar nicht meine Tasche war.

Jetzt fiel mir wieder ein, dass meine Kollegin Petra die gleiche Tasche hat wie ich. Nicht zu glauben: Ich habe in der Eile wohl die Taschen verwechselt (f). Hätte ich doch besser aufgepasst, dann wäre das nicht passiert!

Sofort wählte ich die Nummer von meinem eigenen Handy und hoffte, dass Petra rangehen würde. Das tat sie auch gleich. Die Kollegin hat das Versehen (g) bemerkt, als sie ihre Tasche suchte. Denn die stand nicht wie üblich (h) neben der Garderobe. Als Petra dann meine Tasche sah, ahnte (i) sie schon, was passiert war.

Ich fuhr zurück in die Arbeit. Zum Glück war Petra nicht zornig auf mich. Weil es schon so spät war und wir beide Hunger hatten, habe ich Petra zum Essen eingeladen. Es wurde dann trotzdem noch ein sehr netter Abend.

a
- ○ verpassen
- ⊗ nicht verpassen

b
- ○ nehmen
- ○ aufhängen

c
- ○ langsam gehen
- ○ anfangen zu laufen

d
- ○ freundlich sein
- ○ ärgerlich werden

e
- ○ ans Telefon gehen
- ○ rausgehen

f
- ○ die falsche Tasche nehmen
- ○ die richtige Tasche nehmen

g
- ○ den Fehler
- ○ den Plan

h
- ○ sonst immer
- ○ sonst nie

i
- ○ vermuten
- ○ keine Idee haben

TRAINING: LESEN

2 Richtig oder falsch? Lesen Sie den Text in 1 noch einmal und kreuzen Sie an.

		richtig	falsch
a	Heike musste Überstunden machen.	☒	○
b	Heike musste 40 Minuten auf die S-Bahn warten.	○	○
c	Heike bemerkte zunächst nicht, dass das Handy in ihrer Tasche klingelte.	○	○
d	Heike erkannte dann, dass ihr die Sachen in der Handtasche nicht gehörten.	○	○
e	Die Kollegin hat Heikes Tasche mitgenommen, weil die Taschen gleich aussehen.	○	○
f	Die Kollegin ärgerte sich sehr über Heike.	○	○
g	Weil es schon so spät war, sind die beiden nicht mehr essen gegangen.	○	○

TRAINING: AUSSPRACHE *Ärger und Enttäuschung ausdrücken*

▶ 1 25 **1 Hören Sie und markieren Sie den Satzakzent _ in den markierten Sätzen.**

a Gestern bin ich zu spät aufgewacht und habe deshalb den Bus verpasst. Hätte ich nur meinen Wecker gestellt! Dann wäre das alles nicht passiert!
b Ich wollte das Auto nehmen. Aber die Batterie war leer. Das war vielleicht blöd! Ich habe mich so geärgert.
c Dann habe ich das Auto von meiner Freundin genommen. Hätte ich bloß das Fahrrad genommen!
d Denn auf der Autobahn war Stau. Wäre ich wenigstens eine andere Strecke gefahren!
e Ich wollte unbedingt noch pünktlich kommen und bin so schnell wie möglich gefahren. Leider bin ich geblitzt worden. Wäre ich nur langsamer gefahren!
f Als ich in der Firma ankam, war ich so in Eile, dass ich den Schlüssel stecken ließ. Hätte ich nur an den Autoschlüssel gedacht!
g Denn als ich nach meinem Termin wieder zum Auto kam, war es weg! Gestohlen! Muss denn wirklich alles schiefgehen?
h Also, das nächste Mal würde ich es ganz anders machen.

▶ 1 26 **2 Hören Sie und sprechen Sie nach.**

▶ 1 27 **3 Hören Sie jetzt einige Reaktionen und sprechen Sie sie nach.**

a Das verstehe ich.
b Oh je, das ist ja wirklich sehr ärgerlich.
c Nicht zu glauben.
d Ärgere dich nicht! Alles im Leben hat einen Sinn.

TEST

1 Manchmal geht alles schief. Ordnen Sie zu.

WÖRTER

Benzin | Portemonnaie | ~~Motor~~ | Stau | Strecke | Rede | Batterie | Zeug

a Mein Mann hat bei unserem Auto das Licht brennen lassen. Jetzt kann er den *Motor* nicht mehr starten, weil die ______________ leer ist.
b Ich war beim Einkaufen und habe erst an der Kasse gemerkt, dass ich kein Geld im ______________ hatte.
c Wir wollten nach Hamburg fahren und haben drei Stunden im ______________ gestanden. Danach hatten wir kein ______________ mehr und die nächste Tankstelle war hundert Kilometer entfernt.
d Auf unserer Hochzeit wollte mein Schwiegervater eine ______________ halten. Aber er hat den Text vergessen und nur dummes ______________ geredet. Das war wirklich peinlich.
e Ich kenne diese ______________ und weiß, dass ich hier langsam fahren muss. Trotzdem hat man mich heute geblitzt.

_ / 7 PUNKTE

2 Dann wäre das nicht passiert.

STRUKTUREN

Schreiben Sie zu den Situationen aus 1 Sätze mit *doch bloß*.

a *Hätte mein Mann doch bloß das Licht ausgemacht*. (ausmachen, mein Mann, Licht)
b ______________________________. (mitnehmen, ich, Geld)
c ______________________________. (tanken, wir, vor der Fahrt)
d ______________________________ (sich erinnern, mein Schwiegervater, ______________________________. an den Text)
e ______________________________. (fahren, ich, langsam)

_ / 4 PUNKTE

3 Ordnen Sie zu.

KOMMUNIKATION

alles nicht passiert | zornig auf mich | nichts mehr machen | wirklich dumm gelaufen | bloß besser aufgepasst | mich so geärgert

■ Stell dir vor, ich habe heute Morgen im Büro eine E-Mail mit den falschen Daten an über hundert Empfänger geschickt.
● Oh je, das ist ja ______________________ (a).
■ Allerdings! Ich habe ______________________ (b) und mein Chef war ganz schön ______________________ (c).
● Das verstehe ich. Aber da kann man wohl ______________________ (d).
■ Hätte ich doch ______________________ (e) und die E-Mail noch einmal kontrolliert. Dann wäre das ______________________ (f).

_ / 6 PUNKTE

Wörter		Strukturen		Kommunikation	
●	0–3 Punkte	●	0–2 Punkte	●	0–3 Punkte
●	4–5 Punkte	●	3 Punkte	●	4 Punkte
●	6–7 Punkte	●	4 Punkte	●	5–6 Punkte

www.hueber.de/menschen/lernen

LERNWORTSCHATZ

1 Wie heißen die Wörter in Ihrer Sprache? Übersetzen Sie.

Pannen im Alltag
Batterie die, -n
Benzin das
Gedanke der, -n
Portemonnaie das, -s
A: auch: Geldbörse die, -n
Rede die, -n
Schein der, -e
Lottoschein der, -e
Stau der, -s
Strecke die, -n
Zeug das

lügen, hat gelogen
machen, hat gemacht
da kann man nichts machen
prüfen, hat geprüft
schief
schief·gehen, ist schiefgegangen
starten, ist gestartet
stecken, hat gesteckt
stecken lassen, du lässt stecken, er lässt stecken, hat stecken lassen

ziehen, hat gezogen

nass
zornig
zufällig

völlig
weg
weg sein
A: auch: fort, fort sein

Weitere wichtige Wörter
CD-ROM die, -s
Viertelstunde die, -n

bemerken, hat bemerkt
ein·fallen, ihm fällt ein, ist eingefallen

wochenlang

weshalb
A/CH: auch: wieso
CH: auch: warum

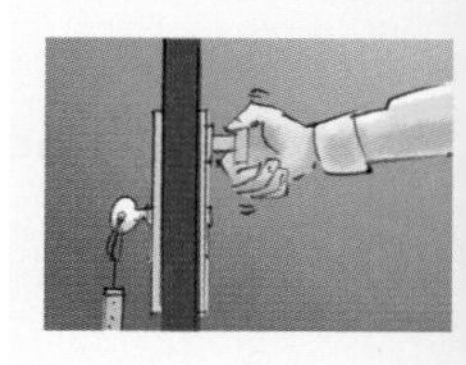

2 Welche Wörter möchten Sie noch lernen? Notieren Sie.

Nachdem wir jahrelang Pech gehabt hatten, …

KB 4 **1** **Ordnen Sie zu.**

WÖRTER

a auf dem Bürgersteig _5_
b die Hoffnung nicht ____
c mit dem Fahrrad bei Rot an der Ampel ____
d nach dem Urlaub den Koffer ____
e auf die gute Leistung in der Prüfung ____
f freundlich in die Kamera ____
g der Versicherung die neue Adresse ____
h das Rauchen in Restaurants ____
i im Wald Pilze ____

1 verbieten
2 lächeln
3 halten
4 aufgeben
5 gehen
6 mitteilen
7 stolz sein
8 finden
9 auspacken

KB 4 **2** **Schreiben Sie die Wörter richtig.**

WÖRTER

Hallo Johannes,
unsere Wanderung ist toll und das Wetter bis jetzt auch. Wir _genießen_ (geennieß) (a) das ____________ (facheine) (b) Leben in der Natur. Die letzten drei Tage sind wir einen Fluss ____________ (langent) (c) gewandert. Meistens ____________ (pencam) (d) wir ____________ (gendirwo) (e) im Freien. Du kannst Dir gar nicht vorstellen, wie viele ____________ (neSter) (f) man hier am Himmel sieht. Das ____________ (zigeein) (g) Problem sind die vielen Mücken, ____________ (genge) (h) die hilft leider gar nichts.

Viele Grüße aus Norwegen
Bettina

KB 4 **3** **Ordnen Sie zu.**

KOMMUNIKATION

auch sehr gefreut | mir auch schon passiert | gut nachempfinden | ~~auch schon einmal erlebt~~ | berührt mich | finde ich auch

a Ich wusste nicht, wie ich zur nächsten U-Bahn-Haltestelle komme. Da hat mich eine ältere Dame einfach hingebracht. Ist das nicht nett?

So etwas habe ich _auch schon einmal erlebt_. Schön, dass es so nette Leute gibt.

b Endlich wieder Tennis gespielt und gewonnen! Und das, obwohl ich ein halbes Jahr verletzt war. Toll! Oder?

Ja, dieses Erlebnis ____________ besonders schön.

c Ich habe gestern mal wieder Titanic gesehen. Wenn Leonardo DiCaprio im Film stirbt, muss ich immer weinen.

Das kann ich ____________. Das ____________ auch jedes Mal sehr.

d Ich habe gerade 50 Euro in meiner Jackentasche gefunden. Die habe ich wohl irgendwann dort vergessen.

Toll! Das ist ____________.

e Ich habe zum Geburtstag die Handtasche bekommen, die ich mir schon so lange wünsche. Ist die nicht toll?

Super! Darüber hätte ich mich ____________.

KB 5

4 Ergänzen Sie die Verben im Perfekt.

Wiederholung Strukturen

einladen | geben | denken | wohnen | treffen | ~~passieren~~ | ziehen | unterhalten

Lulu09: Hi Susi, du kannst dir nicht vorstellen, was mir passiert ist (a)!
Susi: Nee – was denn?
Lulu09: Ich __________ zufällig Steffen __________ (b).
Susi: Was? Deinen Ex-Freund Steffen? Ich __________ __________, der ist in Spanien (c).
Lulu09: Ja, dort __________ er ein Jahr lang __________ (d), aber jetzt __________ er wieder nach Frankfurt __________ (e).
Susi: Und er __________ dir auch gleich seine neue Telefonnummer __________ (f). Stimmt's?
Lulu09: Ja, woher weißt du das?! Er __________ mich auf einen Kaffee __________ (g) und wir __________ uns super __________ (h).
Susi: Und morgen trefft ihr euch wieder, oder?
Lulu09: ☺

KB 5

5 Ich habe den Job bekommen!

Strukturen entdecken

a Ordnen Sie zu und markieren Sie die Verben.

angekommen war | ~~abgeschickt hatte~~ | mitgeteilt hatte | aufgestanden war | bekommen hatte | gesprochen hatte | getrunken hatte

1 Nachdem ich die Bewerbung endlich abgeschickt hatte, war ich sehr froh.
2 Ich konnte die ganze Nacht nicht schlafen, nachdem ich die Einladung zum Vorstellungsgespräch __________.
3 Dann kam der große Tag: Nachdem ich __________, duschte ich und zog mich schick an.
4 Nachdem ich noch schnell einen Kaffee __________, bin ich zur Firma gefahren.
5 Ich musste erst einmal eine halbe Stunde warten, nachdem ich in der Firma __________.
6 Ich hatte ein gutes Gefühl, nachdem ich mit dem Personalchef __________.
7 Nachdem mir die Firma __________, dass ich die Stelle bekomme, habe ich mit meinen Freunden gefeiert.

b Kreuzen Sie an.

Grammatik

Das Plusquamperfekt bildet man mit
○ *bin/bist* … oder *habe/hast* … + Partizip.
○ *war/warst* … oder *hatte/hattest* … + Partizip.

KB 5 | Strukturen

6 Ergänzen Sie und vergleichen Sie.

Deutsch	Englisch	Meine Sprache oder andere Sprachen
a Nachdem wir ________________ (bezahlen), gingen wir in eine andere Bar.	After we had payed, we went to another bar.	
b Nachdem er von der Arbeit nach Hause ________________ (kommen), las er die Zeitung.	After he had come home from work, he read the newspaper.	

KB 5 | Strukturen

7 Verbinden Sie die Sätze mit *nachdem*. Verwenden Sie das Plusquamperfekt.

a Wir wanderten drei Tage lang. Wir erholten uns an einem See.
Wir erholten uns an einem See, nachdem wir drei Tage lang gewandert waren.

b Wir haben das Fußballturnier gewonnen. Wir haben die ganze Nacht gefeiert.
Nachdem ________________, ________________.

c Ich lief einen Marathon. Meine Füße taten zwei Tage lang weh.
________________, nachdem ________________.

d Ich habe das Tennisspiel verloren. Ich bin traurig nach Hause gegangen.
Nachdem ________________, ________________.

KB 6 | Sprechen

8 Was ist Billa und Rudi passiert?

a Welches Bild passt? Ordnen Sie zu.

○ zum Glück ein Lkw kommen / uns mitnehmen / nach Hause bringen
○ einen sehr schönen Tag am See verbringen / schwimmen / dann Picknick machen
① nachdem einpacken / losfahren
○ nachdem zwei Stunden am Fluss entlangfahren / einen See erreichen
○ nachdem einen Kilometer fahren / plötzlich einen platten Reifen haben / Fahrrad schieben müssen
○ am Abend einpacken / zurückfahren wollen

1

2

3

4

5

6

b Erzählen Sie die Geschichte.

Letztes Wochenende wollten Billa und Rudi eine Radtour machen. Nachdem sie …

TRAINING: HÖREN

▶ 1 28 **1 Hören Sie den Beginn einer Radiosendung und beantworten Sie die Fragen.**

a Was ist das Thema der Sendung? b Hören Sie in der Umfrage eine oder mehrere Personen?

▶ 1 29 **2 Markieren Sie wichtige Wörter in den Sätzen. Hören Sie die Sendung dann weiter. Welcher Satz passt am besten zu welchem Sprecher? Kreuzen Sie an.**

TIPP: In Radiosendungen sprechen oft verschiedene Personen über ein Thema. Konzentrieren Sie sich auf wichtige Wörter. Dann können Sie auch die Sendung besser verstehen.

Sprecher/in	1	2	3	4	5
Wir sind jetzt ein Paar!	○	○	○	⊗	○
Fußball ist mein Leben!	○	○	○	○	○
Zimmer gefunden!	○	○	○	○	○
Natur ist für mich das Schönste!	○	○	○	○	○
Die kleinen Dinge im Leben sind wichtig!	○	○	○	○	○

▶ 1 29 **3 Lesen Sie die Aufgaben. Hören Sie dann noch einmal und kreuzen Sie an.**

		richtig	falsch
a	Dem Sprecher wurde ein WG-Zimmer angeboten, als er gar nicht damit gerechnet hatte.	⊗	○
b	Der Sprecher hat in einem Zelt am Meer übernachtet.	○	○
c	Die Sprecherin genießt schöne Momente im Alltag.	○	○
d	Der Sprecher hat sich in eine sympathische Kundin verliebt, die ihm Geld geliehen hat.	○	○
e	Der Sprecher feiert gern zu Hause, wenn seine Fußballmannschaft gewinnt.	○	○

TRAINING: AUSSPRACHE *lange und kurze Vokale*

AUSSPRACHE – AUSSPRACHE

▶ 1 30 **1 Hören Sie und markieren Sie den Wortakzent: lang (_) oder kurz (.).**

Paar – Kasse – jahrelang – lächeln – erzählen – Tee – rennen – bitter – frieren – genießen – Hoffnung – Zoo – plötzlich – fröhlich – Jugend – Wunsch – Gefühl – glücklich

2 Kreuzen Sie an: lang oder kurz?

REGEL

	lang	kurz
– Vokal + Doppelkonsonant (*ff, nn, ss* …) spricht man	○	○
– Vokal + *h* (*ah, äh* …) und Doppelvokale (*aa, ee, oo*) spricht man	○	○
– Die Buchstabenkombination *ie* spricht man	○	○

▶ 1 31 **3 Hören Sie noch einmal und sprechen Sie nach.**

TEST

1 Ordnen Sie zu und ergänzen Sie die Verben in der richtigen Form.

WÖRTER

anlächeln | auspacken | mitteilen | verbieten | ~~abgeben~~ | aufwachen | campen | genießen

Glück ist, wenn
- ich am Ende des Monats endlich meine Diplomarbeit abgebe (a) und nach Spanien fliege.
- meine Freundin mich ______________ (b).
- ich am Morgen ______________ (c) und die Sonne mir ins Gesicht scheint.
- meine Eltern einmal nichts ______________ (d).
- mein Mann und ich am Meer ______________ (e).
- ich an meinem Geburtstag viele Geschenke ______________ (f) darf.
- meine Oma bald wieder ganz gesund ist und das Leben ______________ (g) kann.
- mein Chef mir ______________ (h), dass ich mehr Lohn bekomme.

_ / 7 PUNKTE

2 Schreiben Sie Sätze mit *nachdem*.

STRUKTUREN

a Ich nahm eine Tablette. Meine Kopfschmerzen waren weg.
Nachdem ich eine Tablette genommen hatte, waren meine Kopfschmerzen weg.

b Er buchte eine Reise nach London. Er lernte zwei Jahre Englisch.
____

c Sie hat stundenlang in der Kneipe auf ihren Freund gewartet. Sie ist nach Hause gegangen.
____

d Er hat sich ein teures Motorrad gekauft. Er hat im Lotto gewonnen.
____

e Wir haben das Deutsch-Zertifikat bestanden. Wir waren sehr stolz.
____

f Er trainierte zwei Jahre lang. Er gewann den Marathon.
____

_ / 5 PUNKTE

3 Ergänzen Sie die Gespräche.

KOMMUNIKATION

a ● Manchmal höre ich ein Lied und das f _ _ d _ ich dann so b _ rü _ r _ _ d, dass ich weinen muss.
▲ Ja, das kenne ich. Das i _ _ m _ r a _ c _ s _ h _ n p _ s _ _ e _ t.

b ● Mein Freund hat mir zum Geburtstag dreißig Rosen geschenkt.
▲ Wie schön. Darüber _ ät _ e ich m _ c _ _ _ ch s _ _ r g _ fr _ u _ .

c ● Ich bin mit dem Fahrrad von München nach Venedig gefahren. Jetzt bin ich so stolz auf mich.
▲ Das k _ n _ ich _ _ t na _ _ e _ pf _ _ de _ .

d ● Ich habe meine beste Freundin aus der Kindheit nach dreißig Jahren zufällig wieder getroffen.
▲ Oh, wie schön! Das be _ _ h _ t mi _ _ s _ h _ .

_ / 5 PUNKTE

Wörter		Strukturen		Kommunikation	
●	0–3 Punkte	●	0–2 Punkte	●	0–2 Punkte
●	4–5 Punkte	●	3 Punkte	●	3 Punkte
●	6–7 Punkte	●	4–5 Punkte	●	4–5 Punkte

www.hueber.de/menschen/lernen

LERNWORTSCHATZ

1 Wie heißen die Wörter in Ihrer Sprache? Übersetzen Sie.

Glück im Alltag
Gefühl das, -e
Hoffnung die, -en
Pilz der, -e
A: auch: Schwammerl das, -
Stern der, -e

auf·geben, du gibst auf, er gibt auf, hat aufgegeben
auf·wachen, ist aufgewacht
genießen, hat genossen
lächeln, hat gelächelt
rennen, ist gerannt
verbieten, hat verboten

einfach
stolz

einzig-

Weitere wichtige Wörter
Automat der, -en
Geldautomat der, -en
A/CH: Bankomat der, -en
Betrieb der, -e
außer/in Betrieb
Bürgersteig der, -e
A: Gehsteig der, -e
CH: Trottoir das, -s

Kasse die, -n
A: Kassa die, Kassen
Leser der, -
Zertifikat das, -e

aus·packen, hat ausgepackt
campen, hat gecampt
CH: campieren, hat campiert
frieren, hat gefroren
halten, du hältst, er hält, hat gehalten
mit·teilen, hat mitgeteilt
ziehen (lassen), hat gezogen, (hat ziehen lassen)

bitter
jahrelang
sauer

irgend-
irgendetwas/ -wer

entlang
gegen
nachdem

2 Welche Wörter möchten Sie noch lernen? Notieren Sie.

Ausflug des Jahres

KB 3

1 25-jähriges Firmenjubiläum

Strukturen

a Ordnen Sie zu.

außer | außer | mit | ~~mit~~ | für | ohne | vom | zum | zum

1 Das Jubiläum soll ein großes Fest werden. Darum können die Mitarbeiter *mit* ihren Angehörigen ________ Jubiläum kommen.
2 Bis jetzt ist ________ dem Gasthof und dem Buffet noch nichts organisiert.
3 Als Nächstes müssen die Einladungen ________ das Jubiläum verschickt werden.
4 Es ist geplant, einen Busservice ________ Bahnhof ________ Gasthof einzurichten. Dann können alle Gäste, die nicht ________ dem eigenen Pkw fahren wollen, den Bus benutzen.
5 Fast alle Kollegen aus meiner Abteilung wollen mit dem Bus fahren, ________ meinem Lieblingskollegen Horst.
6 Hoffentlich ist der Chef bis zum Jubiläum wieder gesund. Sonst müssen wir leider ________ ihn feiern.

Strukturen entdecken

b Markieren Sie in a die Präpositionen und Nomen wie im Beispiel (Akkusativ = rot, Dativ = grün) und ergänzen Sie dann.

1 Präpositionen mit Akkusativ: ________
2 Präpositionen mit Dativ: *mit,* ________

KB 4

2 Kreuzen Sie an.

Strukturen

Betreff: **AW: Vorstellung der Betriebsvereinbarung**

Liebe Katharina,
hoffentlich war Dein Urlaub schön! Da wir uns erst im nächsten Monat wieder mit dem Betriebsrat treffen, kommt hier schon mal ein kurzer Bericht ☒ der ◯ des (a) Betriebsversammlung.
Die Stimmung ◯ die ◯ der (b) Kollegen war nicht so toll. Viele waren unzufrieden, weil sie von ◯ den ◯ der (c) Umbauarbeiten sehr gestresst sind.
Aber die meisten Kollegen sind froh, dass die Umbauarbeiten in ◯ eines ◯ einem (d) halben Jahr abgeschlossen sind. Noch eine gute Nachricht: Mit der wirtschaftlichen Lage ◯ der ◯ des (e) Betriebs sieht es wieder besser aus.
Die Vorstellung ◯ die ◯ der (f) Betriebsvereinbarung war keine große Herausforderung mehr.
Vielen Dank für ◯ Deine ◯ Deiner (g) Vorbereitungen!

Viele Grüße, auch von ◯ die ◯ den (h) anderen Betriebsratsmitgliedern!
Klaus

KB 4 Strukturen

3 Ergänzen Sie die Genitivendungen, wo nötig. Hilfe finden Sie im Wörterbuch.

a In diesem Jahr übernimmt Frau Schmidt-Lösse die Organisation des Sommerfest_s_.
b Den Bericht der letzten Betriebsversammlung___ finden Sie im Intranet.
c Achtung: Das Datum unseres Betriebsausflug___ hat sich geändert!
d Wir feiern das 25-jährige Jubiläum der Firma___ am 8. Juni.

das **Fest** [fest]; -[e]s, -e: **1.** *Feier, Veranstaltung zu einem besonderen Ereignis:* zu ihrem 60. Geburtstag gibt sie ein großes Fest; ein Fest feiern, veranstalten; willst du ihn zum Fest einladen? *Syn.:* Fete (ugs.),

KB 4 Strukturen

4 Ergänzen Sie in der richtigen Form.

a Ich wünsche Ihnen schöne Feiertage im Kreis _Ihrer_ (Ihr-) • Familie_/_.
b Ich möchte dich bitten, mir die Vorschläge ________ (der) • Betriebsrat_____ zu schicken.
c Herr Kramer hat sich sehr über das Abschiedsgeschenk __________ (sein-) • Kollegen____ gefreut.
d Beachten Sie, dass bei der Planung ________ (die) • Umbauarbeiten_____ die Sicherheit ________ (die) • Mitarbeiter_____ berücksichtigt werden muss.
e Die Geschäftsführung möchte den Verkauf im Zeitraum __________ (ein-) • Jahr_____ um 50 Prozent steigern.

KB 4 Strukturen entdecken

5 Trotz des langen Winters …

a Schreiben Sie die Überschriften mit *obwohl*.

1 Trotz des langen Winters weniger Arbeitslose

Obwohl der Winter lang war, gibt es weniger Arbeitslose.

2 Morgige Eröffnung der Biergartensaison trotz schlechten Wetters

Obwohl das Wetter ______________________________, wird morgen
____.

3 Trotz großer Unzufriedenheit mit der Politik gingen viele Leute zur heutigen Wahl

Viele Leute gingen heute ______________________________, obwohl sie mit der Politik sehr ____.

4 Am Wochenende nur wenige Unfälle auf der Autobahn trotz zahlreicher Umbauarbeiten und Staus

Obwohl es ____ gab,
passierten ____.

b Markieren Sie in a die Adjektive und Nomen im Genitiv und ergänzen Sie.

trotz	• des/eines ________	langen	Winters
	• des/eines schlechten	_schlechten_	Wetters
	• der/einer großen	________	Unzufriedenheit
	• der zahlreichen	________	Umbauarbeiten/Staus

BASISTRAINING

KB 4 **6** **Ergänzen Sie.**

STRUKTUREN

FAMILIEN- UND FIRMENFEIERN

Sie suchen einen gemütlichen (a) Raum für Ihre Veranstaltung? Dann sind Sie im Restaurant Seeblick genau richtig. Egal, ob Sie ein Menü wünschen oder das Buffet mit warm_______ (b) und kalt_______ (c) Speisen wählen: Hier können Sie lecker essen, feiern und genießen.

In unserem hell_______ (d) und freundlich_______ (e) Restaurant bieten wir Platz für bis zu 100 Personen. Im grün_______ (f) Biergarten gibt es zusätzlich 80 Plätze. Gern senden wir Ihnen die Angebote unserer aktuell_______ (g) Menüs und unseres lecker_______ (h) Buffets. Wir können Ihnen außerdem bei der Vorbereitung eines unterhaltsam_______ (i) Rahmenprogramms mit Musik und Events helfen.

Sie haben Fragen oder besondere Wünsche? Dann vereinbaren wir gern einen Termin für eine persönlich_______ (j) Beratung. Wir freuen uns über Ihre Anfrage.

kontakt@seeblick.de

KB 6 **7** **Eine Einladung**

SCHREIBEN

a Sortieren Sie.

① Liebe/Lieber ...,

○ Zum Glück hatte ich kein Fieber und konnte zur Arbeit gehen. Der Job ist eine echte Verbesserung. Nach zahlreichen Versuchen habe ich nun wohl endgültig meinen Traumjob gefunden ☺. Doch dazu bald mehr. Warum ich dir eigentlich schreibe: Ich würde dich gern einladen.

○ Ich bin jedenfalls gut in Kiel angekommen, obwohl der Umzug etwas stressig war. Leider habe ich mich dann auch gleich erkältet.

○ Ich würde mich freuen, wenn es klappt.
Grüß bitte die anderen ganz herzlich von mir.

○ ich habe mich sehr über Deine guten Wünsche zum Umzug gefreut. Vielen Dank! Es tut mir leid, dass ich mich erst jetzt melde.

○ Am ersten Juni-Wochenende spielt I-Fire hier live. Hast du Zeit, mich zu besuchen? Ich könnte Karten besorgen, sobald du zugesagt hast.

○ Liebe Grüße
Felix

b Sie können leider nicht kommen. Schreiben Sie Felix eine Absage.

Schreiben Sie etwas zu folgenden Punkten:
- Grund für Ihr Schreiben
- Gibt es einen anderen Termin?
- Worauf freuen Sie sich bei dem Besuch am meisten?
- Wieso müssen Sie absagen?

Achten Sie auf den Textaufbau (Anrede, Einleitung, Reihenfolge der Inhaltspunkte, Schluss).

TRAINING: SPRECHEN

1 Small Talk

a Was kann man sagen? Lesen Sie die Situationen. Ordnen Sie die passenden Sätze zu.

(4) Heute Abend ist doch das Fußballspiel. | ◯ Wie war dein Wochenende? |
◯ Noch eine Woche, dann haben wir es geschafft. Wohin fahren Sie denn in Urlaub? |
◯ Zum Glück ist heute schon Freitag. Aber das Wetter soll ja leider nicht so gut werden. |
◯ Ich kann Ihnen hier die Salate sehr empfehlen. Sie sind besonders frisch.

1. Es ist Montagmorgen. Sie treffen eine Kollegin / einen Kollegen.
2. Es ist Freitagnachmittag. Der Wetterbericht für das Wochenende ist schlecht. Sie treffen Ihre Kollegin / Ihren Kollegen.
3. Sie sind mit einer Geschäftspartnerin / einem Geschäftspartner in einem Restaurant beim Essen.
4. Sie treffen eine Kollegin / einen Kollegen, die/der sich für Fußball interessiert. Am Abend ist ein wichtiges Champions-League-Spiel.
5. In einer Woche macht Ihre Firma Betriebsurlaub. Sie treffen eine Kollegin / einen Kollegen.

b Was kann man noch sagen? Sammeln Sie weitere Sätze zu den Situationen in a.

Situation 4: Schauen Sie das Spiel auch an? Das wird sicher spannend. ...

TIPP: Sie möchten das Sprechen üben? Machen Sie Small Talk: Sprechen Sie mit Ihren Kurskollegen auf Deutsch über das Wochenende, Sport, Urlaub oder das Wetter. Dann werden Sie beim Sprechen bald sicherer.

c Wählen Sie eine Situation aus a und spielen Sie mit Ihrer Partnerin / Ihrem Partner kleine Gespräche.

■ Hallo Johannes, wie geht's?
● Danke, ich bin ein bisschen müde, aber sonst geht's mir gut. Wie war dein Wochenende?

TRAINING: AUSSPRACHE *Neueinsatz (Zusammenfassung)*

▶ 1 32 **1 Hören Sie und sprechen Sie nach. Achten Sie auf die Pause!**

Tages|ordnung – Mit|arbeiter – Ver|einbarung – ge|ehrte – Betriebs|ausflug – ge|eignet – ver|abschieden – be|achten – un|ermüdlich

REGEL: Vor Silben mit Vokal und Wörtern mit Vokal macht man eine kleine Sprechpause.

▶ 1 33 **2 Hören Sie und sprechen Sie nach.**

a Sehr ge|ehrte Frau | Altmann, ich schicke | Ihnen die Tages|ordnung noch | einmal | im | Anhang.
b Mein Praktikum ist zu | Ende. Ich bedanke mich für die herzliche | Aufnahme | und die kollegiale | Unterstützung | und ver|abschiede mich von | Ihnen.
c Liebe Mit|arbeiterinnen | und Mit|arbeiter, vielen Dank für | Ihren | un|ermüdlichen | Einsatz.
d Bitte be|achten Sie: Nicht | alle Themen sind für Small Talk ge|eignet.

TEST

1 Ordnen Sie zu.

Wörter

Broschüre | ~~Betriebsrats~~ | Wahl | Betriebsversammlung | Gewerkschaft | Buffet | Verbesserungen

a ● Nächste Woche ist die ______________ des neuen Betriebsrats. Wen wählst du?
▲ Herrn Weindel. Er hat viele ______________ an unserem Arbeitsplatz eingeführt.
b ● Ich bin Bäcker und muss jeden Sonntag arbeiten. Ist das erlaubt?
▲ Erkundige dich mal bei deiner ______________. Zum Thema „Lohn und Arbeitsrechte“ gibt es auch eine neue ______________.
c ● Wo findet die morgige ______________ statt?
▲ In Raum E03. In der Kantine gibt es danach ein leckeres ______________ .

_ / 6 Punkte

2 Ergänzen Sie die Artikel und die richtigen Endungen, wo nötig.

Strukturen

Was ist Ihnen in letzter Zeit in Ihrem Job gut gelungen?

Ich arbeite in einer Firma, die Computerspiele herstellt. Gestern habe ich unsere Produkte Journalisten zahlreicher Computerzeitschriften (a) vorgestellt. Allein die Vorstellung unseres neu___ Spiel___ (b) hat fast zwei Stunden gedauert. Leider hat die Internetverbindung nicht immer richtig funktioniert. Aber trotz dies___ ärgerlich___ Problem___ (c) waren alle von dem Produkt begeistert.

Ich bin für die Organisation ______ heutig___ Betriebsversammlung___ (d) zuständig. Das war richtig viel Arbeit. Alle Arbeitnehmer unser___ Firma___ (e) sind eingeladen. Die Tagesordnung ist lang. Nach dem Bericht ______ Betriebsrat___ (f) folgt die Vorstellung ______ geplant___ (g) Betriebsvereinbarung zum Thema „Sicherheit am Arbeitsplatz“. Besonders freue ich mich, dass auch ein Mitglied unser___ Gewerkschaft___ (h) kommt.

_ / 7 Punkte

3 Ergänzen Sie die E-Mail.

Kommunikation

Sehr geehrte Frau Huber, sehr ______________ (a) Herr Nühlen,

vielen ______________ ______________ (b) Ihre Einladung zum Betriebsausflug. Ich habe ______________ sehr darüber ______________ (c) und komme gern mit. Es ist eine tolle Idee, klettern zu gehen! Nun wollte ich mich noch erkundigen, ob wir einen Helm und Kletterschuhe brauchen.

Über eine schnelle ______________ ______________ (d) ich mich freuen.

Im ______________ vielen Dank für Ihre ______________ (e).

______________ freundlichen ______________ (f)

Michael Schink

_ / 6 Punkte

Wörter		Strukturen		Kommunikation	
●	0–3 Punkte	●	0–3 Punkte	●	0–3 Punkte
●	4 Punkte	●	4–5 Punkte	●	4 Punkte
●	5–6 Punkte	●	6–7 Punkte	●	5–6 Punkte

www.hueber.de/menschen/lernen

LERNWORTSCHATZ

1 Wie heißen die Wörter in Ihrer Sprache? Übersetzen Sie.

Veranstaltungen in Betrieben

Betriebsrat der, ¨-e
Broschüre die, -n
Buffet das, -s
Gewerkschaft die, -en
Herausforderung die, -en
Mühe die, -n
Sicherheit die, -en
Verbesserung die, -en
Versammlung die, -en
Vorstellung die, -en
Wahl die, -en

ab·sagen, hat abgesagt
bitten, hat gebeten
erkundigen (sich), hat sich erkundigt
gelingen, ist gelungen
grüßen, hat gegrüßt
melden (sich), hat sich gemeldet
vertreten, du vertrittst, er vertritt, hat vertreten

zu·sagen, hat zugesagt

endgültig
zahlreich

voraus
im Voraus

Weitere wichtige Wörter

Angehörige der/die, -n
Biergarten der, ¨
CH: Gartenrestaurant das, -s
Boot das, -e
Kreis der, -e
Pkw der, -s
CH: PW der, -s
Politik die
Religion die, -en
Wetterbericht der, -e

erkälten (sich), hat sich erkältet
A: auch: verkühlen (sich), hat sich verkühlt

heutig-
morgig-

jedenfalls
wieso

sobald

trotz

2 Welche Wörter möchten Sie noch lernen? Notieren Sie.

WIEDERHOLUNGSSTATION: WORTSCHATZ

1 Montagmorgen: Lesen Sie die Forumsbeiträge und ordnen Sie zu.

~~Geldautomat~~ | Pullover | Stau | Rede | Batterie | Viertelstunde | Zeug | Betrieb | Portemonnaie

Heute Morgen habe ich eine __________ (a) lang meine EC-Karte gesucht. Als ich Geld holen wollte, war der Geldautomat (b) außer __________ (c). Dann stand ich im __________ (d) und kam viel zu spät zur Arbeit. Der Montagmorgen ist für mich der schlimmste Morgen der Woche. Findet ihr nicht auch?

Stimmt! Bei mir lief heute auch alles schief. Ich sollte eine __________ (e) auf unserer Betriebsversammlung halten und musste pünktlich sein. Leider hat mein Auto nicht funktioniert, weil die __________ (f) leer war. Also nahm ich ein Taxi. Als ich bezahlen wollte, bemerkte ich, dass ich mein __________ (g) vergessen hatte.

Wieso soll der Montagmorgen anders sein? Das ist dummes __________ (h)! Ich habe heute Vormittag meinen __________ (i) zu heiß gewaschen, jetzt ist er zwei Nummern kleiner. Na und? Das hätte mir auch an einem Dienstagmorgen passieren können.

2 Was macht Menschen glücklich? Wie heißen die Wörter richtig? Ordnen Sie dann zu.

~~wachtauf~~ | fiZerkatti | fühlGe | ßeniege | lächanelt | tooB | Büergriegst | lenteimit

Ich bin glücklich, wenn mein kleiner Sohn aufwacht (a) und mich __________ (b). Er ist jetzt fünf Monate alt und so süß. / Nadine S., 27 Jahre

Es sind die kleinen Dinge, die uns glücklich machen. Ich freue mich, wenn ich mit einer Tasse Tee die Sonne auf dem Balkon __________ (c). / Hanna M., 65 Jahre

Ich habe heute Morgen auf dem __________ (d) einen 10-Euro-Schein gefunden. Außerdem gehe ich später noch mit Papa zum Auensee. Wir wollen __________ (e) fahren und dann ein Eis essen. / Tim Z., 10 Jahre

Nun habe ich wochenlang gelernt und heute endlich mein Deutsch-__________ (f) bestanden. Das ist so ein schönes __________ (g), das möchte ich gleich meiner Familie __________ (h). / Javiero B., 25 Jahre

3 Aktiv im Betrieb: Ergänzen Sie.

Ich bin seit vielen Jahren im Be t r ie b s r a t (a). Wir v _ r _ r _ _ _ n (b) die Interessen der Arbeitnehmer. Einmal im Monat treffen wir uns mit unserem Arbeitgeber. Die Gespräche sind immer eine wirkliche He _ _ _ _ -fo _ _ er _ _ _ (c). Aber bisher hat sich die M _ h _ (d) gelohnt. Denn es ist uns g _ _ u n _ _ _ (e), zahlreiche Rechte durchzusetzen, wie zum Beispiel mehr S _ ch _ _ _ _ _ _ (f) am Arbeitsplatz oder V _ _ b _ ss _ _ u _ _ _ n (g) bei Arbeitsverträgen. Darauf bin ich stolz. Ein- bis zweimal im Jahr gibt es eine Betriebs _ _ rs _ mm _ _ _ _ (h), zu der alle Arbeitnehmer eingeladen werden. Ich habe dann die Aufgabe, alle zu begrüßen und eine R _ _ _ (i) zu halten.

WIEDERHOLUNGSSTATION: GRAMMATIK

1 Ergänzen Sie die Endungen, wo nötig.

Glück ist für mich …
- das Ende des Studiums (a)
- der Anruf ein_____ gut_____ Freund_____ (b)
- der Beginn d_____ Ferien_____ (c)
- das Lachen ein_____ klein_____ Kind_____ (d)
- die Abgabe mein_____ Diplomarbeit_____ (e)
- die Lösung ein_____ schwierig_____ Problem_____ (f)
- die Geburt mein_____ erst_____ Tochter_____ (g)

2 Ergänzen Sie die Adjektivendungen.

Kältester (a) Juni seit 10 Jahren

Trotz des schlechten (b)Wetters bleibt das Schwimmbad geöffnet!

An heiß_____ (c) Tagen verbringen bis zu 3000 Badegäste ihre Zeit unter dem frei_____ (d) Himmel. Sie genießen die Sonne, das Wasser und den gemütlich_____ (e) Biergarten im Bad. Aber bei den niedrig_____ (f) Temperaturen kommen nur wenige Besucher. „Zurzeit gehen nur ganz mutig_____ (g) Schwimmer ins Wasser", sagt Volker Schlöhmann, der Leiter des neu_____ (h) Bades. „Da kann man nichts machen, außer auf besser_____ (i) Wetter zu warten. Aber Anfang nächst_____ (j) Woche soll es ja endlich wieder schöner werden."

3 Hätte ich doch …! Schreiben Sie irreale Wünsche in der Vergangenheit.

a Wörter öfter wiederholen
b fleißiger sein
c mehr Grammatik lernen
d regelmäßig in den Deutschkurs gehen
e Hausaufgaben immer machen

a Hätte ich doch die Wörter öfter wiederholt.

4 Ergänzen Sie *nachdem*, *während* oder *bevor*.

Unser Betriebsausflug

Dieses Jahr machten wir eine abenteuerliche Rafting-Tour in Bad Tölz. Bevor (a) wir losfuhren, gab es in der Kantine ein Frühstücksbuffet. Dann brachte uns ein Bus nach Bad Tölz. __________ (b) wir dort in die Boote steigen konnten, mussten alle Neoprenanzüge anziehen. __________ (c) uns der Bootsführer Sicherheitshinweise gegeben hatte, durften wir endlich ins Wasser.
Am Anfang der Strecke war das Wasser noch sehr ruhig. Aber __________ (d) der erste Kollege ins Wasser gefallen war, wurde uns klar, dass es nicht so bleiben würde. __________ (e) wir fuhren, fing es auch noch an zu regnen. Aber das war egal. Denn am Ende kamen alle nass, aber mit bester Laune am Ziel an.

SELBSTEINSCHÄTZUNG Das kann ich!

Ich kann jetzt ...

... Enttäuschung ausdrücken und darauf reagieren: L10

- ■ Das war vielleicht bl________! Ich habe m________ so ü__________ mich geä____________.
- ● Das ver____________ ich. Das ist ja w______________ d______________ gelaufen. Aber da kann man w__________ n__________ mehr m______________.

... etwas emotional kommentieren: L11

So e__________ habe ich auch s________ einmal er____________.
Das f__________ ich sehr ber____________________.
Das k__________ ich gut nache____________________.

... Briefe eröffnen: L12

Ich habe mich s________ ü________ Ihre Ein________________ gefreut.
V____________ Dank!

... Briefe abschließen: L12

Ich w__________ mich freuen, b__________ von Ihnen z______ h____________.
Ü__________ eine schnelle Ant____________ würde ich mich sehr f____________.
I____ V____________ vielen Dank für I__________ M__________.

Ich kenne ...

... 6 Pannen im Alltag: L10

Pannen, die ich schon erlebt habe: ____
____

... 6 Wörter zum Thema „Glück im Alltag": L11

Glücksmomente, über die ich mich freuen würde: ____________________________
____

... 8 Wörter zum Thema „Veranstaltungen in der Firma": L12

____

Ich kann auch ...

... irreale Wünsche ausdrücken (Konjunktiv II Vergangenheit): L10

______________ wir doch die erste Wohnung ________________. (nehmen)
______________ sie doch nur rechtzeitig ____________________. (losgehen)

... zeitliche Beziehungen von Ereignissen in der Vergangenheit ausdrücken (Plusquamperfekt): L11

Als ich endlich nach Hause kam, ________________ die anderen schon ins Bett ____________________. (gehen)

... zeitliche Beziehungen von Sätzen ausdrücken (Satzverbindung: *nachdem*): L11

Mein Chef hatte mir von der Festanstellung erzählt. Ich rannte laut singend durch die Straßen.
Nachdem ____
____.

SELBSTEINSCHÄTZUNG *Das kann ich!*

... Besitzverhältnisse ausdrücken (Genitiv): L12
Tätigkeitsbericht ______________________________ (der Betriebsrat)
die Betriebsversammlung ______________________________ (dieses Jahr)

... Nomen näher beschreiben (Adjektivdeklination im Genitiv): L12
Tagesordnung ________ heutig________ Treffens
Vorstellung ________ neu________ Geschäftsführung

... Gegengründe angeben (Präposition: trotz) L12
Trotz ______________________________ (das schlechte Wetter)
findet der morgige Betriebsausflug statt.

Üben / Wiederholen möchte ich noch:

____

RÜCKBLICK

Wählen Sie eine Aufgabe zu Lektion 10 ______________________________

1 Dumm gelaufen!

Sehen Sie noch einmal das Bildlexikon im Kursbuch auf Seite 66 und 67 an.
Wählen Sie eine Situation und schreiben Sie eine Geschichte über ein Missgeschick.

- Was ist passiert?
- Was hätten Sie anders machen sollen?
- Gab es auch etwas Positives?

Ich habe mir einen sehr teuren Pullover gekauft. Er war wirklich teuer. Aber ich musste ihn haben, weil er so schön und weich war. Dann ...

2 Dumm gelaufen!

Schreiben Sie einer Freundin / einem Freund eine E-Mail.
Berichten Sie über ein Missgeschick, das Ihnen passiert ist.

Schreiben Sie:
- Was ist passiert?
- Was hätten Sie anders machen sollen?
- Gab es auch etwas Positives?

Vergessen Sie nicht, eine kurze Einleitung und einen Schluss zu schreiben.

Liebe(r) ...,

wie geht es Dir? Ich habe Dir lange nicht geschrieben, weil ich total viel zu tun habe. Aber jetzt muss ich Dir unbedingt erzählen, was mir neulich passiert ist: ...

RÜCKBLICK

Wählen Sie eine Aufgabe zu Lektion 11

1 Lesen Sie noch einmal die Texte im Kursbuch auf Seite 70.
Sind die Aussagen richtig oder falsch? Kreuzen Sie an.

		richtig	falsch
a	Emilys Tochter ist zum ersten Mal in der Nacht nicht aufgewacht.	☒	○
b	Marvin ist seit letztem Jahr 18 Jahre alt.	○	○
c	Natalie verdient seit September 400 Euro.	○	○
d	Milena hat nicht mehr gehofft, dass sie eine kleine Schwester bekommt.	○	○
e	Lancelot konnte die Sonnenfinsternis nicht sehen.	○	○
f	Emres Hockeymannschaft hatte nach vielen Jahren endlich Erfolg.	○	○
g	Anna-Lisa hat fast drei Jahre für ihre Doktorarbeit gebraucht.	○	○
h	Ein Herr hat Claudia für die Reparatur sein Werkzeug geliehen.	○	○

2 Glücklich im Alltag
Was tun Sie für Glücksgefühle im Alltag?
Schreiben Sie einen Beitrag in einem Blog.

Ich versuche, das Leben zu genießen. Wenn ich morgens aufwache, stelle ich mir vor, dass der Tag schön wird und freue mich darauf. Ich stehe früh auf, ...

Wählen Sie eine Aufgabe zu Lektion 12

1 Feiern und Ausflüge mit den Kollegen

a Lesen Sie noch einmal die Einladungen A und B im Kursbuch auf Seite 74 und beantworten Sie die Fragen. Was wird gefeiert? Wann wird gefeiert? Was für ein Programm gibt es?

b Was müssen Herr Böhm/Frau Schmidt-Lösse vorbereiten? Wählen Sie eine Einladung und machen Sie Notizen.

Weihnachtsfeier
– einen Raum buchen/reservieren
– ...

2 Feier oder Ausflug mit dem Deutschkurs
Sie planen eine Feier oder einen Ausflug mit dem Deutschkurs. Was wollen Sie machen und was müssen Sie dafür vorbereiten? Notieren Sie. Schreiben Sie dann eine Einladung.

Was? *Ausflug zum Abschluss des Kurses*
Wann? *Freitag, den 29. Juni um 9:30 Uhr*
Programm? *Ausflug an die Ostsee, Picknick, ...*
Vorbereitung? *Einladung schreiben, Bus buchen, alle bringen Speisen und Getränke mit, ...*

Liebe Kursteilnehmer,
für unseren gemeinsamen Ausflug zum Abschluss des Kurses haben wir uns etwas Besonderes ausgedacht. Gemeinsam fahren wir an die See. Wir treffen uns vor der Sprachenschule. Dort wartet ein Bus, der uns nach ... bringt.

LITERATUR

EIN SELTSAMER FALL

Teil 4: Salat!

Samstagmorgen. Nur noch wenige Stunden, bis Linus nach Hause kommen sollte. Die Uhr tickte. Endlich, kurz nach halb elf, kam eine E-Mail von Oberpullner. Er arbeitete bei der Polizei und half mir manchmal ein bisschen. Dieses Mal hatte er die Autonummer für mich überprüft. Er schickte mir eine Liste mit allen Leuten aus der Umgebung, die ein schwarzes Auto fuhren mit einer Nummer, die mit BS-HT begann.

Danke, Oberpullner! Ich schulde dir etwas.

Sechs unbekannte Namen.

Aber halt, diesen hier – den kenne ich doch …

Ich rief Frau Hofstätter an.

„Guten Morgen! Ich denke, ich habe den Dieb gefunden."

„Das ist ja super!"

Ich holte sie ab und wir fuhren gemeinsam zu der Adresse, die ich von Oberpullner hatte.

„Das ist ja ein seltsamer Zufall", sagte Frau Hofstätter. „Mein Schwager wohnt in der Nähe. Er hat eine Wohnung – hier, in diesem Haus, vor dem wir gerade stehen."

So ein Zufall.

Wir stiegen die Treppe hinauf, in den dritten Stock, und ich drückte auf die Klingel.

„Aber Herr Kanto, warum klingeln Sie denn bei meinem Schwager?"

„Ja, bitte? … Hallo Rosa, was machst du denn hier?" Thomas Hofstätter öffnete die Tür. „Kommt doch herein!"

„Sehen Sie, was Ihr Schwager in der Hand hat, Frau Hofstätter?"

„Salat …"

„Brauchen Sie noch einen anderen Beweis? Vor Ihnen steht der Dieb. Herr Hofstätter, was machen Sie mit dem Salat?"

„Na, ich mache mir Mittagessen. Es ist heute viel zu heiß für etwas Warmes. Was ist denn hier los, Rosa?"

„Ach, es tut mir leid, Thomas. Das ist alles ein Missverständnis. Jemand hat Babette gestohlen. Und jetzt glaubt Herr Kanto – er ist Detektiv – , dass du es warst."

„Aber Rosa, Babette ist bei mir, das weißt du doch."

„Bei dir? Aber warum hast du sie denn gestohlen?"

„Gestohlen?" Herr Hofstätter lachte. „Ich habe sie mir *geliehen*. Ich habe dir doch einen Zettel auf den Sofatisch gelegt."

„Da war kein Zettel."

„Oje, dann ist er wahrscheinlich hinuntergefallen und unters Sofa gerutscht. Ich rede gerade mit meiner Klasse im Biologieunterricht über Schildkröten. Ich wollte den Kindern zeigen, wie eine richtige Schildkröte aussieht. Es tut mir leid, dass du dir deswegen so viele Gedanken gemacht hast."

„Ach, das macht nichts. Hauptsache, Babette ist wieder da. Linus kommt heute Nachmittag zurück."

„Ja, ich weiß, ich wollte sie um zwei Uhr zurückbringen. Aber jetzt mache ich erst einmal Mittagessen, ich habe großen Hunger. Rosa, Herr Kanto, Sie können gern mitessen, wenn Sie Lust haben. Es gibt Salat."

Aus diesem Grund gab es ein Missverständnis.

KB 3 | 1 **Schreiben Sie Sätze.**

Strukturen

a Noelle macht nächste Woche die B1-Prüfung.
(deswegen – abends zusammen mit einer Kursteilnehmerin lernen)
b Sie hat seit einem Jahr einen deutschen Freund. (deshalb – Deutsch lernen)
c Ihr Freund Sebastian ist Anwalt. Er hat deutsches Recht studiert.
(daher – nicht in Frankreich arbeiten können)
d Im nächsten Jahr will Noelle nach Deutschland ziehen und dort arbeiten.
(aus diesem Grund – gerade Bewerbungen schreiben)
e Es wäre ihr peinlich, wenn in der Bewerbung Fehler wären.
(darum – ihren Freund um Hilfe bitten)

a Deswegen lernt sie abends zusammen mit einer Kursteilnehmerin.

KB 3 | 2 **Markieren Sie die Gründe in 1 und schreiben Sie die Sätze mit *nämlich*.**

Strukturen

a Noelle lernt abends zusammen mit einer Kursteilnehmerin.
Sie macht nämlich nächste Woche die B1-Prüfung.
b Noelle lernt Deutsch. Sie hat nämlich seit ______
______.
c Ihr Freund kann nicht ______.
Er hat nämlich ______.
d ______.
______.
e ______.
______.

KB 3 | 3 **Markieren Sie wie im Beispiel, kreuzen Sie dann an und ergänzen Sie die Regel.**

Strukturen entdecken

a Wegen ihres Mannes lebt Julie in Deutschland. Sie gibt Trommelkurse in Schulen.
b Wegen ihrer Trommelkurse hat sie eine Homepage, auf der Lehrer Informationen finden können und sie Erfahrungsberichte veröffentlicht.
c Wegen eines unbekannten Wortes in einem Erfahrungsbericht spricht sie eine Lehrerin an.
d Wegen der falschen Aussprache konnte die Lehrerin das Wort nicht verstehen.

Grammatik

Die Präposition *wegen* steht zusammen mit
○ Akkusativ. ○ Dativ. ○ Genitiv.

wegen
• ______ Mann___
• ______ Wort___
• der Aussprache /
• ______ Trommelkurse___

KB 3 STRUKTUREN

4 Schreiben Sie die Schlagzeilen anders.

a Wegen des Karnevals in Köln werden nächste Woche 1,5 Millionen Besucher erwartet.
In der nächsten Woche findet der Karneval in Köln statt.
Daher werden 1,5 Millionen Besucher erwartet. (daher)

b Wegen der mündlichen Prüfungen fällt der Unterricht in den nächsten beiden Tagen aus.
In den nächsten beiden Tagen finden mündliche Prüfungen statt.
________________. (deswegen)

c Wegen des Ferienbeginns am Montag müssen Sie mit zahlreichen Staus rechnen.
Sie müssen mit ________________.
________________. (nämlich)

d Wegen eines Produktionsfehlers müssen alle Herz-Medikamente kontrolliert werden.
Es gab ________________.
________________. (aus diesem Grund)

e Wegen des starken Exportgeschäfts steigt die Produktion.
Das Exportgeschäft ist ________________.
________________. (darum)

KB 5 WÖRTER

5 Ordnen Sie zu. Nicht alle Wörter passen. Achten Sie auf Groß- und Kleinschreibung.

abfliegt | ankommt | augenblicklich | Beamter | besorgen | böse | Datei | Dialekt | durcheinander | erschrocken | Missverständnis | normalerweise | undeutlich | ~~zunächst~~

Als ich neulich meine Oma vom Flughafen abholen wollte, ist mir Folgendes passiert: Zunächst (a) wollte ich herausfinden, ob das Flugzeug pünktlich ________ (b). Doch die Anzeigentafel zeigte nichts an. Die Durchsagen konnte ich auch nicht verstehen. Der Sprecher sprach nämlich sehr ________ (c). Deshalb bin ich an den Schalter der Fluglinie gegangen. Ich fragte die Angestellte nach dem Flug meiner Oma. Doch sie sprach einen starken ________ (d) und ich konnte fast nichts verstehen. Außerdem war es am Schalter ziemlich voll und alle redeten ________ (e). Ich verstand in dem Lärm nur ein Wort: Absturz! ________ (f) hatte ich ein Flugzeug vor Augen, das vom Himmel fällt. Ich bin wirklich ________ (g). Als ich keine weiteren Informationen bekommen konnte, wurde ich total ________ (h) und fragte noch einmal sehr laut nach. Plötzlich guckten mich alle an und es wurde still. Da habe ich gemerkt, dass es nicht um den Absturz eines Flugzeugs ging, sondern um den Absturz eines Programms. Die ________ (i) war weg. Aus diesem Grund hatte die Angestellte keine Informationen. Das war so peinlich! ________ (j) werde ich nie so laut. Aber ich war froh, dass sich das ________ (k) so schnell aufgeklärt hatte. Ich habe meiner Oma natürlich sofort von der Geschichte erzählt. Wir haben später noch oft darüber gelacht.

BASISTRAINING

KB 5 | 6 **Ordnen Sie zu.**

KOMMUNIKATION

Also passt auf | Später haben meine Nachbarin und ich noch oft | Das war so peinlich | ~~Einmal~~ | Ich habe sofort gemerkt, dass | habe ich dann bemerkt

Ich erzähle euch von meinem Missverständnis. ______________________ (a): An meinem ersten Wohnort in Deutschland hatte ich eine sehr sympathische Nachbarin. Einmal (b) hat sie mich um vier Uhr zum Kaffee eingeladen. Ich habe mich so gefreut. Das war meine erste Einladung in Deutschland und deshalb habe ich schon um halb fünf an der Tür geklingelt. ______________________ (c) die Nachbarin sauer war. Ich wusste aber nicht warum. Erst später ______________________ (d), dass man in Deutschland pünktlich zu einer Einladung kommt. ______________________ (e)! Bei uns kommt niemand pünktlich zu einer Einladung. ______________________ (f) darüber gelacht.

KB 5 | 7 **Kulturelle Missverständnisse**

SPRECHEN

Machen Sie Notizen und erzählen Sie zu zweit die Geschichte.

a meinen portugisischen Kollegen und seine Frau zum Essen einladen ...
b Kollege mit Frau und Freunden kommen ...

a

b

c

d

e

f

KB 6 | 8 **Lösen Sie das Rätsel und finden Sie das Lösungswort.**

WÖRTER

a Da bringe ich mein Geld hin. / Da sitze ich in der Sonne.
b So nennt man viele Menschen, die an der Kasse warten. / Das ist ein Tier.
c Unter ihm wasche ich meine Hände. / Das ist ein Tier.
d In sie beiße ich gern rein. / Sie bringt Licht in dunkle Räume.

a
b
c
d
Lösung:

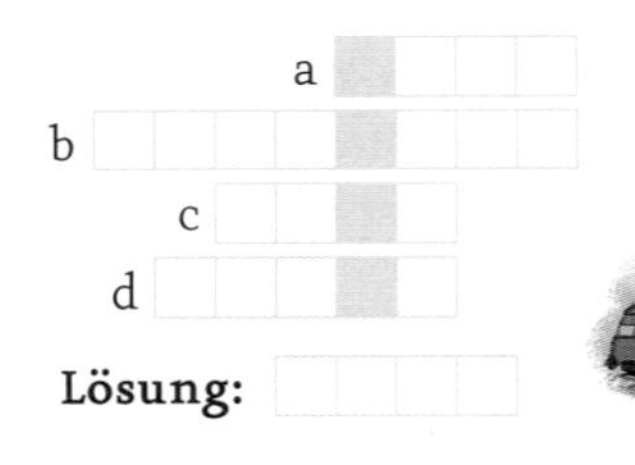

KB 7 | 9 **Ergänzen Sie.**

KOMMUNIKATION

a ■ Entschuldigung. Sie spr________ leider sehr schn_____. Daher k_____ ich Sie nur schlecht v__________.
● Oh, das tut mir leid. Ich werde etwas l__________ sprechen.

b ■ Standesamt? Ich ________ das W_____ nicht. Könnten Sie mir das b________ e__________?
● Klar, das Standesamt ist der Ort, an dem man heiratet.

TRAINING: HÖREN

1 Das Valentin-Karlstadt-Musäum

Lesen Sie die Themen und die Aufgaben in 2. Um welche Themen geht es in den Aufgaben? Was ist richtig? Kreuzen Sie an.

a ◯ Veranstaltungen im Museum
  ⊗ Thema der Ausstellung
b ◯ Führung durch das Museum
  ◯ Ausstellungsbesuch alleine
c ◯ Organisatorisches zur Führung
  ◯ Startpunkt des Rundganges
d ◯ Vorschlag für einen gemeinsamen Ausflug
  ◯ Freizeittipp des Museumsführers

TIPP

Sie wissen nicht, welche Informationen bei längeren Hörtexten wichtig sind? Lesen Sie zunächst die Aufgaben genau und überlegen Sie: Um welche Themen geht es in den Aufgaben? Achten Sie dann beim Hören genau auf diese Themen.

▶ 2 02

2 Sie nehmen an einer Führung durch das Valentin-Karlstadt-Musäum teil.

Was ist richtig? Hören Sie und kreuzen Sie an.

a In den Ausstellungen zu Karl Valentin und Liesl Karlstadt erfahren Sie etwas über …
  (1) Volkslieder.
  (2) Witze und Sprachspiele.
  (3) Fotografie und Malerei.

b Was zeigt der Museumsführer den Touristen?
  (4) alle Dauerausstellungen
  (5) die Ausstellungen zu Karl Valentin und Liesl Karlstadt
  (6) die Volkssängerausstellung

c Wo treffen sich die Teilnehmer nach dem Rundgang?
  (7) am Museumskiosk
  (8) an der Garderobe
  (9) vor dem Café „Turmstüberl"

d Der Museumsführer empfiehlt den Touristen …
  (10) ein Restaurant.
  (11) ein Konzert.
  (12) ein Café.

TRAINING: AUSSPRACHE *Zusammenfassung Wortakzent*

▶ 2 03

1 Hören Sie und markieren Sie die betonte Silbe.

a der Hammer – der Nagel – der Dialekt – die Datei – schlagen – sprechen – peinlich – lustig
b der Leiter – der Kursleiter – der Anwalt – der Rechtsanwalt – das Amt – das Standesamt
c fliegen – abfliegen – fragen – nachfragen – klären – aufklären
d erschrecken – erklären – bedeuten – bemerken – verstehen – veröffentlichen

▶ 2 04 **Hören Sie noch einmal und sprechen Sie nach.**

TEST

1 Erfahrungen beim Sprachenlernen: Ordnen Sie zu.

WÖRTER

durcheinander | ~~Bedeutung~~ | Durchsagen | peinlich | Dialekt | deutliche | Missverständnissen

a Ich wusste, dass eine Schlange ein Tier ist. Jetzt habe ich noch eine Bedeutung gelernt. So nennt man auch die Leute, die vor einer Kasse warten.
b Wenn alle in einem Gespräch ______________________ reden, verstehe ich nichts mehr.
c Ich habe schon öfter neue Wörter erfunden, die es leider nicht gibt. Das war manchmal wirklich ______________________.
d Nachdem ich in Norddeutschland gelebt hatte, bin ich in den Süden nach Stuttgart gezogen. Den ______________________ dort habe ich zuerst überhaupt nicht verstanden.
e Es gibt Wörter, die kann ich nicht aussprechen. Jedes Mal kommt es zu ______________________.
f Ich unterhalte mich am liebsten mit Menschen, die eine ______________________ Aussprache haben. Dann verstehe ich alles.
g Ich habe einmal meinen Flug verpasst, weil ich die ______________________ am Flughafen nicht verstanden habe.

_ / 6 PUNKTE

2 Was ist richtig? Markieren Sie.

STRUKTUREN

Ich möchte in Deutschland studieren, darum / wegen (a) gehe ich seit ein paar Wochen in einen Deutschkurs. Das macht Spaß! Nur deswegen / wegen (b) der komplizierten Grammatik mache ich oft Fehler. Im Deutschen gibt es drei Artikel. Das finde ich komisch, im Spanischen haben wir nämlich / wegen (c) nur „el" und „la". Auch das Verb steht im Deutschen im Nebensatz an einer anderen Position, daher / nämlich (d) am Ende. Und wie spricht man den Buchstaben „b" richtig aus? Wegen / Darum (e) meiner Aussprache müssen immer alle lachen. Aber die anderen haben ähnliche Probleme, die können zum Beispiel kein „ü" sagen. Nämlich / Daher (f) ist es sehr lustig in unserem Kurs.

_ / 5 PUNKTE

3 Missverständnisse: Ordnen Sie zu.

KOMMUNIKATION

In meiner Sprache | Da habe ich gemerkt | Wir haben noch | Dann haben alle laut | Folgendes habe ich | Das war so

______________________ (a) erlebt: Wir haben in unserem Deutschkurs eine Grillparty gemacht. Ich hatte Würste mitgebracht. Als sie fertig gegrillt waren, rief ich laut: „Kommt her, ich habe die Bürste gegrillt." Zuerst haben mich meine Kurskollegen komisch angeschaut. ______________________ (b) gelacht. ______________________ (c) peinlich! ______________________ (d), dass ich mal wieder „b" und „w" verwechselt hatte. ______________________ (e) ist die Aussprache nämlich anders. ______________________ (f) den ganzen Abend Witze darüber gemacht.

_ / 6 PUNKTE

Wörter		Strukturen		Kommunikation	
●	0–3 Punkte	●	0–2 Punkte	●	0–3 Punkte
●	4 Punkte	●	3 Punkte	●	4 Punkte
●	5–6 Punkte	●	4–5 Punkte	●	5–6 Punkte

www.hueber.de/menschen/lernen

LERNWORTSCHATZ

1 Wie heißen die Wörter in Ihrer Sprache? Übersetzen Sie.

Sprachliches

Bedeutung die, -en ____________
Dialekt der, -e ____________
Durchsage die, -n ____________
Missverständnis das, -se ____________

folgen, ist gefolgt ____________
einem Gespräch folgen ____________
missverstehen, hat missverstanden ____________

deutlich ⟷ undeutlich ____________ ____________
durcheinander ____________
durcheinander reden ____________

peinlich ____________

Gründe und Folgen

aus diesem Grund ____________
deswegen ____________
wegen ____________

Weitere wichtige Wörter

Amt das, ¨-er ____________
Standesamt das, ¨-er ____________
Anwalt der, ¨-e ____________
Rechtsanwalt der, ¨-e ____________
Bank die, ¨-e/-en ____________
Beamte der, -n ____________
Briefträger der, - ____________
CH: auch: Pöstler der, -
Datei die, -en ____________
Flug der, ¨-e ____________
Kursleiter der, - ____________
Nagel der, ¨- ____________

ab·fliegen, ist abgeflogen ____________
beißen, hat gebissen ____________
besorgen, hat besorgt ____________
erschrecken, du erschrickst, er erschrickt, ist erschrocken ____________

augenblicklich ____________
A: auch: sofort
böse ____________

2 Welche Wörter möchten Sie noch lernen? Notieren Sie.

Die Teilnahme ist auf eigene Gefahr.

KB 3 **1** **Schreiben Sie die Wörter richtig.**

WÖRTER

(A) Grundlagen **(genGrundla) (1) des Internets für** ____________ **(renioSen) (2)**
- technische ____________ (setzausungVoren) (3) für einen Internetzugang
- die wichtigsten ____________ (tuakenell) (4) Computerprogramme kennenlernen
- kostenlose ____________ (rewaSoft) (5) aus dem Internet ____________ (denunterlaher) (6)
- eigene Fotos ins Internet ____________ (hochdenla) (7)
- Sicherheit im Internet

Keine Vorkenntnisse ____________ (notigwend) (8).

(B) **Internet**

Das Internet ist ____________ (chrei) (1) an ____________ (keitlichenMög) (2), aber es gibt auch viele Risiken. In unserem Vortrag klären wir Sie über mögliche ____________ (Gefenahr) (3) auf und sagen Ihnen, was man dagegen tun kann.

(C) **Kommunikation**

Sie möchten einen guten ersten ____________ (druckEin) (1) machen? Man soll Ihnen gern ____________ (hörzuen) (2)? ____________ (emAt) (3), ____________ (meStim) (4) und Körpersprache spielen bei der Kommunikation eine wichtige Rolle. ____________ (deckEnten) (5) Sie mit spielerischen Übungen, wie Sie besser kommunizieren können.

(D) **Nähkurs**

Nähen Sie eine wunderbare Decke aus ____________ (restStoffen) (1). Sie brauchen kein besonderes ____________ (entalT) (2), sondern nur ____________ (eerSch) (3), ____________ (aNeld) (4) und ein bisschen ____________ (sietaFan) (5).

KB 3 **2** **Wählen Sie aus 1 passende Kurse für die Personen aus.**
Für zwei Personen gibt es keinen Kurs. In diesem Fall notieren Sie X.

LESEN

a Leonie ist sehr kreativ und macht gern Sachen selbst. D
b Peter hat ein Praktikum gemacht und sucht eine neue Arbeitsstelle. Dafür braucht er bessere Computerkenntnisse. ____
c Holger hat schon oft mit seiner Kreditkarte im Internet etwas gekauft. Er möchte wissen, welche Sicherheitsregeln er dabei beachten muss. ____
d Frau Krause hat von ihren Enkeln einen Computer bekommen. Sie hat keine Computerkenntnisse. ____
e Frau Lohner möchte gern in einem Nähkurs lernen, wie sie ihre Kleidung selbst ändern kann. ____
f Jochen ist Verkaufsleiter. Er muss viel mit Kunden und Kollegen sprechen. Er möchte dabei überzeugender sein. ____

KB 3 | 3 | WÖRTER

Ergänzen Sie und vergleichen Sie. Hilfe finden Sie in den Texten in 1.

Deutsch	Englisch	Meine Sprache oder andere Sprachen
a *die Fantasie*	fantasy	
b	software	
c	talent	
d	to upload	
e	to download	

KB 3 | 4 | STRUKTUREN ENTDECKEN

Der ankommende Zug

a Ordnen Sie zu.

malende | operierende | ~~ankommende~~ | kochende | operierte | gekochte | angekommene | gemalte

1 
der *ankommende* Zug

3 
das ____________ Kind

5 
das ____________ Wasser

7 
der ____________ Arzt

2 
der ____________ Zug

4 
das ____________ Bild

6 
das ____________ Ei

8 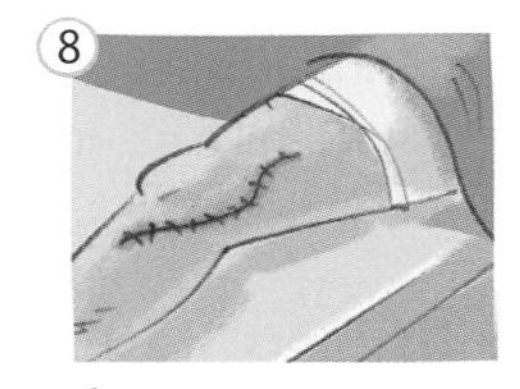
das ____________ Knie

b Was verwendet man wann? Kreuzen Sie an.

GRAMMATIK

	Partizip Präsens (*malend*)	Partizip Perfekt (*gemalt*)
Etwas passiert gerade.	○	○
Etwas ist passiert. / wurde gemacht.	○	○

KB 3 | 5 | STRUKTUREN

Chaos im Kursbüro: Partizip Präsens oder Partizip Perfekt?

Was ist richtig? Kreuzen Sie an.

a Im Büro gibt es nur einen ○ funktionierten ⊗ funktionierenden Computer.
b Die Sekretärin findet die ○ ausgefüllten ○ ausfüllenden Anmeldeformulare nicht mehr.
c Die Schlange der ○ gewarteten ○ wartenden Kunden wird immer länger.
d Ein Mann regt sich über eine laut ○ telefonierte ○ telefonierende Frau auf.

KB 3

6 Ergänzen Sie die Adjektivendungen.

WIEDERHOLUNG STRUKTUREN

Die perfekte (a) Einladung

Sie möchten bei Ihren Gästen einen bleibend_______ (b) Eindruck hinterlassen?
In diesem Kurs lernen Sie alles, was für einen gelungen_______ (c) Abend wichtig ist.
Ein schön gedeckt_______ (d) Tisch und gut_______ (e) Essen sind wichtig_______ (f) Voraussetzungen.
Wir beschäftigen uns auch mit Fragen wie: Welcher Wein passt zu gebraten_______ (g) Fleisch oder gegrillt_______ (h) Fisch? Die Vorbereitungen fangen aber schon viel früher an, nämlich mit einer passend_______ (i) Einladung. Auch darüber werden wir im Kurs sprechen. Sie werden sehen, Ihre Gäste werden beim nächst_______ (j) Mal begeistert sein.

KB 3

7 Partizip Präsens oder Partizip Perfekt? Ergänzen Sie in der richtigen Form.

STRUKTUREN

Liebe Frau Wolf,
danke, dass Sie mich in meinem laufenden (laufen) (a) Italienisch-Anfängerkurs vertreten.
Hier noch ein paar Hinweise: Schreiben Sie bitte die _______________ (fehlen) (b) Studenten in die Kursliste. Geben Sie bitte die _______________ (korrigieren) (c) Tests zurück. Die Tests und die _______________ (kopieren) (d) Arbeitsblätter für die nächste Stunde finden Sie auf meinem Schreibtisch. _______________ (passen) (e) Übungen gibt es natürlich auch im Arbeitsbuch. _______________ (kommen) (f) Woche bin ich wieder da.
Vielen Dank und viel Spaß! ☺

KB 5

8 Ordnen Sie zu.

KOMMUNIKATION

sind für alle | Sie möchten | praktisch üben | ~~Sie interessieren~~ | haben Sie die Möglichkeit | Sie brauchen | Vorkenntnisse notwendig | lernen Sie

Sie interessieren (a) sich für Kultur? _______________ (b) einen Yoga-Kurs machen? _______________ (c) Hilfe bei Geldfragen?
Bei uns an der Volkshochschule _______________ (d), in über 300 Kursen und Vorträgen etwas zu lernen. Unsere Kurse _______________ (e), die sich auch in der Freizeit gern sinnvoll beschäftigen. Oft sind keine Erfahrungen oder _______________ (f). Warten Sie nicht zu lange mit der Anmeldung. Einige Kurse sind schon jetzt ausgebucht.

Achtung neu!
Sie sind beim Autofahren gestresst und unsicher? Bei unserem Fahrkurs _______________ (g) auf einem Trainingsplatz, wie man in schwierigen Situationen reagiert. Ganz _______________ (h) wir, wie man rückwärts einparkt und vieles mehr.

TRAINING: SCHREIBEN

1 Sich in einer (halb-)formellen E-Mail entschuldigen und Gründe nennen

a Lesen Sie die Situation und dann die Sätze 1–4. Welcher Satz ist für die Situation passender und höflicher? Kreuzen Sie an.

Sie haben am Mittwoch einen Termin mit Ihrer Bankberaterin Frau Küng. Sie können aber nicht kommen, weil Sie beruflich verreisen müssen. Sie kennen Frau Küng schon länger, daher haben Sie ihr eine halbformelle E-Mail geschrieben.

1 ○ Liebe Frau Küng,
  ○ Hallo,
2 ○ ich komme am Mittwoch nicht. Ich bin auf Dienstreise.
  ○ ich kann am Mittwoch wegen einer Dienstreise leider nicht zu unserem vereinbarten Termin kommen. Bitte entschuldigen Sie.
3 ○ Der Termin passt mir nicht. Wir verschieben ihn auf nächste Woche.
  ○ Könnten wir einen neuen Termin vereinbaren? Wann würde es Ihnen passen?
4 ○ Mit freundlichen Grüßen
  ○ Bis dann

TIPP
Sie müssen eine E-Mail oder einen Brief auf Deutsch schreiben? Achten Sie genau darauf, wem Sie schreiben. Kennen Sie die Person schon oder noch nicht? Verwenden Sie eine passende Anrede und Grußformel. Schreiben Sie in (halb-)formellen E-Mails oder Briefen in der Sie-Form und achten Sie auf höfliche Formulierungen. Wenn Sie einen Termin absagen oder verschieben, sollten Sie auch einen Grund dafür nennen.

b Schreiben Sie eine E-Mail. Vergessen Sie nicht die Anrede und die Grußformel am Schluss.

Sie sind Teilnehmerin/Teilnehmer eines Sprachkurses. In der kommenden Woche sollen Sie eine Präsentation halten. Sie können aber nicht zum Kurs kommen und möchten Ihre Präsentation verschieben. Schreiben Sie Ihrem Kursleiter Herrn Seiler. Entschuldigen Sie sich höflich und erklären Sie, warum Sie nicht kommen können. Schlagen Sie einen neuen Termin für die Präsentation vor.

TRAINING: AUSSPRACHE *Vokale „a", „ä", „e"*

1 Ergänzen Sie „a", „ä" oder „e".

Entd_e_cken Sie Ihre Tal___nte und m___lden Sie sich ___n: zum Beispiel zu einem N___hkurs. Dort l___rnen Sie, wie Sie aus R___sten schicke J___cken n___hen. N___deln und Sch___ren bitte s___lbst mitbringen. Oder m___chen Sie g___rn Sport? Dann kl___ttern Sie mit uns. ___chtung: Die Teiln___hme am Kl___tterkurs ist auf eigene Gef___hr. Wir übern___hmen keine H___ftung bei Unf___llen.

▶ 2 05

2 Hören Sie und vergleichen Sie in 1.

Achten Sie besonders auf „a", „ä" und „e". Was ist richtig? Kreuzen Sie an. Sprechen Sie dann den Text aus 1.

REGEL
Die Vokale „a" und „ä" klingen oft gleich. ○
Die Vokale „ä" und „e" klingen oft gleich. ○

TEST

1 Sommerkurse: Es sind noch Plätze frei! Ordnen Sie zu.

Wörter

Atem | ~~Kunst~~ | Schere | Bewegung | Software | Voraussetzung | Bildung | Teilnehmern | Senioren

Kunst **(a) & Kultur**
Nähen statt kaufen. Wir nähen eine schicke Bluse. __________________ (b) sind Grundkenntnisse im Nähen. Bitte __________________ (c) mitbringen.
Körper & __________________ (d)
Singen ist gesund! Lernen Sie, wieder auf Ihren __________________ (e) und Ihre Stimme zu achten. Der Kurs findet ab neun __________________ (f) statt.
Berufliche __________________ **(g) & Computer**
Alt lernt von Jung. Jugendliche erklären __________________ (h), wie man E-Mails schreibt oder mit welcher __________________ (i) man seinen PC schützen kann.

_ / 8 Punkte

2 Was hast du in den Ferien gemacht? Ergänzen Sie in der richtigen Form.

Strukturen

Ich wollte an der Uni ein paar vorbereitende (vorbereiten) (a) Kurse besuchen, da ich in Französisch meine __________________ (fehlen) (b) Kenntnisse auffrischen muss. Leider gab es keinen __________________ (passen) (c) Kurs. Zufällig habe ich im Internet das __________________ (umfassen) (d) Sommerprogramm gesehen und dann an einem Nähkurs teilgenommen. Das hat viel Spaß gemacht, ich bin so stolz auf meine selbst __________________ (nähen) (e) Bluse.
Später habe ich noch einen Kochkurs belegt. Wir haben __________________ (braten) (f) Nudeln mit __________________ (auswählen) (g) exotischen Kräutern zubereitet. Das war lecker! Hast Du __________________ (kommen) (h) Freitag Zeit? Dann können wir das Rezept mal zusammen ausprobieren.

_ / 7 Punkte

3 Online-Deutschkurse: Ergänzen Sie.

Kommunikation

Sie _ ö _ _ _ _ _ (a) Ihr Deutsch verbessern und i _ _ _ _ _ ss _ _ r _ _ s _ _ _ (b) für einen Online-Intensivkurs? Diese K _ _ se sind für a _ _ _ (c), die sich auf einen Aufenthalt in Deutschland vorbereiten. S _ _ l _ _ n _ _ (d) nicht nur neue Wörter und Grammatik, sondern üben auch Ihr Hör- und Textverständnis.
_ _ ß _ _ d _ _ haben Sie die M _ g _ _ _ _ k _ _ _ (e), in Chats und Foren andere Deutschlerner zu treffen.
Für Teilnehmer mit V _ _ k _ _ _ _ _ _ _ ss _ n (f) auf der Niveaustufe A2.

_ / 6 Punkte

Wörter	Strukturen	Kommunikation
0–4 Punkte	0–3 Punkte	0–3 Punkte
5–6 Punkte	4–5 Punkte	4 Punkte
7–8 Punkte	6–7 Punkte	5–6 Punkte

www.hueber.de/menschen/lernen

LERNWORTSCHATZ

1 Wie heißen die Wörter in Ihrer Sprache? Übersetzen Sie.

Kursangebote

Atem der
Eindruck der, ¨-e
Erwachsenenbildung die
Fantasie die, -n
Gefahr die, -en
Geschmack der, ¨-er
Gewürz das, -e
Grundlage die, -n
Kultur die, -en
Möglichkeit die, -en
Nadel die, -n
Rest der, -e
Richtung die, -en
Geschmacks-/Stil-/Himmelsrichtung die, -en
Schere die, -n
Senior der, -en
Software die
Stimme die, -n
Talent das, -e
Teilnehmer der, -
Voraussetzung die, -en

entdecken, hat entdeckt
laden, du lädst, er lädt, hat geladen
herunter-/hochladen
zu·hören, hat zugehört

aktuell
notwendig
reich
reich sein an

Weitere wichtige Wörter

rückwärts
staatlich

einig-

2 Welche Wörter möchten Sie noch lernen? Notieren Sie.

Schön, dass Sie da sind.

KB 4 **1** **Was passt nicht? Streichen Sie das falsche Wort durch.**

WÖRTER

a ~~eine Tür~~ – ein Konto – ein Geschäft – eine Ausstellung — eröffnen
b Software – Produkte – Computerspiele – Fortschritte — entwickeln
c ein Team – ein Kind – einen Kunden – einen Job — betreuen
d jemandem eine Aufgabe – Kleidung – ein Projekt – Verantwortung — übertragen
e eine Stelle – Überstunden – eine Bestellung – eine Einladung — annehmen

KB 4 **2** **Ergänzen Sie die Stellenanzeigen.**

WÖRTER

Studenten/-innen aufgepasst:
Online-Shop sucht Mitarbeiter (m/w)
für die Spätsc h i c h t (a) (16.00 – 22.00 Uhr)
Aufgabe: einzelne Pakete von Hand verpacken
Mehr Informationen unter der R _ fn _ m _ er (b):
0351/79 23 457

Führendes U _ t _ r _ e _ m _ n (c) der Papierind _ str _ e (d) sucht Praktikant/in für Public Relations / Öffentlichkeitsarbeit

Aufgaben:
· R _ ch _ r _he (e) aktueller Berichte aus der P _ e _ se (f)
· Erledigung a _ lg _ me _ ner (g) Bürotätigkeiten

Voraussetzungen:
· s _ c _ ere (h) Beherrschung der MS-Office-Programme und anderer moderner K _ mm _ n _ kat _ onsm _ tt _l (i)
· sehr gute Deutsch- und Englischkenntnisse in W _ r _ und S _ h _ ift (j)

Bewerbung mit den ü _ li _ hen (k) Unterlagen bis 15. August

KB 4 **3** **Was passt? Verbinden Sie.**

STRUKTUREN

a Wir suchen sowohl für unser Werk in Hamburg
b Sie können nicht nur gut organisieren,
c Der Bewerber sollte sowohl Englisch
d Wir suchen sowohl für die Entwicklungsabteilung
e Bei uns bekommen Sie nicht nur ein hohes Gehalt,
f Für Sie ist nicht nur ein gutes Betriebsklima,

sondern sind auch teamfähig.
als auch für die Buchhaltung Mitarbeiter.
sondern wir bieten auch einen sicheren Arbeitsplatz.
sondern auch eine interessante Tätigkeit wichtig.
als auch für das in Stuttgart Mitarbeiter.
als auch Französisch sprechen.

KB 4 STRUKTUREN

4 Ergänzen Sie *sowohl ... als auch* oder *nicht nur ... sondern auch*. Manchmal gibt es zwei Lösungen.

So entwickelt sich der Arbeitsmarkt

Die Zahl der Stellenanzeigen ist in diesem Jahr nicht nur für Ingenieure leicht gesunken, ______ es gibt ______ (a) weniger Angebote für Informatiker. Das zeigte eine Untersuchung, die ______ Stellenanzeigen in Tageszeitungen, ______ (b) Angebote im Internet berücksichtigte.
Allerdings haben ______ Ingenieure ______ (c) Informatiker immer noch sehr gute Chancen auf dem Arbeitsmarkt.
Ebenso werden zurzeit Handwerker gesucht. In einzelnen Handwerksberufen herrscht ______ ein großer Mangel an Auszubildenden, ______ es fehlen ______ (d) ausgebildete Mitarbeiter.

KB 4 STRUKTUREN

5 Meine Qualifikation und meine Stärken

Schreiben Sie Sätze mit *nicht nur ... sondern auch* und *sowohl ... als auch*.

a Ich / Kunden betreut haben / ein Team geleitet haben
Ich habe nicht nur Kunden betreut, sondern auch ein Team geleitet.
Ich habe sowohl Kunden betreut als auch ein Team geleitet.

b Ich / kontaktfreudig sein / zuverlässig sein
______.
______.

c Ich / gut / zurechtkommen / mit Kunden / mit Kollegen
______.
______.

d Ich / Erfahrung mit Datenbanken gesammelt haben / programmieren gelernt haben
______.
______.

e Ich / allgemeine Texte / Fachartikel übersetzen können
______.
______.

KB 5 **6** **Typische Formulierungen für Bewerbungsschreiben: Ordnen Sie zu.**

SCHREIBEN

a *Sehr geehrte* (5)
b *mit großem Interesse habe ich* ○
c Da die Beschreibung *meinen Vorstellungen* ○
d *Ich habe* meine Ausbildung ○
e Danach habe ich ○
f *Es gehörte* ○
g *Dabei habe ich gemerkt,* dass ○
h *Es fällt mir* ○
i *Ich beherrsche* sowohl ○
j Daher *kann ich mir* ○
k *Sollten Sie* ○
l *Über eine Einladung* ○

1 zur Bürokauffrau mit der Note „sehr gut“ *abgeschlossen.*
2 *leicht*, mehrere Aufgaben gleichzeitig zu erledigen.
3 Deutsch als auch Englisch.
4 *zu meinen Aufgaben*, die Rechnungen zu schreiben.
5 Damen und Herren,
6 *noch Fragen haben*, melden Sie sich bitte.
7 *erste Erfahrungen mit Datenbanken gesammelt.*
8 zu einem persönlichen Gespräch *würde ich mich sehr freuen.*
9 Ihre Anzeige *gelesen.*
10 *gut vorstellen*, in einem internationalen Unternehmen zu arbeiten.
11 *entspricht, bewerbe ich mich hiermit um diese Stelle.*
12 ich gern im Team arbeite.

KB 5 **7** **Formulieren Sie die unterstrichenen Teile formeller.**
Verwenden Sie dafür die Satzteile aus 6 und schreiben Sie die Bewerbung neu.

SCHREIBEN

Bewerbung um die Stelle als Call-Center-Agent

Liebe Damen und Herren,
ich finde Ihre Anzeige für einen Call-Center-Agenten auf Ihrer Internetseite super. Da die Stellenbeschreibung passt, schreibe ich Ihnen. Vor zwei Jahren bin ich mit meiner kaufmännischen Ausbildung bei der Firma Müller und Söhne fertig geworden. Danach habe ich im Call-Center einer Bank gearbeitet und schon gesehen, wie die Arbeit mit Datenbanken ist. Ich musste die Bankkunden betreuen und dabei Fragen zu Konten und Kreditkarten beantworten und Termine vereinbaren.
Jetzt ist mir klar, dass ich sehr gut mit Kunden zurechtkomme. Für mich ist es nicht schwer, auch unter Zeitdruck sorgfältig zu arbeiten. Ich kann sowohl Deutsch als auch Polnisch in Wort und Schrift, weil ich zweisprachig aufgewachsen bin. Daher mag ich die Idee, polnisch-sprachige Kunden zu betreuen.
Wenn Sie noch etwas wissen wollen, melden Sie sich bitte bei mir.
Es wäre toll, wenn Sie mich zu einem persönlichen Gespräch einladen würden.
Mit freundlichen Grüßen

Yannik Kaiser

Anlagen: Lebenslauf, Zeugnisse

Sehr geehrte Damen und Herren,
mit großem Interesse habe ich Ihre Anzeige ...

KB 8 **8** **Ein Bewerbungsgespräch: Ordnen Sie zu.**

KOMMUNIKATION

Setzen Sie | melden uns | verschiedenen Bereichen | viele Möglichkeiten habe | ~~Sie da sind~~ | die Einladung zum Gespräch | angeschaut und gesehen | mich weiterentwickeln | Neues machen

■ Guten Tag, Herr Stöhr. Schön, dass Sie da sind (a).
▲ Guten Tag, Frau Möller. Danke für ______ (b).
■ Hier bitte. ______ (c) sich doch! … Sie haben gerade Ihre Ausbildung als Hotelfachmann im Hotel Rose abgeschlossen. Erzählen Sie doch mal, was haben Sie in Ihrer Ausbildung alles gemacht?
▲ Ziemlich viel, ich konnte in vielen ______ (d) Erfahrungen sammeln. Ich habe mich um die Zimmer gekümmert, war an der Rezeption, im Restaurant und im Büro.
■ Warum bleiben Sie nicht im Hotel Rose?
▲ Ich möchte gern etwas ______ (e) und ______ (f). Ich würde auch gern ein größeres Hotel kennenlernen. Ich habe mir Ihr Hotel im Internet ______ (g), dass bei Ihnen viele Konferenzen stattfinden. Das interessiert mich sehr. Ich denke, dass ich bei Ihnen ______ (h), mich weiterzuentwickeln. …
■ Gut, Herr Stöhr, wir ______ (i) bei Ihnen.

KB 9 **9** **Lösen Sie das Rätsel und finden Sie das Lösungswort.**

WÖRTER

Lösung: ↓

a			S	S			S	C	H	A					R	
b	P											R				
	c	S	O					A		B					R	
			d	P		Ä						T				
								e	D	I						
				f	B										R	
								g	R							R
				h	U	N								E	R	

Lösung:
In allen Berufen muss man ______.

Diese Person …
a arbeitet zum Beispiel als Professor an der Universität oder in einem Labor.
b gibt in der Schule Unterricht in einer Naturwissenschaft.
c kümmert sich um Menschen, die in einer schwierigen Situation sind.
d ist der Staatschef.
e schreibt Literatur, vor allem Theaterstücke und Gedichte.
f bringt die Post.
g berichtet in der Presse, im Radio und Fernsehen z.B. über Sport, Politik und Kultur.
h besitzt eine eigene Firma.

TRAINING: SPRECHEN

1 Sich vorstellen: Welches Thema passt? Ordnen Sie zu.

~~Auslandserfahrung~~ | Beruf/Berufserfahrung | Hobbys | Heimatland | Sprachkenntnisse | Wohnsituation | Ausbildung/Studium | Familie

a		Ich komme aus … Das liegt im Süden/Norden/… von …
b		Ich wohne jetzt in … / allein. / bei meinen Eltern. / in einer WG. / mit meiner Familie / mit meinem Freund / meiner Freundin zusammen. Ich wohne in der Stadt. / auf dem Land.
c		Ich bin ledig/verheiratet/geschieden. Ich habe … / (keine) Kinder. / Geschwister. Meine Familie lebt in …
d		Ich habe in Deutschland/… Physik/… studiert. Ich habe meine Ausbildung abgeschlossen. Ich studiere noch. Mein Studium dauert noch … Jahre. Ich habe bei einer Firma ein Praktikum (in der … -Abteilung) gemacht.
e		Zurzeit arbeite ich (noch) als … bei Firma … Zuletzt habe ich als … gearbeitet. Dabei habe ich …
f	Auslandserfahrung	Ich habe noch nie in einem anderen Land gelebt. Ich habe … Jahre/Monate in … gelebt/gearbeitet/studiert. Ich lebe schon zwei Jahre … / erst zwei Monate /… in Deutschland/…
g		Ich lerne seit … Deutsch. Ich habe in … (Stadt/Land) an der Schule/Sprachschule/Universität … Deutsch gelernt. Ich spreche auch ein bisschen / gut …
h		In meiner Freizeit … ich gern … Meine Hobbys sind …

2 Spielen Sie mit Ihrer Partnerin / Ihrem Partner die Situationen.
Wählen Sie passende Themen aus 1. Tauschen Sie dann die Rollen.

a Beim Bewerbungsgespräch

A
Sie sind zu einem Bewerbungsgespräch eingeladen.
Stellen Sie sich vor. Antworten Sie auf die Fragen der Personalchefin / des Personalchefs.

B
Sie sind Personalchefin/Personalchef.
Führen Sie ein Bewerbungsgespräch.
Stellen Sie der Bewerberin / dem Bewerber Fragen.

TRAINING: SPRECHEN

b In der WG

A
Sie wohnen in einer WG und haben ein Zimmer frei. Sie möchten die Interessentin / den Interessenten genauer kennenlernen. Stellen Sie Fragen.

B
Sie sind in einer WG und haben sich ein Zimmer angeschaut. Das Zimmer gefällt Ihnen. Sie möchten gern einziehen.
Stellen Sie sich vor.

c Am neuen Arbeitsplatz

A
Es ist Ihr erster Arbeitstag in einer deutschen Firma. Sie lernen Ihre Kollegin / Ihren Kollegen kennen. Stellen Sie sich vor und erzählen Sie über sich.

B
Sie arbeiten in einer deutschen Firma. Eine neue Kollegin / Ein neuer Kollege stellt sich vor. Stellen Sie sich auch vor und fragen Sie nach.

TIPP
In vielen Situationen muss man sich vorstellen, z.B. bei einem Bewerbungsgespräch, am ersten Arbeitstag in der neuen Firma oder bei Prüfungen.
Sie möchten bei der Vorstellung einen guten Eindruck machen? Hören Sie Ihrer Gesprächspartnerin / Ihrem Gesprächspartner zu. Antworten Sie nicht zu kurz. Lernen Sie passende Sätze auswendig.

TRAINING: AUSSPRACHE

Deutsche Wörter und Fremdwörter mit „g" und „j"

1 Wie schreibt man diese Wörter? Ergänzen Sie „j" oder „g".

a J ahr – ___etzt – Anzei___e – an___enehm
b Pro___ekt – Kolle___e – A___ent – ___este
c In___enieur – ___ournalist
d ___ob – ___eans – Mana___er

▶ 2 06 **Wie spricht man diese Wörter? Hören Sie und sprechen Sie nach.**

▶ 2 07 **2 Hören Sie und sprechen Sie dann.**

Anzeigen gelesen:
Job gefunden,
wie angenehm!
Jetzt als Manager
in der Welt unterwegs.
Interessante Projekte
mit netten Kollegen.
Ja, das ist ideal!

TEST

1 Ordnen Sie zu.

WÖRTER

Industrie | ~~Unternehmen~~ | Schrift | Pressemeldungen | Recherche | Kommunikationsmitteln

Wir sind ein führendes Unternehmen (a) der chemischen ________________ (b).
Für unser Büro in Genf suchen wir schnellstmöglich einen Mitarbeiter für die PR-Abteilung.
Ihre Aufgaben: Sie schreiben ________________ (c), organisieren Konferenzen und sind für die ________________ (d) von Nachrichten zuständig.
Voraussetzungen: Wir erwarten französische Sprachkenntnisse in Wort und ____________ (e) und einen sicheren Umgang mit modernen ________________ (f).

_ / 5 PUNKTE

2 Wir erfinden Autos für die Zukunft! Schreiben Sie Sätze.

STRUKTUREN

a nicht nur ..., sondern auch ... / Wir / das Aussehen von Autos verbessern / neues Benzin entwickeln
b sowohl ... als auch / Wir / Wissenschaftler / Künstler / sein
c nicht nur ..., sondern auch ... / ich / Zum Glück / meine Zeit am Schreibtisch verbringen / oft in der Werkstatt sein
d Sowohl ... als auch / mein Chef / meine Kollegen / sehr nett sein
e nicht nur ..., sondern auch ... / Ich / spannende Aufgaben haben / gut verdienen

a Wir verbessern nicht nur das Aussehen von Autos, sondern entwickeln auch neues Benzin.

_ / 4 PUNKTE

3 Ergänzen Sie den Brief.

KOMMUNIKATION

Sehr geehrte Damen und Herren,
mit g _ _ _ _ _ _ n _ _ _ _ ss _ (a) habe ich Ihre Stellenanzeige gelesen und ich bewerbe mich hiermit um die Stelle als Mediengestalter. Ich habe mei _ _ Aus _ _ _ _ _ _ _ als Tontechniker mit der Note 1,5 ab _ _ s _ _ l _ _ _ e _ (b). Danach habe ich zwei Jahre bei einer Firma für moderne Kommunikationsmittel gearbeitet und e _ _ te E _ f _ _ _ _ _ g _ _ _ es _ _ _ _lt (c). Es ge _ ö _ t _ _ u me _ _ e _ _ uf _ _ b _ _ (d), die Musikproduktion für Radiowerbung zu betreuen. Ich b _ h _ rr _ _ _ _ (e) alle notwendigen Software-Programme. Es hat mir S _ _ ß ge _ a _ _ t (f), in einem Team zu arbeiten und ich kann m _ r gu _ vo _ s _ _ ll _ _ (g), in Zukunft für eigene Projekte verantwortlich zu sein.
Über eine Ei _ _ _ d _ _ _ zu einem pe _ _ ö _ _ _ _ _ en _ esp _ ä _ _ (h) würde ich mich sehr freuen.

_ / 8 PUNKTE

Wörter	Strukturen	Kommunikation
0–2 Punkte	0–2 Punkte	0–4 Punkte
3 Punkte	3 Punkte	5–6 Punkte
4–5 Punkte	4 Punkte	7–8 Punkte

www.hueber.de/menschen/lernen

LERNWORTSCHATZ

15

1 Wie heißen die Wörter in Ihrer Sprache? Übersetzen Sie.

Bewerbung und Beruf

Betreuung die
betreuen, hat betreut
Dichter der, -
Industrie die, -n
Mittel das, -
Kommunikationsmittel das, -
Physik die
Physiklehrer der, -
Präsident der, -en
Presse die
Pressemeldung die, -en
Recherche die, -n
Reporter der, -
Rufnummer die, -n
CH: Telefonnummer die, -n
Schicht(arbeit) die, -en
Schrift die, -en
in Wort und Schrift
Sozialarbeiter der, -
Unternehmen das, -
Unternehmer der, -
Wissenschaftler der, -
A/CH: auch: Wissenschafter der, -

an·nehmen, du nimmst an, er nimmt an, hat angenommen
ein·stellen, hat eingestellt
entwickeln, hat entwickelt
übertragen, du überträgst, er überträgt, hat übertragen
veröffentlichen, hat veröffentlicht

allgemein
bisher
einzeln
sicher
üblich

Weitere wichtige Wörter

Abschnitt der, -e
Acht geben
A: aufpassen
CH: auch: aufpassen
Fleck der, -e
Jeans die (Pl.)
Konto das, Konten

an·haben

nicht nur … sondern auch
sowohl … als auch

2 Welche Wörter möchten Sie noch lernen? Notieren Sie.

WIEDERHOLUNGSSTATION: WORTSCHATZ

1 Wie begrüßt man sich in Österreich? Lösen Sie das Rätsel.

a Wenn beim Essen alle durcheinander reden, ist es schwer, einem ... zu folgen.
b Viele Deutsche sprechen ... Statt „Guten Tag“ sagen sie dann zum Beispiel „Moin Moin“.
c „Achtung, eine ...! Die S7 fährt heute nicht auf Gleis 7, sondern auf Gleis 3 ab.“
d Sprachenlerner machen oft Fehler bei der Aussprache. Das führt manchmal zu ...
e Manche Wörter, wie zum Beispiel Schloss, haben mehrere ...
f In der Schweiz spricht man vier ...: Deutsch, Französisch, Italienisch, Rätoromanisch

2 Rätsel

a Lesen Sie die Sätze und ergänzen Sie die Tabelle. Drei Felder bleiben leer.

1 Frau Gorges ist angestellt und arbeitet Teilzeit.
2 Frau Spicker arbeitet an einer Universität als Wissenschaftlerin.
3 Die Aufgabe von Frau Hoffmann ist, Kinder in schwierigen Situationen zu betreuen.
4 Frau Schnell hat vor Kurzem den Kurs „Atem und Stimme“ belegt. Sie hält regelmäßig Vorträge und schreibt Bücher. Seit vielen Jahren ist sie selbstständig.
5 Frau Hoffmann belegt jedes Jahr den Kochkurs „Italienische Küche“.
6 Eine Frau greift gern zu Nadel und Faden. Sie hat sich in einem Nähkurs eine schicke Bluse genäht. Von Beruf ist sie Reporterin.
7 Eine Frau verdient ihr Geld als Buchautorin und Dichterin.
8 Eine Frau arbeitet Schichtarbeit. Es ist nicht Frau Spicker.
9 Diese Frau entwickelt neue Medikamente. Abends geht sie häufig ins Theater oder besucht Kurse zum Thema „Kunst und Kultur“.

Name	Frau Gorges	Frau Spicker	Frau Hoffmann	Frau Schnell
Was ist ihr Beruf?				
Wie ist ihr Arbeitsverhältnis?	angestellt / arbeitet Teilzeit			
Was macht sie in ihrem Beruf?				
Welchen Kurs hat sie an der VHS belegt?				

b Beantworten Sie die Fragen.

1 Wer arbeitet Vollzeit?
2 Wer berichtet von aktuellen Ereignissen?
3 Wer ist Sozialarbeiterin?

WIEDERHOLUNGSSTATION: GRAMMATIK

1 Wörter mit zwei Bedeutungen: Verbinden Sie.

a Mit *Birne* kann sowohl Obst
b Eine *Bank* kann nicht nur ein Geldinstitut sein,
c *Arm* kann sowohl ein Körperteil
d Die *Maus* kann nicht nur ein Teil vom Computer,
e *Orange* ist nicht nur eine Farbe,

sondern auch ein Möbelstück zum Sitzen.
als auch ein Teil einer Lampe gemeint sein.
sondern auch ein Tier sein.
sondern so wird auch das Wort für eine Obstsorte geschrieben.
als auch das Gegenteil von reich sein.

2 Stellenanzeigen: Ordnen Sie zu.

gepflegte | gebliebene | abgeschlossener | ~~geprüfte~~ | wachsendes | passende | leitender | führendem

Jobbörse

Stellenmarkt
– Wir suchen staatlich *geprüfte* (a) Erzieher/innen für die Betreuung von Kleinkindern.
– Junges, ______ (b) Start-up-Unternehmen sucht Office-Manager/innen.

Bewerbermarkt
– Krankenpfleger mit ______ (c) Ausbildung sucht ______ (d) Stelle.
– Ingenieur in ______ (e) Position sucht neue Herausforderung in international ______ (f) Unternehmen.
– Jung ______ (g) und ______ (h) Dame (65 Jahre) bietet Hilfe an: Senioren- und Kinderbetreuung, kleinere Arbeiten im Haushalt

3 Was passt? Kreuzen Sie an.

Welche Kurse an der Volkshochschule besucht Ihr oder habt Ihr besucht? Warum?

MissHappy Ich nehme an einem Yoga-Kurs teil. Mein Arzt hat mir ☒ wegen ○ deswegen ○ weil (a) meiner Rückenprobleme geraten, Yoga zu machen. An der Volkshochschule sind die Kurse gut und trotzdem nicht so teuer. ○ Nämlich ○ Weil ○ Deshalb (b) gehe ich dorthin.

Aurora Ich habe einen Spanischkurs gemacht. Mein Kursleiter war super. ○ Deswegen ○ Wegen ○ Weil (c) gehe ich nächstes Semester wieder hin.

charly Als ich von zu Hause ausgezogen bin, konnte ich nicht kochen. ○ Wegen ○ Aus diesem Grund ○ Weil (d) habe ich einen Kochkurs für Anfänger gemacht. Das war toll.

Mister Perfekt Ich möchte mich beruflich weiterentwickeln. ○ Nämlich ○ Weil ○ Deswegen (e) mache ich jetzt einen Computerkurs. Da lerne ich viel.

SELBSTEINSCHÄTZUNG Das kann ich!

Ich kann jetzt ...

... von einem Missverständnis erzählen: L13

Fol__________ habe ich er__________:
Ich er__________ euch von meinem Missverständnis. Also p__________ auf!
In meiner Spr__________ b__________ „blau sein" „traurig sein".
Da habe ich b__________, dass ich das miss__________ hatte.

... nachfragen: L13

Habe ich Sie ri__________ ver__________? Be__________ das, dass ich noch drei Wochen warten muss?
Ich k__________ das W__________ nicht. K__________ Sie mir das bitte e__________?

... einen Kurs anbieten: L14

In dem Kurs h__________ Sie die M__________, Ihre Stimme zu trainieren.
Vor__________ sind nicht not__________.

... mich schriftlich bewerben: L15

Mit gr__________ I__________ habe ich Ihr St__________ angebot gelesen.
Daher be__________ ich mich hi__________ um diese Stelle.
Ich habe vor zwei Jahren meine Aus__________ ab__________.
Da__________ habe ich bei Siemens erste Er__________ ges__________t.
Es f__________ mir l__________, mich in neue Aufgabenbereiche einzuarbeiten.
Über eine E__________ zu einem p__________
G__________ würde ich mich sehr freuen.

... ein Bewerbungsgespräch führen: L15

■ Ich denke, dass ich bei Ihnen viele M__________ habe, meine Fä__________ einzusetzen.
▲ Gut, wir m__________ uns dann in ein p__________ Tagen bei Ihnen. V__________ Dank, dass Sie hier w__________.

Ich kenne ...

... 6 Wörter, die mehrere Bedeutungen haben: L13

____

... 6 Wörter zum Thema „Weiterbildung": L14

____

... 8 Wörter zum Thema „Bewerbungsgespräch": L15

Darauf sollte ich achten: __________
Das sollte ich nicht tun: __________

Ich kann auch ...

... Folgen und Gründe ausdrücken (Konjunktion, Adverb): L13

Julie hat ein Wort falsch betont. Die Lehrerin hat das Wort nicht verstanden.
darum: __________
nämlich: __________

SELBSTEINSCHÄTZUNG Das kann ich!

... Gründe angeben (Präposition: *wegen*): L13
Wegen ______________________ (die falsche Betonung) hat die Lehrerin das Wort nicht verstanden.

... Nomen näher beschreiben (Partizipien als Adjektive): L14
Einblicke, die faszinieren = ______________________ Einblicke
Talente, die versteckt sind = ______________________ Talente

... Aufzählungen ausdrücken (Satzverbindung: *sowohl ... als auch*, *nicht nur ... sondern auch*): L15
Ich beherrsche die üblichen PC-Programme und das Programmieren von Internetseiten.
sowohl ... als auch: ______________________
____
nicht nur ... sondern auch: ______________________
____

Üben/Wiederholen möchte ich noch:

____

RÜCKBLICK

Wählen Sie eine Aufgabe zu Lektion 13 ______________________

1 Teekesselchen beschreiben

Sehen Sie noch einmal das Bildlexikon im Kursbuch auf Seite 84 und 85 an. Wählen Sie ein Teekesselchen, machen Sie Notizen und beschreiben Sie es dann.

	1. Teekesselchen	2. Teekesselchen
Wie sieht es aus? (Farbe, Form, Größe, ...)	oft grün oder braun, lang und dünn	
Was mache ich damit? / Wozu brauche ich das?	/	
Wo finde ich das? / Wo gibt es das?	in der Natur: im Wald, auf Wiesen, in der Wüste ...	

Mein erstes Teekesselchen kann unterschiedliche Farben haben. Oft ist es grün oder braun. Es ist meist sehr lang und dünn. ...

2 Teekesselchen beschreiben

Wählen Sie ein neues Teekesselchen. Hilfe finden Sie in a-c oder im Wörterbuch. Machen Sie eine Tabelle wie in 1 und machen Sie Notizen. Beschreiben Sie dann.

a 

c  

b 

Mein erstes Teekesselchen ...

RÜCKBLICK

Wählen Sie eine Aufgabe zu Lektion 14

1 Lesen Sie noch einmal das Kursprogramm im Kursbuch auf Seite 88.
Kreuzen Sie an.

		richtig	falsch
a	Kurs 1 ist für Teilnehmer, die schon Klettererfahrung haben.	○	⊗
b	In Kurs 2 lernen Senioren, wie man legal aktuelle Software aus dem Internet herunterlädt.	○	○
c	In Kurs 3 lernt man, wie man richtig telefoniert und dabei einen sympathischen Eindruck macht.	○	○
d	Für Kurs 4 ist es notwendig, dass man schon im Chor gesungen hat.	○	○
e	In Kurs 5 lernt man deutsche Gewürze und Kräuter kennen.	○	○
f	Die Voraussetzung für Kurs 6 ist, dass man schon nähen kann.	○	○

2 Gästebucheintrag
Schreiben Sie ins Gästebuch der Volkshochschule oder eines anderen Veranstalters über einen Kurs, den Sie gemacht haben, oder schreiben Sie über den Deutschkurs, den Sie gerade besuchen.

Endlich kann auch ich richtig tolle Fotos machen! Denn ich habe im letzten Herbst einen Fotokurs gemacht. Wir haben gelernt, wie …

Wählen Sie eine Aufgabe zu Lektion 15

1 Lesen Sie noch einmal die Stellenanzeigen im Kursbuch auf Seite 92.
Wählen Sie zwei Anzeigen. Notieren Sie, welche Voraussetzungen man braucht.

	Anzeige B	Anzeige ___
Ausbildung	kaufmännische Ausbildung	
Berufserfahrung	erste Erfahrungen im Callcenter-Bereich	
Sprachkenntnisse		
Computerkenntnisse		
andere Fähigkeiten		

2 Der Traumjob
Sie haben die Anzeige für Ihren Traumjob noch nicht gefunden?
Dann schreiben Sie sie selbst.

Wir sind … ein erfolgreicher Computerspiele-Hersteller und suchen einen Computerspiele-Tester

Das sind Ihre Aufgaben:	Das erwarten wir von Ihnen:	Das bieten wir Ihnen:
Sie testen neue Computerspiele. …	Sie haben großen Spaß an Computerspielen und kennen viele bekannte Spiele. …	Sie arbeiten in einem jungen, sympathischen Team. …

HARRY KANTO MACHT URLAUB

Teil 1: Hast du das Geld?

Endlich Urlaub, dachte ich. *Den habe ich wirklich verdient.*

Viele Leute waren im Herbst in mein Detektivbüro gekommen. Ich hatte viel gearbeitet, aber auch gut verdient. Genug, um eine Woche Skiurlaub in Schladming zu machen.

Ich stand auf dem Gipfel des Berges und sah mich um: Sonne, blauer Himmel und sonst alles weiß. Die Leute neben mir machten sich bereit für die Abfahrt.

Und nun, Kanto, zeig, was du kannst.

Ich fuhr den Berg hinunter, mal links herum, mal rechts herum, mal links ...

„He, aufpassen!"

Ich flog über die Piste, ich wurde immer schneller. Ich konnte nicht mehr bremsen, fuhr über einen kleinen Hügel und ... fiel hin, rutschte hinunter ... und blieb am Waldrand liegen.

Seit wann kannst du denn nicht mehr Skifahren, Kanto?

Ich hatte Schnee im Mund und in der Nase und mein rechtes Knie tat weh.

Als ich aufstehen wollte, hörte ich zwei Männer nicht weit von mir im Wald reden.

„Und? Hast du das Geld?"

„Ja, klar. Du hast mir ja ..."

„Pssst! Nicht so laut."

Geld? Welches Geld?

Geht es um Geld und ein Geheimnis, dann gibt es meistens ein Verbrechen.

Kanto, halt dich zurück, du bist im Urlaub!

„Wo ist denn das Geld?"

„Ich habe es in ..."

„Halt, warte, da ist doch jemand."

Eine Frau und ein kleines Mädchen standen plötzlich neben mir.

„Ist Ihnen etwas passiert? Ich habe gesehen, wie Sie hingefallen sind."

„Vielen Dank, alles in Ordnung."

„Du siehst lustig aus. Wie ein Schneemann."

Das Mädchen lachte.

„Emma! So etwas sagt man nicht."

„Schon in Ordnung. Es stimmt ja wirklich."

Ich sah mich um. Die beiden Männer gingen weg.

Soll ich ihnen nachfahren oder ...?

Dumme Frage, Kanto. Du bist im Urlaub. Jetzt stell dich erst mal der hübschen Frau vor.

„Hallo, ich bin Harry."

„Ich heiße Clarissa." Sie lächelte. „Und das ist Emma, meine Nichte."

„Hallo, Herr Schneemann!"

Die beiden Männer verließen weiter unten gerade die Piste.

Mist!

Aber Schladming ist nicht groß und mein Gefühl sagte mir, dass ich sie nicht zum letzten Mal gesehen hatte.

Wir brauchten uns um nichts zu kümmern.

KB 3 | WÖRTER

1 Ordnen Sie zu. Nicht alle Wörter passen.

Ehe | küssen | Lüge | neugierig | Streit | ~~streiten~~ | Tränen | trennen | ungewöhnlich

Kummerkasten – Das Dr.-Engel-Team rät

Simon, 14: Mein Vater ist ausgezogen! Meine Eltern streiten (a) sich oft. Sie haben schon früher viel gestritten, und es gab nicht selten ______ (b). ______ (c) ist also bei uns in der Familie nicht ______ (d). Aber mein Vater ist bisher noch nie ausgezogen. Ich habe Angst, dass meine Eltern sich ______ (e) und würde gern ihre ______ (f) retten. Was kann ich tun?

KB 3 | WÖRTER

2 Ergänzen Sie und vergleichen Sie.

	Deutsch	Englisch	Meine Sprache oder andere Sprachen
a		kiss	
b	die Lüge	lie	
c		youth	
d		friendship	

KB 5 | STRUKTUREN

3 *brauchen* oder *müssen*? Kreuzen Sie an.

Nächstes Jahr mache ich Abitur. Ich ☒ muss ○ brauche (a) im letzten Schuljahr vor dem Abitur viele Hausaufgaben machen. Dafür ○ muss ○ brauche (b) ich aber nicht viel im Haushalt zu helfen. Ich ○ muss ○ brauche (c) nur die Spülmaschine auszuräumen.

Leider bekomme ich zu wenig Taschengeld und ○ muss ○ brauche (d) deshalb ab und zu arbeiten. Am Wochenende gehe ich trotzdem weg, weil ich sonntags nicht so früh aufzustehen ○ muss ○ brauche (e).

Nach dem Abitur werde ich erst einmal ein Jahr Urlaub machen. Denn dann ○ muss ○ brauche (f) ich mich wirklich vom Stress in der Schule erholen.

KB 5 **4** STRUKTUREN

Ordnen Sie zu und ergänzen Sie in der richtigen Form.

annehmen + brauchen | bleiben + brauchen | gewöhnen + müssen | sein + müssen | ~~studieren + brauchen~~

Ich möchte gern Kosmetikerin werden, weil man dafür nicht zu studieren braucht (a). Ein Studium ist einfach nichts für mich! Und ich habe mich schon immer für Kosmetik und Schminke interessiert! Außerdem würde ich gern etwas von der Welt sehen und als Kosmetikerin ______ ich nicht unbedingt in Deutschland ______ (b), sondern kann z.B. in Wellness-Hotels im Ausland arbeiten. Ich ______ aber auch nicht unbedingt angestellt ______ (c), sondern würde mich vielleicht auch selbstständig machen. Okay, das ist natürlich ein finanzielles Risiko. Ich ______ mich dann daran ______ (d), kein festes Einkommen zu haben. Aber wenn das Geld mal knapp ist, ______ ich nur einen Nebenjob ______ (e). Da finde ich immer was! Auch wenn es mal nicht so gut läuft, geht es immer wieder aufwärts.

KB 7 **5** KOMMUNIKATION

Ordnen Sie zu.

Bei uns kam | Das ging mir ganz anders | ~~ich konnte es kaum erwarten, bis~~ | ist es kaum mehr vorstellbar | Ich legte größten Wert darauf | war mir nicht so wichtig

■ Schau mal. Mein Hochzeitsfoto mit Karl. Damals war ich gerade 18.
▲ Oh, da hast du ja total jung geheiratet. Im Gegensatz zu mir!
■ Ja, ich konnte es kaum erwarten, bis (a) es endlich soweit war. Mit meinen Eltern gab es viele Konflikte.
▲ ______ (b). Heiraten ______ (c). Ich wollte unbedingt berufstätig sein und nicht meinen Mann um Erlaubnis fragen müssen.
■ Ja, heute ______ (d), dass Frauen die Erlaubnis ihrer Ehemänner brauchten, wenn sie arbeiten wollten.
▲ Das wollte ich damals auf keinen Fall. ______ (e), einen Beruf zu lernen.
■ ______ (f) eine Berufsausbildung nicht infrage. Alle Familienmitglieder mussten nach dem Krieg auf dem Hof helfen. Bei der Ernte wurden alle Hände gebraucht.

KB 7 **6** KOMMUNIKATION

Sie möchten über einen Artikel in der Zeitung sprechen. Was können Sie sagen? Ordnen Sie zu.

~~Bei mir war das ganz anders / genauso.~~ | Auf meinem Foto sieht man / sehe ich / ist … | In meinem Heimatland ist es ganz anders. / auch so. | Ich war/habe nach der Schule … | Dort haben/machen die meisten / viele / nur wenige Jugendliche(n) … | Die Person sagt/meint/…, dass … | Ich legte größten Wert auf … | Es kam mir darauf an, … | Ihr/Ihm ist … wichtig. / nicht so wichtig. | Ich wollte unbedingt / auf keinen Fall … | Er/Sie sieht … aus.

Informationen im Artikel	meine Erfahrungen	Situation im Heimatland
	Bei mir war das ganz anders / genauso.	

KB 7 **7** **Gespräch über ein Thema: Schulabschluss – und was dann?**

SPRECHEN

a **Sie haben Informationen in der Zeitung gefunden. Sie arbeiten mit Text A. Ihre Partnerin / Ihr Partner arbeitet mit Text B. Sehen Sie das Foto an und lesen Sie den Text. Machen Sie dann Notizen zu den Fragen.**

(A)

„Ich mache zurzeit ein freiwilliges ökologisches Jahr (FÖJ) bei der Schutzstation Wattenmeer. Nach der Schule war ich mir nicht so sicher, was ich studieren sollte. Außerdem wollte ich gern erst einmal praktisch arbeiten. Ich bin gern draußen in der Natur und die Umwelt war mir schon immer wichtig. In Westerhever bin ich zusammen mit anderen für verschiedene Aufgaben verantwortlich und kann viele Erfahrungen sammeln."
Florian Beetz, 19 Jahre, FÖJler

(B)

„Ich bin gerade mit der Schule fertig und fange im nächsten Jahr eine Ausbildung an. Aber jetzt packe ich erst mal meinen Rucksack. Ich bin total aufgeregt! Denn nächste Woche fliege ich mit *work & travel* für ein Jahr nach Neuseeland. Ich möchte meine Englischkenntnisse verbessern, etwas von der Welt sehen und vielen interessanten Menschen begegnen."
Sina Winkler, 18 Jahre, Abiturientin

1 Wer ist die Person auf dem Foto und was macht sie?
2 Was sagt die Person zu dem Thema? Was ist ihr wichtig?
3 Welche Erfahrungen haben Sie? Was war Ihnen nach der Schule wichtig?
4 Was machen Jugendliche heute in Ihrem Heimatland nach der Schule?

b **Sprechen Sie mit Ihrer Partnerin / Ihrem Partner über das Thema: „Schulabschluss – und was dann?". Beschreiben Sie „Ihr" Foto und erzählen Sie von Ihren Erfahrungen. Die Ausdrücke in 6 helfen Ihnen. Reagieren Sie auch auf Ihre Partnerin / Ihren Partner, sodass sich ein Gespräch ergibt.**

KB 8 **8** **Ergänzen Sie die Wörter.**

WÖRTER

Liebes Tagebuch!
Endlich!!! – Wir haben uns zum ersten Mal gek ü s s t (a). Moritz hatte einen Auftritt mit seiner Band. Am K ___ ___ v ___ ___ r (b) ist er wirklich wahnsinnig cool!!! Ich war eigentlich schon ents ___ ___ ___ os ___ ___ ___ (c), nicht hinz ___ g ___ ___ ___ ___ (d).
Aber Lena hat mich überredet und mir gute R ___ ___ s ___ ___ ___ äge (e) gegeben. Was für ein Glück! Er war vermutlich mindestens genauso a ___ fge ___ e ___ t (f) wie ich. Wir haben bis nach M ___ ___ t ___ ___ n ___ ___ ___ ___ (g) gefeiert. Ich habe mich soooooo …

TRAINING: SCHREIBEN

1 Online-Gästebuch einer Fernseh-Sendung

Sie haben eine Diskussionssendung gesehen. Im Online-Gästebuch der Sendung finden Sie folgende Meinung. Lesen Sie den Text und die Aussagen. Welche Aussagen drücken die gleiche Meinung aus, die der Zuschauer im Internet geschrieben hat? Kreuzen Sie an.

Ich finde es schlimm, dass Jugendliche heutzutage so schlecht erzogen sind. Gerade gestern bin ich mit der U-Bahn gefahren und musste schon wieder erleben, dass Jugendliche einem keinen Platz anbieten und nicht einmal aufstehen, wenn man sie darum bittet. Ich lege großen Wert auf Respekt. Doch heute trifft man kaum einen Jugendlichen, der Respekt vor älteren Menschen hat. Meiner Meinung nach haben Jugendliche heute viele Freiheiten und Rechte, aber zu wenig Pflichten. In der Erziehung fehlt es heute an Regeln. Aber Regeln sind wichtig, weil ohne sie das Zusammenleben in der Familie und in der Gesellschaft nicht funktioniert.

a Es ist wirklich ärgerlich, dass so viele Jugendliche so unhöflich sind. ○
b Ich kenne viele hilfsbereite Jugendliche, die schon früh Verantwortung übernehmen. ○
c Natürlich haben Jugendliche heute weniger Pflichten als früher. ○
d Regeln und Grenzen sind notwendig, daher sollten Eltern ihren Kindern nicht so viel erlauben. ○

2 Schreiben Sie nun Ihre Meinung (circa 80 Wörter).

Machen Sie Notizen zu den Fragen. Schreiben Sie dann den Text.

- Welche Erfahrungen haben Sie mit Jugendlichen gemacht?
- Sind Jugendliche heute gut oder schlecht erzogen? Was meinen Sie?
- Was ist bei der Erziehung besonders wichtig? / nicht so wichtig? Was meinen Sie?

TIPP

In Prüfungen müssen Sie Ihre Meinung zu einem Thema schreiben. In einem kurzen Text wird schon eine Meinung vorgegeben, auf die Sie dann reagieren sollen. Lesen Sie diesen Text genau und überlegen Sie, welche Aussagen (nicht) zu Ihrer Meinung passen.

TRAINING: AUSSPRACHE *Vokale „o“, „ö“, „e“*

▶ 2 08

1 Welches Wort hören Sie? Kreuzen Sie an.

a ○ konnte ○ könnte
b ○ können ○ kennen
c ○ Tochter ○ Töchter
d ○ große ○ Größe
e ○ lesen ○ lösen
f ○ gewohnt ○ gewöhnt

▶ 2 09

2 Hören Sie und ergänzen Sie „o“, „ö“ oder „e“.

a Meine Eltern legten gr__ßten W__rt auf Ordnung, besonders bei der Kleidung.
b Wir k__nnten nicht ständig neue H__sen und R__cke kaufen.
c Es war nicht m__glich, sich ohne Probleme von der Familie zu l__sen.
d Meine T__chter k__nnen sich das gar nicht mehr vorstellen.

▶ 2 10 **Hören Sie noch einmal und sprechen Sie nach.**

TEST

1 Ordnen Sie zu.

WÖRTER

Lüge | Ehe | Ratschläge | ~~Streit~~ | Generation | Tränen | Erziehung

Ich werde bald 30. Jetzt hat mich mein Freund gefragt, ob ich ihn heiraten will. Wie stellt Ihr Euch die perfekte ______________ (a) vor? Habt Ihr ______________ (b) für mich?

Ich glaube nicht daran. Wenn man dann noch Kinder hat, gibt es immer Streit (c) wegen der ______________ (d).

Also mein Mann hat mir nie die Wahrheit gesagt. Meine Ehe war eine einzige ______________ (e).

Es gibt immer gute und schlechte Zeiten. Auch ______________ (f) gehören dazu.

Meine Großeltern sind seit über 60 Jahren verheiratet. Das kommt in dieser ______________ (g) häufig vor. Sie lieben sich immer noch. Das soll Dir Mut machen. ☺

_ / 6 PUNKTE

2 Ordnen Sie die Verben zu und ergänzen Sie *zu*, wo nötig.

STRUKTUREN

besuchen | kochen | ~~arbeiten~~ | wecken | machen | putzen | halten

Nach dem Abitur habe ich ein Jahr als Au-pair gearbeitet. Das war super und wirklich nicht sehr anstrengend, weil ich nicht viel zu arbeiten (a) brauchte. Ich musste nur um sieben Uhr die Kinder ______________ (b), ihnen Frühstück machen und sie zur Schule bringen. Danach konnte ich einen Sprachkurs ______________ (c). Ich brauchte nicht ______________ (d), denn es gab eine Köchin. Jeden Tag kam eine Putzfrau, deshalb musste ich auch nicht ______________ (e). Ich brauchte nur mein eigenes Zimmer in Ordnung ______________ (f).
Am Wochenende hatte ich frei und durfte ______________ (g), was ich wollte.

_ / 6 PUNKTE

3 Ordnen Sie zu.

KOMMUNIKATION

kaum erwarten | größten Wert | nicht infrage | bei mir auch so | ehrlich gesagt

■ Meine Eltern legten früher ______________ (a) auf Pünktlichkeit.
▲ Das war ______________ (b). Ich bin trotzdem oft zu spät gekommen. Dann gab es richtig Ärger. Deshalb konnte ich es auch ______________ (c), bis ich 18 wurde und selbst entscheiden durfte, wann ich nach Hause kam.
■ Das kann ich, ______________ (d), gut verstehen. Bei mir kam das leider trotzdem ______________ (e), weil ich meinen Eltern oft auf dem Bauernhof helfen musste, auch als ich schon volljährig war.

_ / 5 PUNKTE

Wörter	Strukturen	Kommunikation
● 0–3 Punkte	● 0–3 Punkte	● 0–2 Punkte
● 4 Punkte	● 4 Punkte	● 3 Punkte
● 5–6 Punkte	● 5–6 Punkte	● 4–5 Punkte

www.hueber.de/menschen/lernen

LERNWORTSCHATZ

16

1 Wie heißen die Wörter in Ihrer Sprache? Übersetzen Sie.

Erinnerungen und Beziehungen
Ehe die, -n
Erziehung die
Generation die, -en
Konflikt der, -e
Krieg der, -e
Kuss der, ¨-e
Lüge die, -n
Ratschlag der, ¨-e
Streit der, -e
Träne die, -n

auf·regen (sich), hat sich aufgeregt
aufgeregt sein
aus·gehen, ist ausgegangen
CH: in den Ausgang gehen
begegnen, ist begegnet
entschlossen sein, ist entschlossen gewesen
gewöhnen an (sich), hat sich gewöhnt
küssen (sich), hat sich geküsst
trennen (sich), hat sich getrennt

aufwärts
aufwärts gehen
gewöhnlich ⟷ ungewöhnlich
verantwortlich (sein)

hin-
hin·gehen

Weitere wichtige Wörter
Ernte die, -n
Gegensatz der, ¨-e
Klavier das, -e
Kosmetik die
Mitternacht die
Schminke die
schminken (sich), hat sich geschminkt
Wert der, -e
Wert legen auf

nur/nicht brauchen ... zu

wochentags
A/CH: auch: unter der Woche

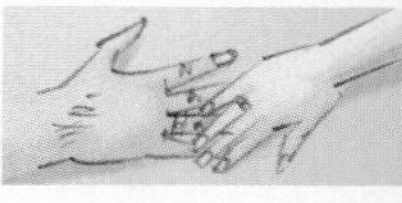

2 Welche Wörter möchten Sie noch lernen? Notieren Sie.

Guck mal! Das ist schön!

KB 4 **1** **Ergänzen Sie.**

WÖRTER

DER BLAUE REITER UND FRANZ MARC
1911 grün d et e n (a) Gabriele Münter und Wassily Kandinsky zusammen mit anderen Künstlern den *Blauen Reiter*. Im Dezember s___ el___ ten (b) die Maler dieser Gruppe zum ersten Mal in einer G___ l___ r___ e (c) in München aus. München ist auch der G___ b___ rt___ o___ ___ (d) des Malers, Zeichners und Grafikers Franz Marc (1880–1916), der auch zum *Blauen Reiter* gehörte. Von ihm stammt eins der bekanntesten Bilder des *Blauen Reiter*. Es trägt den Titel *Blaues Pferd I* und e___ tst___ ___ d (e) im Jahr 1911. Auf diesem Bild steht ein blaues Pferd vor f___ r___ igen (f) H___ ge___ n (g). Tiere waren bei Marc ein beliebtes Motiv. Das Bild *Tierschicksale* zeigt verschiedene Tiere in einer feindlichen Umgebung. Das Bild wurde 1917 bei einem Feuer z___ r___ t___ rt (h) und später wieder restauriert. Als junger Künstler konnte Marc nicht vom Verkauf seiner Bilder leben. Deshalb u___ t___ rr___ c___ tete (i) er auch in Malkursen. Später stieg seine A___ er___ e___ ___ ung (j) als Künstler. Franz Marc starb im Ersten Weltkrieg.

KB 4 **2** **Ordnen Sie zu.**

WÖRTER

a eine Überschrift (3)
b seiner Freundin einen Heiratsantrag ◯
c Menschen aus einem brennenden Haus ◯
d von dem unerwarteten Besuch ◯
e drüben auf der anderen Seite des Flusses ◯
f keine Feinde ◯
g für die Zerstörung der Umwelt ◯
h einen Antrag auf einen neuen Pass ◯

1 überrascht sein
2 verantwortlich sein
3 lesen
4 haben
5 stellen
6 machen
7 retten
8 wohnen

KB 4 **3** **Wolfgang Amadeus Mozart – eine Biografie**
Lesen Sie die Informationen zu Mozart. Sprechen Sie dann mit Ihrer Partnerin / Ihrem Partner. Die Ausdrücke im Kasten helfen Ihnen.

SPRECHEN

*	Salzburg 27. 1. 1756
1762	erste Konzertreise nach München
1764/65	erste Sinfonien
1769–1772	Reise nach Italien
1772–1781	Konzertmeister in Salzburg
1777–1779	Reisen nach Augsburg, Mannheim und Paris
1781	freier Künstler in Wien
1782	Heirat mit Constanze Weber
†	Wien 5.12.1791

~~am … in … zur Welt kommen~~ | mit … Jahren in … sterben | mit … Jahren reisen / spielen / heiraten / schreiben / arbeiten als … / leben … / …

■ Mozart kommt am 21. Januar 1756 in Salzburg zur Welt. …

KB 5 **4** **Ordnen Sie zu.**

STRUKTUREN

ist es … gefährlich | es hat … gelohnt | donnerte es | ~~Es war … Sommer~~ | es geschafft hatten | es war … Morgen | es … gab | Es ist … schwergefallen | es hat Spaß gemacht | war es … neblig | Es war … leicht | Es … zu regnen

Es war im letzten Sommer (a): Wir wollten endlich mal wieder eine Bergwanderung machen und starteten um 6 Uhr. ________ uns ziemlich ________________ (b), so früh aufzustehen. Aber ________ sich ________________ (c). Denn ________ ein sehr schöner ________________ (d). Nur am Anfang ________ noch ein bisschen ________________ (e). ________ nicht so ________________ (f), auf den 2500 Meter hohen Berg zu steigen. Als wir ________________ (g), waren wir richtig stolz auf uns. Wir wollten gerade wieder nach unten gehen, da bemerkten wir, dass ein Gewitter kam. ________ fing an, ________________ (h). Kurz danach blitzte und ________________ (i). Wir liefen so schnell wir konnten und wurden total nass, da kamen wir zum Glück zu einer kleinen Hütte. Wir waren so froh, dass ________ diese Hütte ________________ (j). Denn bei Gewitter ________ im Gebirge ________________ (k). Die Wanderung war aufregend. Aber ________________ (l).

KB 5 **5** **Alle reden über das Wetter. Schreiben Sie Sätze.**

STRUKTUREN

a Es – möglich – ist – dass – kommt – heute noch ein Gewitter
b Bei Sonnenschein – mir – immer gut – es – geht
c Gestern – geschneit – hat – zum ersten Mal – es
d Es – nur ganz leicht – regnet | Da – es – lohnt – nicht – sich – aufzumachen – den Regenschirm

a Es ist möglich, dass heute noch ein Gewitter kommt.

KB 5 **6** **Ergänzen Sie die Ausdrücke mit *es* aus 4 und 5 im Präsens.**

STRUKTUREN ENTDECKEN

feste Wendungen	Tages- und Jahreszeiten	Wetter	Befinden
es ist möglich	es ist Sommer	es schneit	es geht gut

KB 5 **7** **An sieben weiteren Stellen fehlt *es*. Ergänzen Sie.**

STRUKTUREN

Hallo Katharina,
wie geht es Dir? Leider haben wir uns lange nicht mehr gesehen. Hier ist inzwischen Winter geworden.
Seit drei Tagen schneit und ist ziemlich kalt. Am Rathausplatz gibt einen sehr netten Weihnachtsmarkt. Vielleicht schaffst Du ja, mich noch vor Weihnachten zu besuchen.
Glaub mir, lohnt sich, hier ist auch im Winter sehr schön.
Liebe Grüße
Kathrin

KB 6

8 Der Sophie von La Roche-Preis

LESEN

a Lesen Sie Zeile 1–11 des Artikels. Was ist richtig? Kreuzen Sie an.

1 Den Sophie von La Roche-Preis gibt es …
- ◯ einmal pro Jahr.
- ◯ zweimal pro Jahr.
- ◯ alle zwei Jahre.

2 Der Preis ist eine Anerkennung …
- ◯ für erfolgreiche Schriftsteller.
- ◯ dafür, dass man für gleiche Rechte von Frauen und Männern kämpft.
- ◯ dafür, dass man keine Vorurteile hat.

b Lesen Sie weiter (Zeile 12–34) und ergänzen Sie die fehlenden Informationen.

PARASTOU FOROUHAR

Geburtsort: ____________________

Studium: im ____________ und in ____________

Beruf: Künstlerin

Ausstellungsorte:

____

Ziel ihrer künstlerischen Arbeit: sich für ____________________ einsetzen

Auch dieses Jahr wird der La Roche-Preis verliehen

Seit 2009 vergibt die Stadt Offenbach alle zwei Jahre den Sophie von La Roche-Preis. Dieser Preis ist nach der Schriftstellerin Sophie von La Roche (1730–1807) benannt, die über 20 Jahre ihres Lebens in Offenbach verbrachte. Für die selbstständige Frau war das Schreiben nicht nur Hobby, sondern ein Beruf, von dem sie nach dem Tod ihres Mannes sogar leben musste. Der Preis ist eine Anerkennung für Menschen, die sich besonders für Gleichberechtigung einsetzen.

2011 bekam ihn die in Teheran geborene Künstlerin Parastou Forouhar. In ihren Zeichnungen, Fotografien, Filmen und auch Texten geht es immer wieder um Menschenrechte und die Gleichberechtigung. Mit ihren Werken möchte sie darauf aufmerksam machen, dass die Menschen und besonders Frauen im Iran und vielen anderen Ländern nicht in Freiheit leben können. So ist zum Beispiel auf einer Fotografie von Forouhar der Kopf eines Mannes mit einem traditionellen Kopftuch zu sehen. Forouhar verwendet auch oft Ornamente für ihre Bilder. Wenn man die Ornamente genauer ansieht, erkennt man, dass sie zum Beispiel aus Körpern bestehen. Ungewöhnliche Details sieht man in ihren Werken meistens erst auf den zweiten Blick.

Die Künstlerin, die seit 1991 in Deutschland lebt, hat unter anderem in New York, Berlin, Rom und Istanbul ausgestellt. Nach ihrem sechsjährigen Kunststudium im Iran hat die Preisträgerin von 1992 bis 1994 auch in Offenbach an der Hochschule für Gestaltung studiert.

TRAINING: HÖREN

1 Ein Gespräch verstehen

a Lesen Sie die Aufgaben in b. Markieren Sie die wichtigsten Informationen.

TIPP
Sie möchten Gespräche, die Sie im Unterricht oder in Prüfungen hören, besser verstehen? Lesen Sie vor dem Hören die Sätze in der Aufgabe genau und markieren Sie wichtige Wörter. So bekommen Sie schon viele Hinweise zum Inhalt.

▶ 2 11 **b Richtig oder falsch? Hören Sie das Gespräch und kreuzen Sie an.**

		richtig	falsch
1	Juliane Hacker ist 30 Jahre alt.	○	⊗
2	Die Künstlerin war schon als Kind kreativ.	○	○
3	Sie hat ein Grafikdesignstudium abgeschlossen.	○	○
4	Sie hat an der Kunstakademie Malerei studiert.	○	○
5	Juliane Hacker malt nur farbige Landschaften.	○	○
6	Man kann in den Bildern von Juliane Hacker den Einfluss von bekannten Malern deutlich sehen.	○	○
7	Sie setzt sich mit ihren Bildern für die Umwelt ein.	○	○
8	Ihre Bilder sollen möglichst vielen Leuten gefallen.	○	○
9	Sie unterrichtet, weil sie mit ihren Bildern nicht genug verdient.	○	○
10	Junge Künstler sollen zusammen Galerien eröffnen.	○	○

TRAINING: AUSSPRACHE

Wortakzent, Wortgruppenakzent, Satzakzent

1 Hören Sie und markieren Sie die betonte Silbe.

▶ 2 12 **a Markieren Sie den Wortakzent.**

geboren – Schauspielerin – Erfolg – Liebe – Trennung – heiraten – scheiden – Alter

▶ 2 13 **b Markieren Sie den Akzent der Wortgruppe.**

geboren werden – die Schauspielerin Romy Schneider – in einem Film spielen – Erfolg haben – ihre große Liebe – nach der Trennung – zweimal heiraten – sich scheiden lassen – im Alter

▶ 2 14 **2 Romy Schneider**
Hören Sie die Sätze und markieren Sie den Satzakzent: ___.

a Die Schauspielerin Romy Schneider wird 1938 in Wien geboren.
b Sie hat als Schauspielerin großen Erfolg.
c Doch ihre große Liebe verlässt sie.
d Nach der Trennung heiratet sie zweimal und lässt sich wieder scheiden.
e Im Mai 1982 stirbt Romy Schneider im Alter von nur dreiundvierzig Jahren.

▶ 2 15 **Hören Sie noch einmal und sprechen Sie nach.**

TEST

1 Bilden Sie Wörter und ordnen Sie zu.

WÖRTER

~~Gale~~ | dien | anerken | zerstö | ~~rie~~ | ort | Hü | ren | Über | nen | gel | Me | schrift | Geburts

a Räume, in denen Bilder ausgestellt werden: *Galerie*
b Stadt oder Dorf, wo man geboren ist: ___
c kleiner Berg: ___
d sagen, dass man etwas gut findet: ___
e Fernsehen, Presse und Radio: ___
f etwas kaputt machen: ___
g was über einem Text geschrieben steht: ___

_ / 6 PUNKTE

2 Es ist doch ganz einfach! Ordnen Sie zu.

STRUKTUREN

geht es | ~~es ist~~ | es lohnt | wird es | ich es | wird sie | wird | es ist

a ■ Ich mag den Regen und die Kälte nicht mehr. Wann ___ endlich Sommer?
▲ Sei nicht so ungeduldig, *es ist* doch erst April!
b ■ Wie ___ deiner Mutter?
▲ Leider nicht so gut. Wahrscheinlich ___ noch einmal operiert.
c ■ Wir möchten am Samstag in die Berge fahren. Wie ___ das Wetter?
▲ Ich glaube, ___ eher bewölkt. Das perfekte Wetter zum Wandern!
d ■ Ich weiß nicht, ob ___ noch schaffe, die neue Ausstellung zu besuchen.
▲ Versuch es, ___ sich auf jeden Fall! Besonders die Skizzen sind toll.

_ / 7 PUNKTE

3 Eine bekannte Persönlichkeit: Ergänzen Sie.

KOMMUNIKATION

Alma Mahler-Werfel _ o _ _ t am 31. August 1879 in Wien z _ _ W _ _ _ (a).
In ihrem Leben spielen Künstler eine große Rolle. Im Frühjahr 1902 heiratet Alma den 19 Jahre älteren Gustav Mahler. Er ist schon damals ein bekannter Operndirektor und Komponist in Österreich. N _ c _ seinem T _ _ (b) 1911 heiratet sie noch zweimal. Zuerst den Architekten Walter Gropius, dann den Schriftsteller Franz Werfel. W _ h _ _ _ _ der Z _ _ _ (c) des Nationalsozialismus fliehen sie in die USA. Alma Mahler-Werfel s _ _ r _ _ am 11. Dezember 1964 mit 85 _ a h _ _ n (d) in New York.

_ / 4 PUNKTE

Wörter		Strukturen		Kommunikation	
●	0–3 Punkte	●	0–3 Punkte	●	0–2 Punkte
●	4 Punkte	●	4–5 Punkte	●	3 Punkte
●	5–6 Punkte	●	6–7 Punkte	●	4 Punkte

www.hueber.de/menschen/lernen

LERNWORTSCHATZ

1 Wie heißen die Wörter in Ihrer Sprache? Übersetzen Sie.

Kunst/Malerei

Anerkennung die, -en
an·erkennen, hat anerkannt
Einfluss der, ¨-e
Galerie die, -n
Hügel der, -
Medien die (Pl.)
Zerstörung die, -en
zerstören, hat zerstört

aus·stellen, hat ausgestellt
entstehen, ist entstanden
gründen, hat gegründet
retten, hat gerettet
unterrichten, hat unterrichtet

farbig

Biografisches

Antrag der, ¨-e
Heiratsantrag der, ¨-e
Feind der, -e
feindlich
Geburtsjahr das, -e
Geburtsort der, -e
Liebling der, -e
Recht das, -e
Menschenrecht das, -e

Vorurteil das, -e

einsetzen für (sich), hat sich eingesetzt
kämpfen gegen, hat gekämpft

gleichberechtigt
klasse
A/CH: super
wild

öfter

Weitere wichtige Wörter

Blitz der, -e
blitzen, hat geblitzt
Dieb der, -e
Diebstahl der, ¨-e
Donner der, -
donnern
Droge die, -n
Überschrift die, -en

verhaften, hat verhaftet

überrascht sein von

drüben

Prost!
A: auch: Zum Wohl!

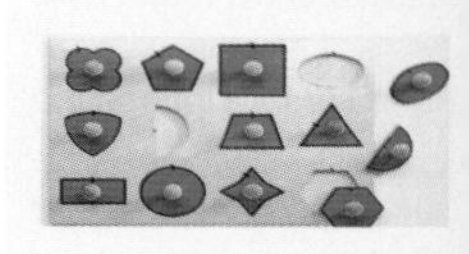

2 Welche Wörter möchten Sie noch lernen? Notieren Sie.

Davon halte ich nicht viel.

KB 4 WÖRTER

1 Bilden Sie Nomen. Ergänzen Sie dann und vergleichen Sie.

LA | OPPO | ~~PRO~~ | MI | MENT | SKAN | DEMO | ~~TEST~~ | TRATION |
PAR | PAR | DAL | SITION | DEMONS | TEI | NISTER | KRATIE

Deutsch	Englisch	Meine Sprache oder andere Sprachen
a	democracy	
b	party	
c	parliament	
d	opposition	
e	demonstration	
f der Protest	protest	
g	minister	
h	scandal	

KB 4 WÖRTER

2 Politikquiz: Schreiben Sie die Wörter richtig und kreuzen Sie die passende Lösung an.

a Die erste demokratische Wahl (hlWa) fand in Deutschland im Jahr … statt.
☒ 1848 ○ 1945

b Alle Politiker im Parlament …
○ bilden die ____________ (unggierRe).
○ sind ____________ (Vertertre) des Volkes.

c Der ____________ (zlerBunkandes), der auch der Regierungschef ist, wird vom … gewählt.
○ Parlament ○ Volk

d Bündnis 90 / Die Grünen ist eine …
○ ____________ (Bürinigertiative). ○ ____________ (atPeir).

e Der ____________ (Nanaltioerfeitag) erinnert daran, dass …
○ in Deutschland seit 1945 ____________ (Frdenie) herrscht.
○ Deutschland seit dem 3. Oktober 1990 wieder ein Land ist.

f 1990 hat … den ____________ (gernBür) der DDR für die Zukunft „____________ (endeblüh) Landschaften" versprochen.
○ Helmut Kohl ○ Angela Merkel

Lösung: b sind Vertreter des Volkes c Parlament d Partei
e Deutschland seit dem 3. Oktober 1990 wieder ein Land ist. f Helmut Kohl

KB 5 Strukturen

3 Jugendliche heute

Verbinden Sie die Sätze.

a Die Jugendlichen wollen nicht nur arbeiten,
b Ihnen sind sowohl die Familie
c Viele sind zwar politisch interessiert,
d Die Mehrheit der Jugendlichen ist weder unzufrieden
e Die meisten möchten nach der Schule entweder eine Ausbildung machen

aber sie möchten sich nicht für eine Partei engagieren.
oder an einer Universität studieren.
noch pessimistisch.
als auch Freundschaften wichtig.
sondern auch das Leben genießen.

KB 5 Strukturen

4 Ordnen Sie zu.

entweder … oder | nicht nur … sondern … auch | ~~sowohl … als auch~~ | weder … noch | zwar … aber

Wie informiert Ihr Euch über Politik?
Ich informiere mich *sowohl* im Internet *als auch* in Zeitungen. (a)
Ich habe ___ eine Tageszeitung abonniert, ___ ich lese sie selten. (b)
Man sollte sich durch verschiedene Medien informieren. Deshalb sehe ich ___ die Nachrichten im Fernsehen, ___ ich lese ___ Zeitungen. (c)
Ich sehe mir nie Nachrichten an. Denn ich interessiere mich ___ für Politik ___ für Wirtschaft. (d)
Ich habe meistens keine Zeit, Zeitung zu lesen. Deshalb höre ich beim Frühstücken ___ Radio ___ ich sehe fern. (e)

KB 5 Strukturen

5 Ordnen Sie die Konnektoren zu und verbinden Sie dann die Sätze.

entweder … oder | weder … noch | zwar … aber | ~~sowohl … als auch~~ | nicht nur … sondern … auch

a Ich lege Wert auf Umweltschutz und ich lege Wert auf gute Bildungspolitik.
b Ein guter Politiker sollte volksnah sein und er muss Verantwortung übernehmen.
c Ich interessiere mich sehr für Politik. Ich wähle nicht.
d Manche Leute kennen die Minister nicht. Sie kennen die Parteien nicht.
e Im Parlament sind die Parteien in der Regierung. Oder sie bilden die Opposition.

a Ich lege sowohl auf Umweltschutz als auch auf gute Bildungspolitik Wert.

KB 7 **6** **Ergänzen Sie.**

WÖRTER

a
Nein zur R e n t e ab 67!
Keine V __ rl __ ng __ ru __ g
der Lebensarbeitszeit

d
Schluss mit
Kern-
kr __ f __-
w __ r __ e __!

b
120
Nicht schneller als 120 km/h!
G __ s __ hw __ n __ ig __ ei __ sbeschränkung
auf deutschen Autobahnen!

c
Temperaturen steigen um mindestens 2 Grad:
Rettet das K ___ i ___ a!
Wir dürfen nicht nur zusehen –
wir müssen h ___ n ___ el ___ – jetzt!

e
Achtung: Unternehmen
verkaufen Daten!
Daten sind keine W ___ r ___!

KB 7 **7** **Ordnen Sie zu. Nicht alle Wörter passen.**

WÖRTER

Energie | ~~Proteste~~ | Biologie | Umweltschutz | annähern | nehmen zu | unterscheiden | blühen | aufheben

Lesen Sie heute

Politik

- Proteste (a) gegen Studiengebühren ______________ (b)
- Probleme in der Regierung: Nach dem Streit müssen sich der Minister und die Kanzlerin wieder ______________ (c).

Ratgeber

- Nur den Müll vom Boden ______________ (d) ist nicht genug. Was Sie noch für den ______________ (e) tun können: ...

Wirtschaft

- ______________ (f) wird schon wieder teurer!
- Worauf man beim Kauf eines Tablets achten sollte: Viele Produkte ______________ (g) sich nur im Preis.

KB 7 **8** **Markieren Sie die Adjektive. Wie heißen die Nomen?**
Schreiben Sie die Adjektive und Nomen in die Tabelle.
Ergänzen Sie weitere Adjektive und Nomen, die Sie kennen.

STRUKTUREN

FREITÄTIGREALISTISCHMÖGLICHFÄHIGWAHRDANKBARGESUNDTOURISTISCH
KRANKÖFFENTLICHZUFRIEDEN

-keit	-heit	-ismus
tätig – die Tätigkeit	frei – die Freiheit	realistisch – Realismus

KB 7 STRUKTUREN

9 Wie heißen die Personen? Notieren Sie.

Diese Person …

a studiert: der Student

b demonstriert: ____

c produziert: ____

d geht zur Wahl: der Wähler

e arbeitet in der Forschung: ____

f macht Politik: ____

KB 11 KOMMUNIKATION

10 Tempo 30 in Städten: Ordnen Sie zu.

völlig anderer Meinung | ist doch Unsinn | sehe ich auch so | meine Meinung | ~~Ansicht nach~~ | auf keinen Fall | spricht

■ Meiner Ansicht nach (a) sollte die Höchstgeschwindigkeit überall im Stadtzentrum 30 km/h betragen. Dafür ____ (b), dass es dann weniger Unfälle gibt.

▼ Ja genau, das ____ (c), denn gerade für Fußgänger und Radfahrer ist der Verkehr in der Stadt ziemlich gefährlich.

▲ Ganz ____ (d). Außerdem gibt es bei Tempo 30 weniger Lärm.

◆ Da bin ich ____ (e). Man sollte dann langsam fahren, wenn es nötig ist. Aber doch nicht immer und überall.

● Tempo 30 überall in der Stadt?! Das ____ (f)!
Nein, ____ (g), denn dann gibt es doch nur noch Staus.

KB 11 SCHREIBEN

11 Sie haben im Fernsehen eine Diskussionssendung zum Thema „Geschwindigkeitsbeschränkungen auf Autobahnen“ gesehen.

a **Lesen Sie den Beitrag im Online-Gästebuch der Sendung und markieren Sie die Vorteile und Nachteile von Geschwindigkeitsbeschränkungen in verschiedenen Farben.**

FORUM

In Deutschland darf man auf Autobahnen so schnell fahren, wie man möchte, und das soll meiner Meinung nach auch so bleiben.
Es ist Unsinn, ein Tempolimit von 120 km/h einzuführen. Wir brauchen nicht noch mehr Verbote. Es ist genug, wenn es auf gefährlichen Strecken Geschwindigkeitsbeschränkungen gibt. So richtig schnell zu fahren, macht doch auch Spaß. Ein Nachteil ist vielleicht, dass man mehr Benzin verbraucht, wenn man schneller fährt. Aber das kann ja jeder selbst entscheiden.

b **Schreiben Sie selbst einen Beitrag (circa 80 Wörter). Verwenden Sie Redemittel aus 10. Gehen Sie auf folgende Punkte ein:**

- Geschwindigkeitsbeschränkungen auf Autobahnen in Ihrem Land oder einem Land, das Sie gut kennen
- Vor- und Nachteile von Geschwindigkeitsbeschränkungen auf Autobahnen
- Ihre Meinung zu Geschwindigkeitsbeschränkungen auf Autobahnen

TRAINING: LESEN

1 Welche Vorteile und Nachteile haben Studiengebühren?

a Notieren Sie zwei Vorteile und zwei Nachteile.

Vorteile	Nachteile
Staat muss weniger für Universitäten bezahlen	Kosten für arme Familien

b Überfliegen Sie die Texte in 2 und markieren Sie die Stellen, in denen Argumente genannt werden.

TIPP

Sie wollen Kommentare besser verstehen? Überlegen Sie sich vor dem Lesen, welche Vor- und Nachteile es für ein Diskussionsthema geben kann. Markieren Sie in den Kommentaren die Argumente, die die Schreibenden für ihre Position nennen.

2 Lesen Sie die Texte. Ist die Person für Studiengebühren? Kreuzen Sie an.

In einer Zeitschrift lesen Sie Kommentare zu einem Artikel über die Vor- und Nachteile von Studiengebühren.

	ja	nein		ja	nein
a Andreas	○	○	e Angela	○	○
b Robert	○	○	f Peter	○	○
c Martina	○	○	g Susanne	○	○
d Heiko	○	○	h Juliane	○	○

Leserbriefe

(a) Sollen sich nur Kinder von reichen Eltern ein Studium leisten können? In einem Land mit einer so starken Wirtschaft ist das ein Skandal. Wir brauchen gleiche Chancen für alle. Studiengebühren verhindern, dass Kinder aus Familien mit geringem Einkommen studieren. Dadurch werden die sozialen Unterschiede in der Gesellschaft noch größer.

Andreas, 19, Berlin

(b) Es gibt genug junge Leute, die an der Uni sind, aber nicht wirklich ernsthaft studieren, weil sie vielleicht noch nicht genau wissen, was sie machen wollen. Dafür habe ich zwar Verständnis, aber das kann der Staat nicht finanzieren. Ich glaube, dass die jungen Leute verantwortungsvoller wären, wenn sie für das Studium bezahlen müssten.

Robert, 35, Dresden

(c) Wir müssen uns endlich von der Idee verabschieden, dass Bildung kostenlos ist. Studiengebühren bedeuten doch nicht, dass nur Reiche studieren können. Wenn es für Kinder aus ärmeren Familien finanzielle Unterstützung gibt, dann sind die Gebühren sozial.

Martina, 40, Stuttgart

(d) Es gab schon mal Studiengebühren. Aber es hat sich gezeigt, dass diese Gebühren weder den Studenten noch den Universitäten nützen. Denn es hat sich nicht wirklich etwas verbessert. Nicht ohne Grund ist die Mehrheit der Bevölkerung gegen Studiengebühren. Wir müssen unbedingt verhindern, dass sie wieder eingeführt werden.

Heiko, 25, München

TRAINING: LESEN

e

Mit einem abgeschlossenen Studium verdient man doch viel mehr als nach einer Ausbildung in einem Betrieb. Aber ein Studium ist sehr teuer. Was spricht denn dagegen, dass die Studenten selbst einen kleinen Teil der hohen Kosten bezahlen? Schließlich haben sie später Vorteile. Warum soll der Steuerzahler alle Kosten übernehmen? Die Steuern sind in Deutschland so schon zu hoch.

Angela, 25, Bochum

f

Überall fehlen gut ausgebildete Arbeitnehmer. Und wir diskutieren darüber, ob es Studiengebühren geben soll oder nicht. Das ist doch Unsinn! Wir können es uns einfach nicht leisten, dass wir unsere jungen Talente nicht so gut wie möglich ausbilden. Jeder muss die Möglichkeit haben, ein Studium zu machen. Geld darf dabei keine Rolle spielen. Die Gesellschaft muss ihre Pflicht tun.

Peter, 56, Hamburg

g

Wenn jemand die Studiengebühren nicht selbst bezahlen kann, muss er Schulden machen, die er nach dem Studium wieder zurückzahlen muss. Wollen wir wirklich, dass junge Leute so ins Berufsleben starten? Man sollte auch bedenken, dass Bildung ein Grundrecht für alle ist.

Susanne, 45, Rostock

h

Die Universitäten brauchen mehr Geld für Forschung und Lehre. Da werden viele meiner Meinung sein. Aber woher soll das Geld kommen? Vom Staat? – Wie soll das gehen? Höhere Steuern will doch auch niemand zahlen. Meiner Meinung nach gibt es zu Studiengebühren keine Alternative.

Juliane, 34, Frankfurt

TRAINING: AUSSPRACHE *Vokale „u“, „ü“, „i“*

▶ 2 16 **1 Was hören Sie? Kreuzen Sie an.**

	u	ü	i
a	○	○	○
b	○	○	○
c	○	○	○
d	○	○	○
e	○	○	○
f	○	○	○

▶ 2 17 **2 Hören Sie und sprechen Sie nach.**

a Umweltschutz –Klimaschutz – Kündigungsschutz – Tierschutz – Mutterschutz – Friedensschutz

b Kinder schützen – die Natur schützen – Blumen schützen – die Bürger schützen – die Demokratie schützen

▶ 2 18 **3 Zungenbrecher: Hören Sie und sprechen Sie dann: zuerst langsam und dann immer schneller.**

a Frische Früchte schmecken gut. Gut schmecken frische Früchte.
b Kieler Bürger wissen besser, was Kieler Bürger wünschen. Doch Kieler Bürger wissen nicht, dass Bürgermeister nur Bürger ohne Wünsche lieben.

TEST

1 Basiswissen Deutschland: Ordnen Sie zu.

Wörter

Opposition | ~~Demokratie~~ | Regierung | Vertreter | Bundeskanzler | Parlament | Mehrheit

In Deutschland gibt es eine Demokratie (a). Das ist eine Staatsform, in der vom Volk gewählte __________ (b) regieren. Die Politiker treffen sich im __________ (c), man sagt auch Bundestag. Alle vier Jahre findet die Bundestagswahl statt. Die Partei mit der __________ (d) der Stimmen bildet die __________ (e). Meistens bilden aber mehrere Parteien zusammen die Regierung. Dann spricht man von einer Koalition. Die anderen Parteien sind die __________ (f). Den Chef oder die Chefin der Regierung nennt man __________ /in (g).

_ / 6 Punkte

2 Gehen Sie zur Wahl? Ergänzen Sie *entweder ... oder, weder ... noch, zwar ... aber.*

Strukturen

■ Ich habe mich zwar gut informiert, weiß aber (a) trotzdem nicht, wen ich wählen soll.
▲ Ich finde, es gibt in unserem Stadtviertel __________ genug Kindergärten __________ (b) Plätze zum Spielen.
● Die großen Parteien finde ich __________ zu langweilig __________ (c) für meine politischen Ziele nicht geeignet.
▼ Natürlich wähle ich! Ich finde __________ nicht alles gut, was die Politiker entscheiden, __________ (d) wir haben das Glück, in einer Demokratie zu leben.
◆ Politik? Nein, danke. Ich gehe __________ zur Wahl, __________ (e) engagiere ich mich für etwas.

_ / 4 Punkte

3 Ordnen Sie zu.

Kommunikation

sehe ich auch so | unbedingt | ist doch Unsinn | halte ich nicht viel | auf keinen Fall | Meinung nach

■ Du willst eine allgemeine Geschwindigkeitsbeschränkung auf Autobahnen? Das __________ (a)! Muss man denn wirklich alles regeln?
▲ Nein, __________ (b). Aber eine solche Regel rettet Leben, weil dann weniger Unfälle passieren.
● Das __________ (c). Außerdem ist es besser für das Klima.
◆ Meiner __________ (d) ist die Diskussion sinnlos. Meistens steht man doch sowieso im Stau. Man sollte mehr Straßen bauen!
▼ Davon __________ (e). Hier braucht man neue Lösungen. Das Bahnfahren sollte zum Beispiel preiswerter werden.
● Ja, __________ (f)!

_ / 6 Punkte

Wörter		Strukturen		Kommunikation	
●	0–3 Punkte	●	0–2 Punkte	●	0–3 Punkte
●	4 Punkte	●	3 Punkte	●	4 Punkte
●	5–6 Punkte	●	4 Punkte	●	5–6 Punkte

www.hueber.de/menschen/lernen

LERNWORTSCHATZ

1 Wie heißen die Wörter in Ihrer Sprache? Übersetzen Sie.

Politik und Gesellschaft

Bürgerinitiative die, -n
Bundeskanzler der, -
Demokratie die, -n
Demonstration die, -en
Energie die, -n
Forschung die, -en
Frieden der
Gebühr die, -en
Klima das, Klimata
Kraftwerk das, -e
Mehrheit die, -en
Minderheit die, -en
Minister der, -
Nationalfeiertag der, -e
Opposition die, -en
Parlament das, -e
Partei die, -en
Protest der, -e
Regierung die, -en
Schutz der
Skandal der, -e
Vertreter der, -
Volk das, ¨-er
Wahl die, -en

ein·führen, hat eingeführt
handeln, hat gehandelt
(an)nähern (sich), hat sich (an)genähert
regieren, hat regiert
verhindern, hat verhindert

demokratisch
frei
freie Wahlen
politisch
populär

Weitere wichtige Wörter

Biologie die
Geschwindigkeit die, -en
Geschwindigkeitsbeschränkung die, -en
Rentner der, -
A: Pensionist der, -en
Rente die, -n
A: Pension die, -en
Reportage die, -n
Ware die, -n

auf·heben, hat aufgehoben
betragen, er beträgt, hat betragen
blühen, hat geblüht
unterscheiden, hat unterschieden
zu·nehmen, du nimmst zu, er nimmt zu, hat zugenommen

nah
still

entweder … oder
weder … noch
zwar … aber

2 Welche Wörter möchten Sie noch lernen? Notieren Sie.

WIEDERHOLUNGSSTATION: WORTSCHATZ

1 Lösen Sie das Rätsel und finden Sie das Lösungswort.

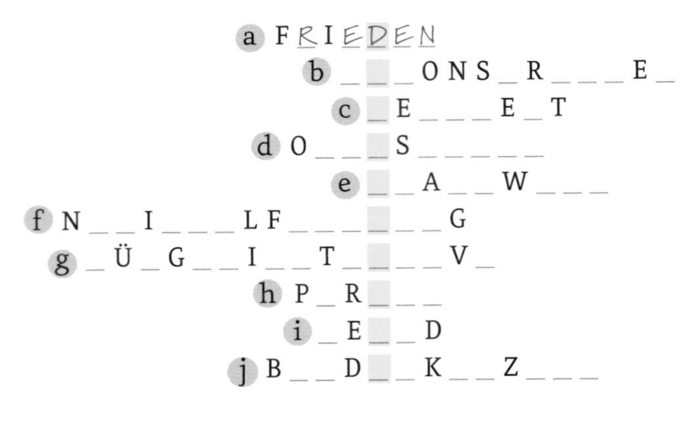

a Es herrscht kein Krieg, sondern es ist ...
b auf die Straße gehen und protestieren
c Gegenteil von Minderheit
d Parteien in einem Parlament, die nicht die Regierung bilden
e Hier wird Strom produziert.
f Der Tag der deutschen Einheit ist ein ...
g Gruppe von Menschen, die bestimmte Ziele erreichen wollen
h politische Organisation
i Nicht Freund, sondern ...
j Chef der Regierung

Lösung: D _ _ _ _ _ _ _ _ _ _

2 Urlaub ohne Stress: Ordnen Sie zu. Nicht alle Wörter passen.

Wert | aufregen | ~~Streit~~ | Ehe | Ratschlag | ungewöhnlich | Erziehung | Tränen | überrascht | Mitternacht | aufwärts

Urlaub ohne Stress

Kennen Sie das? Man freut sich auf den Urlaub, auf Sonne und Erholung. Dann liegt man endlich am Strand und es gibt häufig Streit (a) mit dem Partner oder den Kindern. Wundern Sie sich nicht – das ist nicht ____________ (b), dieses Problem kennen andere auch.

Der Psychologe Fridolin von Beck, Vater von zwei Kindern, erinnert sich gut an einen Urlaub vor zwei Jahren. Seine Familie reiste mit dem Zug nach Dänemark. Als sie kurz nach ____________ (c) endlich müde und hungrig ankamen, stellten sie fest, dass schon eine andere Familie in der Wohnung war. „Das war kein guter Start", erinnert sich von Beck, „aber danach ging es nur noch ____________ (d). Denn am nächsten Morgen fanden wir schon eine neue Unterkunft."

Seitdem weiß er, dass es für jedes Problem eine Lösung gibt und man sich nicht gleich über alles ____________ (e) sollte. Sein ____________ (f): „Legen Sie ____________ (g) auf eine gute Planung! Aber seien Sie nicht ____________ (h), wenn es anders kommt. Das ist im Urlaub wie sonst auch im Leben. Dazu gehören ____________ (i), aber auch Küsse!"

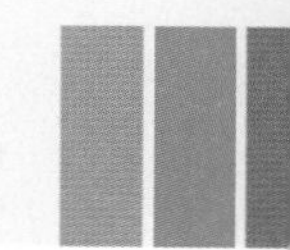

WIEDERHOLUNGSSTATION: GRAMMATIK

1 Bundeskanzlerin/Bundeskanzler – ein Traumberuf?
Was ist richtig? Kreuzen Sie an.

Man …

a ☒ muss ◯ braucht nicht selbst Auto fahren.
b ◯ kann ◯ braucht im Kanzleramt in Berlin wohnen.
c ◯ muss ◯ braucht nicht ins Fitness-Studio zu gehen, weil es im Kanzleramt einen Gymnastikraum gibt.
d ◯ darf ◯ muss bei Veranstaltungen auf den besten Plätzen sitzen.
e ◯ soll ◯ braucht seine Reden nicht selbst zu schreiben.
f ◯ muss ◯ braucht aber auch fast rund um die Uhr arbeiten.
g ◯ darf ◯ muss auch als Kanzlerin/Kanzler nicht im Kanzleramt rauchen.

2 Was ist für Sie Kunst? Ordnen Sie zu.

zwar … aber | ~~nicht nur … sondern auch~~ | weder … noch | entweder … oder

a Meiner Ansicht nach sollte Kunst *nicht nur* schön sein, *sondern auch* die Gesellschaft verändern.
b Ich kann nicht sagen, was Kunst ist. __________ ich finde ein Bild gut ______ es gefällt mir nicht. Ob das andere für Kunst halten, ist mir eigentlich egal.
c Der Schriftsteller Jean Paul hat gesagt: „Kunst ist ________ nicht das Brot, ______ der Wein des Lebens.“ Das finde ich gut.
d Von moderner Kunst halte ich nicht viel. Die meisten modernen Künstler können doch ________ malen, ________ sind sie besonders kreativ.

3 An sieben weiteren Stellen fehlt *es*.
Markieren Sie und korrigieren Sie wie im Beispiel.
Achten Sie auch auf die Groß- und Kleinschreibung.

Es war
~~War~~ Sommer. Ich war 18 und fuhr mit einem Freund mit dem Auto nach Italien. War sehr aufregend, weil wir das erste Mal ohne Eltern in Urlaub waren. Die Fahrt war anstrengend. Denn war nicht möglich, schnell zu fahren, weil die ganze Zeit regnete. War auch gar nicht so leicht, das Hotel zu finden. Als wir endlich ankamen, war schon Mitternacht. Trotzdem gingen wir noch in die Disco. Dort lernte ich ein total süßes Mädchen kennen. Am nächsten Morgen war sonnig und warm und wir gingen an den Strand. Kaum zu glauben: Da war sie wieder! Ich habe die ganzen Ferien mit ihr verbracht. War so schön, das erste Mal so richtig verliebt zu sein.

SELBSTEINSCHÄTZUNG Das kann ich!

Ich kann jetzt ...

... Wichtigkeit ausdrücken: L16

Es kam mir v____ a________ darauf an, möglichst lange wegzubleiben.
Ich konnte es k_________ er_____________, bis ich volljährig wurde.
Ich ging so o____ ich k___________ zum Tanztee.

... auf Erzählungen reagieren: L16

Bei uns kam das nicht i____________.
Das ist heute kaum v_________________.
Das kann ich e____________ gesagt nicht ver____________.

... eine Lebensgeschichte nacherzählen: L17

Gabriele Münter kommt am 19.2.1877 z______W______.
N_______ dem T_____ ihrer Eltern gibt sie ihre Ausbildung wieder auf.
W____________ der Z______ des Nationalsozialismus darf Gabriele Münter nicht ausstellen.
Gabriele Münter st________ mit 85 J__________ in Murnau.

... eine Meinung äußern: L18

Da bin ich völ______ a____________ Meinung.
Das s_______ ich auch so.
Dag__________ spricht, dass ein Ehepartner dann seinen Beruf aufgeben muss.
Davon h________ ich nicht v______.

... spontan auf Meinungsäußerungen reagieren: L18

Nein, auf k____________ F______.
Das ist doch Un_________!
Unbe__________!
G______ meine M____________.

Ich kenne ...

... 8 Wörter zum Thema „Erinnerungen und Beziehungen“: L16

____

... 6 Wörter zum Thema „Kunst und Malerei“: L17

____

... 8 Wörter zum Thema „Politik“: L18

____

Ich kann auch ...

... Notwendigkeiten verneinen und einschränken (*nicht/nur brauchen* + Infinitiv mit *zu*): L16

Also im Haushalt musste ich vor dem Abitur nicht helfen = Also im Haushalt ______
____

Ich musste nur mein Zimmer in Ordnung halten. = Ich ______________________
____

SELBSTEINSCHÄTZUNG Das kann ich!

... unpersönliche Verben verwenden (Ausdrücke mit *es*): L17 ○ ○ ○
Es in festen Wendungen: ______________ leicht, diese Aufgabe zu lösen.
Tages- und Jahreszeiten: ______________ schon Abend.
Wetter: ____ schneit. ______________ neblig.
Befinden: Wie ______________ Ihnen?

... Personen und Abstrakta benennen (Nomen bilden): L18 ○ ○ ○
Sport: ______________, studieren: ______________, demonstrieren: ______________
frei: ______________, dankbar: ______________, touristisch: ______________

... Alternativen, negative Aufzählungen und Gegensätze ausdrücken (Satzverbindungen: *entweder ... oder, weder ... noch, zwar ... aber*): L18 ○ ○ ○
oder: Die Gründe waren __________ nicht eingehaltene Wahlversprechen __________ die Skandale einiger Minister.
obwohl: __________ hält die Mehrheit der Jugendlichen die Demokratie für die beste Staatsform, __________ die etablierten Parteien profitieren kaum davon.
nicht + nicht: Den jungen Leuten waren __________ die Volksvertreter volksnah genug, __________ konnten sie die Parteien gut voneinander unterscheiden.

Üben/Wiederholen möchte ich noch ...

____

RÜCKBLICK

Wählen Sie eine Aufgabe zu Lektion 16 ______________________________

1 Sehen Sie noch einmal das Foto im Kursbuch auf Seite 101 an.
Welche Fragen würden Sie den Personen gern zu ihrer Jugend stellen? Notieren Sie jeweils fünf Fragen.

Der junge Mann	Die ältere Dame
Was hast du am liebsten in deiner Freizeit gemacht?	*Welche Kleidung war in Ihrer Jugend in?*
Was war deine Lieblingssendung im Fernsehen?	*...*

2 Interview zu Jugenderinnerungen
Wählen Sie eine der beiden Personen auf dem Foto im Kursbuch auf Seite 101 oder eine andere Person, die Sie interviewen möchten. Überlegen Sie sich zunächst, was Sie fragen möchten, und denken Sie sich Antworten aus. Schreiben Sie dann das Interview.

Interview mit meinem Onkel
● *Wann hast du dich das erste Mal verliebt?*
▲ *Ich denke, dass ich ungefähr acht Jahre alt war. Ich habe mich damals in meine Klassenlehrerin verliebt. Sie war ...*

RÜCKBLICK

Wählen Sie eine Aufgabe zu Lektion 17

1 Eine Biografie

Lesen Sie noch einmal im Kursbuch auf Seite 106. Was passt zusammen? Ordnen Sie zu.

a Nach dem Tod der Eltern reist sie mit ihrer Schwester 5
b Nach der USA-Reise zieht sie ○
c Dort hat sie ○
d 1911 gründen Münter, Kandinsky und andere Künstler ○
e 1949 gibt es in München ○

1 den *Blauen Reiter*.
2 eine Ausstellung über den *Blauen Reiter*.
3 nach München.
4 Unterricht bei Wassily Kandinsky.
5 zwei Jahre durch die USA.

2 Eine Biografie

Sammeln Sie Informationen über eine Künstlerin / einen Künstler (Maler, Musiker, Schauspieler ...), die/der Sie besonders beeindruckt. Schreiben Sie dann einen biografischen Text.

Gustav Klimt wird am 14. Juli 1862 in Wien geboren. Von 1876 bis 1883 besucht er die Kunstgewerbeschule in Wien.

Wählen Sie eine Aufgabe zu Lektion 18

1 Gelebte Demokratie

Lesen Sie noch einmal die Umfrage im Kursbuch auf Seite 112. Zu welcher Person passt was? Notieren Sie die Namen.

R.D. = Richard Doebel, T.M.= Tobias Mattsen, J.K.= Jens Krämer, S.W. = Sofie Witthoeft und I.P. = Ingrid Pichler.

a Ich möchte später mal im Umweltschutz arbeiten. ______
b Ich lese Kindern vor. ______
c Ich helfe Kindern bei den Hausaufgaben. ______
d Ich habe keine Zeit für soziales Engagement. T. M.
e In meiner Freizeit betreue ich die Fußballmannschaft von meinem Sohn. ______

2 Gelebte Demokratie

Empfehlen Sie Nadine eine ehrenamtliche Tätigkeit. Sie können auch eine Tätigkeit aus dem Kursbuch auf Seite 112 auswählen.

Hallo Leute,
ich möchte mich gern sozial engagieren und weiß nicht so genau, was ich machen kann. Habt Ihr Ideen oder sogar selbst Erfahrungen? Kennt Ihr Organisationen?
Nadine

Ich arbeite einmal pro Woche bei Oxfam. Das ist eine Organisation, die armen Leuten auf der ganzen Welt hilft. Oxfam sammelt Kleidung und Bücher.

HARRY KANTO MACHT URLAUB

Teil 2: Keine Spuren

Ich betrat den Frühstücksraum der Pension, roch den frischen Kaffee und …

Na, wenn das kein Glück ist!

„Hallo Clarissa." Die nette Frau von gestern saß an einem der Tische.

„Hallo Harry." Sie lächelte. „Sie wohnen auch hier?"

„Ja. So ein Zufall. Darf ich mich zu Ihnen setzen?"

„Klar. Was sagst du dazu, Emma?"

„Hallo Schneemann!" Das kleine Mädchen lachte und beschäftigte sich dann wieder mit seinem weichen Ei.

Ein Kellner brachte Kaffee. Frische Brötchen, Marmelade, Schinken und ein Ei holte ich mir vom Buffet.

„Haben Sie schon das Neueste gehört?" Clarissa zeigte auf die Zeitung, die neben ihr auf dem Tisch lag.

„Ein Hotel ist ausgeraubt worden."

„Hier in Schladming?"

„Ja, das *Regina*. Eines der größten der Stadt."

„Das ist ja ein Ding."

Die beiden Männer gestern im Wald neben der Piste, das Geheimnis mit dem Geld …

Ich weiß, wer die Diebe sind!

„Tante Clarissa, gehen wir jetzt Skifahren?"

Das Mädchen war fertig mit seinem Ei.

„Ja, Emma. Kommen Sie auch mit, Harry?"

„Ich … äh … ich mache heute doch lieber eine Pause … äh … mein Fuß tut ein bisschen weh. Sie wissen ja, mein Sturz gestern …"

„Na, dann gute Besserung. Vielleicht sehen wir uns beim Abendessen."

„Ja, das wäre schön."

Meinem Fuß ging es sehr gut, aber ich konnte jetzt unmöglich Skifahren gehen.

Auf ins Hotel Regina! Mal sehen, ob ich dort etwas finde.

Ein paar Polizeiautos standen noch auf dem Parkplatz vor dem *Regina*, sonst erinnerte nichts mehr an den Einbruch.

Ich setzte mich ins Café des Hotels, bestellte einen Cappuccino, nahm mir die Zeitungen und las alle Berichte, die ich finden konnte.

„Hotel Regina ausgeraubt! ‚Eine Katastrophe!', sagt der Hotelmanager Arno Willems …"

Nichts Interessantes, nächster Bericht.

„… Der Täter hat im Hotel keine Spuren hinterlassen. Er hat zuerst die Sicherheitskameras ausgeschaltet und dann den Tresor geöffnet, ohne ihn zu beschädigen …"

Interessant, der Dieb kennt das Hotel also sehr gut.

Ich nahm die letzte Zeitung. Ein großes Foto war neben dem Bericht auf der Titelseite zu sehen.

„Das gibt es ja nicht! Das ist doch …"

Je älter ich wurde, desto …

KB 3

1 Bilden Sie Wörter. Ergänzen Sie dann und vergleichen Sie.

WÖRTER

~~DE~~ | GRAS | ~~HEI~~ | HO | LE | NIG | PFLAN | WOL | ZE

Deutsch	Englisch	Meine Sprache oder andere Sprachen
a	grass	
b	wool	
c	honey	
d	plant	
e *die Heide*	heather	

KB 5

2 Die Heidekönigin als touristisches Markenzeichen

STRUKTUREN

a Verbinden Sie.

1 Je mehr Auftritte die Heidekönigin auf Messen hat,

2 Je mehr die Heidekönigin und ihre Region in den Medien dargestellt werden,

3 Je mehr Touristen auf die Region aufmerksam werden und dort Urlaub machen,

a umso besser geht es der Region wirtschaftlich.

b desto häufiger wird sie von Journalisten interviewt.

c desto bekannter wird die Region.

STRUKTUREN ENTDECKEN

b Markieren Sie die Adjektive in a wie im Beispiel und kreuzen Sie dann an.

GRAMMATIK

Die Adjektive nach *je* und *desto/umso* stehen
- ◯ im Komparativ (++: bekannter).
- ◯ im Superlativ (+++: am bekanntesten).

KB 5

3 Verbinden Sie die Sätze mit *je … desto/umso*.

STRUKTUREN

a Man macht lange Urlaub. Man erholt sich gut.
b Man verdient gut. Man kann sich teure Reisen leisten.
c Man treibt viel Sport. Man fühlt sich fit.
d Es wird kalt. Man muss viel heizen.
e Man ist tolerant. Man hat wenig Streit.
f Man ist lange berufstätig. Die Rente ist hoch.

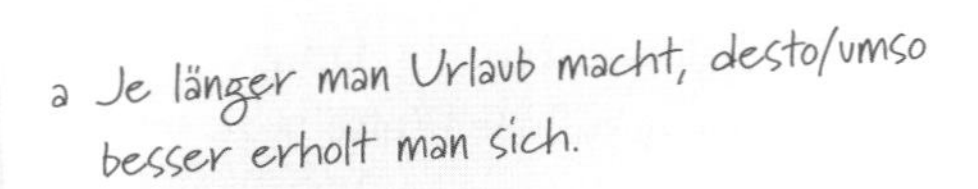

KB 6 STRUKTUREN

4 Neugierige Messebesucher: Kreuzen Sie an.

■ Frau Peters, haben Sie neben Ihren Auftritten ⊗ eigentlich ◯ ja (a) noch Zeit für Ihre Hobbys?
▲ Sie wissen ◯ ja ◯ denn (b), dass ich nicht gern über mein Privatleben rede.
■ Haben Sie ◯ doch ◯ denn (c) heute nach der Messe schon etwas vor? Ich könnte Sie ◯ denn ◯ doch (d) zu einem Glas Wein einladen.
▲ Das ist sehr nett, aber leider habe ich noch einen Termin.
■ Wann passt es Ihnen ◯ ja ◯ denn (e) dann? Ich suche für meinen Sommerurlaub noch Ausflugstipps. Da können Sie mir ◯ eigentlich ◯ doch (f) sicher helfen, oder?
▲ Ja, das habe ich ◯ denn ◯ ja (g) vorhin schon erzählt: Für weitere Informationen können Sie sich gern in die Liste eintragen. Sie bekommen die Informationen dann zugeschickt.

KB 6 KOMMUNIKATION

5 Eine Stadtführung: Ergänzen Sie die Fragen.

a ■ Ich w ü r d e _ e _ _ w _ _ s _ _, in welchem Jahrhundert das Rathaus gebaut wurde.
b ▲ _ _ _ t es d _ _ _ a _ _ h Freizeitparks in der Lüneburger Heide?
c ● Ich _ _ tt _ _ o _ _ eine _ _ _ g _: Wissen Sie eigentlich schon, wann das Heideblütenfest im nächsten Jahr stattfindet?
d ■ _ a _ _ i _ _ Sie _ _ w _ _ fragen? Können Sie mir einen Wanderführer empfehlen?
e ● Ich _ ü _ _ _ _ i _ gern e _ _ _ _ _ f _ _ _ _ _ _. Wie ist das mittelalterliche Lüneburg eigentlich so reich geworden?

KB 6 SCHREIBEN

6 E-Mail aus dem Urlaub in der Lüneburger Heide

a Sie schreiben an eine Freundin / einen Freund. Machen Sie Notizen zu den Punkten.

- Schreiben Sie: Wie gefällt Ihnen der Urlaub?
- Wie ist das Wetter?
- Wie ist die Unterkunft?
- Erzählen Sie von einem Ausflug.

b Schreiben Sie nun die E-Mail. Schreiben Sie etwas zu allen Punkten. Denken Sie auch an eine passende Einleitung und einen passenden Schluss.

Liebe/Lieber ...,
wir haben lange nichts voneinander gehört. Ich hoffe, dass es Dir gut geht.
Ich schreibe Dir aus der Lüneburger Heide. ...

KB 8 **7** **Ergänzen Sie.**

WÖRTER

Kaffee und Kuchen im Hofcafé
Heute: f _e_ _i_ ner (a)
__ pr __ __ ose __ kuchen (b)

Angebote für die Nebens __ i __ on (c)!
1 Woche auf familiärem C __ __ pi __ __ platz (d)
Z __ __ ten (e): nur 38 Euro
Wohnwagen-Stellplatz: nur 98 Euro

Kurzurlaub für Fa __ __ __ ingsmuffel (f)
Fliehen Sie vor dem Karneval und
er __ o __ e __ (g) Sie sich im Wellness-Hotel
2 Ü __ e __ n __ cht __ ngen (h),
2 x Frühstück sowie 2 Schlemmermenüs
Preis pro Person: 119,– Euro

NATUR ERLEBEN
Ferien auf dem Bauernhof
Hof mit Lan __ __ ir __ sch __ __ t (i)
und V __ __ hhaltung (j).
Übernachtung mit Frühstück
ab 34,– pro Person

KB 8 **8** **Parallele Lebensläufe**

STRUKTUREN

a Was passt? Ordnen Sie zu.

Universität | Unternehmen | Interessen | ~~Ort~~ | Vereins

1 Wir sind in demselben _Ort_ geboren.
2 Schon als Kinder hatten wir dieselben ______________.
3 Wir haben an derselben ______________ studiert.
4 Heute arbeiten wir für dasselbe ______________.
5 Und wir sind Mitglieder desselben ______________ – des Sportvereins FIT & FRISCH.

STRUKTUREN ENTDECKEN

b Markieren Sie in a wie im Beispiel und ergänzen Sie.

	•	•	•	•
Nominativ Das ist/sind …	derselbe Ort	dasselbe Unternehmen	dieselbe Universität	dieselben Interessen
Akkusativ Ich habe …	denselben Ort		dieselbe Universität	
Dativ mit …		demselben Unternehmen		denselben Interessen
Genitiv		desselben Unternehmens	derselben Universität	derselben Interessen

KB 8 **9** **Was ist richtig? Kreuzen Sie an.**

STRUKTUREN

a Meine Eltern lieben Traditionen und haben jedes Jahr ◯ dasselbe ◯ demselben Urlaubsziel.
b Sie fahren immer in ◯ derselbe ◯ denselben Ort.
c Dieses Jahr übernachten sie zwar nicht in ◯ dieselbe ◯ derselben Pension wie letztes Jahr, aber sie werden bestimmt ◯ dieselben ◯ denselben Museen besuchen.

TRAINING: LESEN

1 Welche Überschriften passen thematisch zusammen?
Lesen Sie die Überschriften und verbinden Sie.

a Die Lüneburger Heide im Mittelalter
b Die Grüne Woche wird immer größer

1 Besucher-Tipps: Die Grüne Woche genießen
2 Die Lüneburger Heide: Eine Reise in Bildern

TIPP: In Prüfungen müssen Sie Zeitungstexten eine passende Überschrift zuordnen. Je Zeitungstext gibt es zwei Überschriften, aber nur jeweils eine passt genau zu dem Text. Suchen Sie zunächst die beiden Überschriften, die inhaltlich zusammenpassen könnten.

2 Lesen Sie nun die Texte.
Welche Überschrift aus 1 passt? Ordnen Sie zu.

TIPP: Achten Sie beim Lesen der Texte nicht auf einzelne Wörter, sondern auf die globale Aussage und wählen Sie dann die passende Überschrift.

○ Auch in diesem Jahr macht die Internationale Grüne Woche Lust auf Erlebnis und Genuss. Die internationale Verbraucherschau für Landwirtschaft, Ernährung und Gartenbau bietet ein umfangreiches Programm für Entdecker und Genießer. Für das komplette Messeprogramm sollten Sie drei volle Tage einplanen. Es gibt aber auch kürzere thematische Touren, die Sie mit Kindern oder an einem halben Tag machen können. Seien Sie dabei: Es gibt viel zu sehen, zu entdecken, zu probieren und zu kaufen. Wir haben zehn Tourenvorschläge für Sie zusammengestellt. Die Touren finden Sie unter …

○ Die Lüneburger Heide zählt zu den klassischen Reisezielen und Urlaubsregionen. Sie ist das älteste Naturschutzgebiet Deutschlands. Hier finden Sie grasende Heidschnucken, dunkle Wälder, tiefe Moore und feuchte Sandheiden. In der alten Hansestadt Lüneburg und der ehemaligen Fürstenresidenz Celle gibt es noch viele mittelalterliche Häuser und kostbare Kunstschätze zu sehen. Der neue Bildband, der jetzt im Reise-Verlag erschienen ist, enthält nicht nur großformatige Farbfotos, sondern auch zahlreiche geschichtliche und aktuelle Informationen. Bestellen können Sie das Buch unter …

TRAINING: AUSSPRACHE *Modalpartikeln*

▶ 2 19 **1 Hören Sie und markieren Sie den Satzakzent: ___.**

a ■ Machen Sie doch mal Urlaub auf unserem Bauernhof. ↘
▲ Gern. ↘ Was kostet denn eine Übernachtung? ↘
■ Vierzig Euro pro Person und Nacht. ↘

b ■ Warum ist denn hier nichts los? ↘
▲ Das ist zu dieser Zeit ganz normal. ↘ Die meisten Gäste kommen ja erst zum Heideblütenfest. ↘
■ Wann ist eigentlich das Heideblütenfest? ↘
▲ Ende August. ↘

c ■ Urlaub im Hotel? ↗ Das ist viel zu teuer! ↘
▲ Sie könnten doch auch zelten. ↘
■ Ich mag Camping nicht. ↘
▲ Dann kommen Sie doch im Herbst. ↘ Sie wissen ja: → Die Preise sind in der Nebensaison viel günstiger. ↘

d ■ Suchen Sie ein Souvenir aus der Heide? ↗ Bringen Sie doch Heidehonig mit. ↘
▲ Ah! ↘ Sie haben Bienen? ↗ Kann man denn Honig bei Ihnen kaufen? ↗

Lesen Sie die Gespräche mit Ihrer Partnerin / Ihrem Partner.

TEST

1 Leben wie früher! Ordnen Sie zu.

WÖRTER

Übernachtung | erholen | ~~Landwirtschaft~~ | Hauptsaison | Wolle | zelten | Jahrhunderten | Vieh | treiben

Unser Hof ist ein alter Bergbauernhof im Tessin. Hier leben schon seit ______________ (a) Bauern, die sich von der Landwirtschaft (b) ernähren. Als ______________ (c) haben wir 15 Milchkühe und ungefähr 80 Schafe.

Sie können sich bei uns vom Alltagsstress ______________ (d), wandern, Sport ______________ (e) oder aktiv am Hofleben teilnehmen. Wir zeigen Ihnen, wie man die ______________ (f) von Schafen bearbeitet.

Freuen Sie sich über günstige Preise auch in der ______________ (g). Eine ______________ (h) für zwei Personen bekommen Sie bereits ab 49 Euro. Aber Sie können auch ______________ (i), denn gleich neben dem Bauernhaus gibt es einen Campingplatz.

_ / 8 PUNKTE

2 Bilden Sie Sätze mit *je ... desto/umso* und dem Komparativ.

STRUKTUREN

a Ich bin oft in der Heide. Es gefällt mir gut dort.
b Es wird kalt. Das Fell der Schafe ist dick.
c Ich weiß viel über die Heidelandschaft. Es ist mir wichtig, sie zu erhalten.

a Je öfter ich in der Heide bin, desto/umso besser gefällt es mir dort.

_ / 2 PUNKTE

3 Tipps zum Wandern: Ergänzen Sie *doch, eigentlich, ja*.

STRUKTUREN

■ Ich habe euch ja (a) schon vom Königsweg erzählt. Macht ______________ (b) morgen diese Wanderung.
▲ Gute Idee! Gibt es ______________ (c) auch einen Wanderführer?
■ Ja natürlich, bei der Touristeninformation. Geht ______________ (d) gleich dorthin.

_ / 3 PUNKTE

4 Fragen zur Präsentation über das Moor: Ergänzen Sie.

KOMMUNIKATION

▲ Das war sehr interessant. Die Moore sind ja wirklich wichtig für Tiere und Pflanzen. Nun _ ä _ _ e ich n _ _ _ e n _ F _ a _ _ (a): W _ ss _ _ Sie _ ig _ _ tl _ _ _ (b), ob Moore auch das Klima beeinflussen?
● I _ _ wü _ _ _ _ er _ w _ s _ _ _ (c), was die Politik macht, um das Moor zu schützen.
■ D _ r _ ich Sie _ t _ _ _ fr _ _ _ _ (d)? Gibt es eigentlich auch Fische im Moor?

_ / 4 PUNKTE

Wörter	Strukturen	Kommunikation
0–4 Punkte	0–2 Punkte	0–2 Punkte
5–6 Punkte	3 Punkte	3 Punkte
7–8 Punkte	4–5 Punkte	4 Punkte

www.hueber.de/menschen/lernen

LERNWORTSCHATZ

1 Wie heißen die Wörter in Ihrer Sprache? Übersetzen Sie.

Landschaft und Tourismus

Camping das ______
A/CH: auch: Zelten das
Campingplatz der, ¨-e ______
CH: Zeltplatz der, ¨-e
Ereignis das, -se ______
ereignen (sich), hat sich ereignet ______
Gras das, ¨-er ______
Honig der, -e ______
Landwirtschaft die ______
Saison die, -s ______
Haupt-/Nebensaison die, -s ______
Tradition die, -en ______
Übernachtung die, -en ______
Vieh das ______
Wolle die ______

erholen (sich), hat sich erholt ______
zelten, hat gezeltet ______

flach ______

Weitere wichtige Wörter

Aprikose die, -n ______
A: Marille die, -n
Auftritt der, -e ______
Fasching der, -e oder -s ______
CH: Fasnacht die
Jahrhundert das, -e ______
Titel der, - (Dr./Mag.) ______
(CH: lic.)
dar·stellen, hat dargestellt ______
heizen, hat geheizt ______
leisten (sich), hat sich geleistet ______
treiben, hat getrieben ______
Sport treiben ______

berufstätig ______
dankbar ______
fein ______
tolerant ______
umsonst ______

der-/die-/dasselbe ______

jedoch ______
je … desto/umso ______

2 Welche Wörter möchten Sie noch lernen? Notieren Sie.

______

Die anderen werden es dir danken!

KB 3 **1 Wie heißt das Gegenteil? Verbinden Sie.**

WÖRTER

a siezen	untersagt sein
b auf dem Berg	Dreck machen
c anziehen	auf dem Boden
d erlaubt sein	steil
e an der Decke	nicht genug / zu wenig
f putzen	im Tal
g flach	duzen
h ausreichend	ausziehen

KB 3 **2 Ordnen Sie zu. Nicht alle Wörter passen.**

WÖRTER

gelten | umgehen | sein | ~~spielen~~ | ereignen | verunglücken | zunehmen | nehmen | treten | sorgen | regeln | dienen

a eine Szene *spielen*
b auf die Nachbarn Rücksicht ____________
c Regeln, die für alle ____________
d für das Wohl der Gäste ____________
e das Zusammenleben in einer Gemeinschaft ____________
f bei einem Verkehrsunfall ____________
g einem guten Zweck ____________
h in Lebensgefahr ____________
i jemandem auf den Fuß ____________
j sparsam mit Wasser ____________

KB 3 **3 Regeln für Wanderer**

STRUKTUREN

a Verbinden Sie die Sätze.

1 Bereiten Sie sich auf anstrengende Bergtouren vor,
2 Man sollte immer eine warme Jacke mitnehmen,
3 Gehen Sie früh genug los,
4 Bleiben Sie immer auf den markierten Wegen,
5 Indem Sie Übernachtung und Frühstück schon am Abend bezahlen,

sodass die Tiere im Wald nicht gestört werden.
sodass Sie Ihr Ziel noch bei Tageslicht erreichen.
machen Sie dem Hüttenwirt das Leben leichter.
indem Sie regelmäßig Sport treiben.
sodass man auch bei schlechtem Wetter nicht friert.

STRUKTUREN ENTDECKEN

b Wo wird ein Resultat angegeben und wo ein Mittel? Markieren Sie die Nebensätze mit verschiedenen Farben und kreuzen Sie die Regel an.

GRAMMATIK

Mit ◯ indem ◯ sodass kann man ein Mittel angeben.
Mit ◯ indem ◯ sodass kann man ein Resultat angeben.

KB 4 STRUKTUREN

4 Ergänzen Sie *sodass* oder *indem*.

Herzlich Willkommen in Bad Au

Ratgeber: Tipps für Bergtouren

- Nehmen Sie auf eine Bergtour grundsätzlich ein Handy mit, sodass (a) Sie im Notfall Hilfe holen können.
- Informieren Sie sich über das Wetter, ________ (b) Sie vor der Tour einen aktuellen Bergwetterbericht im Internet lesen.
- Wenn Sie neue Wanderstiefel haben, sollten Sie sie vor längeren Bergtouren oft anziehen, ________ (c) sich Ihre Füße an die Schuhe gewöhnen.
- In den Bergen ist die Sonne besonders stark. ________ (d) Sie einen Hut und eine Sonnenbrille tragen, können Sie sich schützen.
- Nehmen Sie ausreichend Wasser mit, ________ (e) Sie immer genug zu trinken haben.
- Ihr Rucksack sollte nicht zu schwer sein, ________ (f) Sie ihn auch längere Zeit tragen können.

KB 4 STRUKTUREN

5 Meine erste Hüttentour: sodass oder indem? Ergänzen Sie die Sätze.

a Der Weg war wahnsinnig steil, sodass ich schon nach einer Stunde total kaputt war.
(Ich war schon nach einer Stunde total kaputt.)

b Leider war es neblig, ________________________________.
(Wir hatten keine schöne Aussicht.)

c Wir hatten genug Proviant eingepackt, ________________________________.
(Wir konnten uns während der Wanderung stärken.)

d Der Hüttenwirt hat für Nachtruhe gesorgt, ________________________________.
(Er hat um zehn Uhr das Licht in der Hütte ausgemacht.)

KB 5 WÖRTER

6 Welches Wort hat eine andere Bedeutung?
Streichen Sie das falsche Wort durch.

a Wir hatten ~~Verbesserungen~~ / Schwierigkeiten / Probleme, den richtigen Weg zu finden. Denn nirgends / überall / an keiner Stelle gab es ein Schild.

b Es ist sinnvoll / sinnlos / vernünftig, eine gute Landkarte mitzunehmen.

c Es hat geklappt / ist uns gelungen / ist schiefgegangen: Wir haben noch einen Schlafplatz in einer ziemlich vollen Hütte bekommen.

d Ich hatte sogar meine Stirnlampe vergessen / mitgenommen / eingesteckt.

e Natürlich haben wir die Angebote / Regeln / Vorschriften in der Hütte beachtet.

f Dauernd / Manchmal / Immer wieder hat der Wirt uns gefragt, ob wir etwas trinken wollen.

g Der Wirt hat auch bekannt gegeben / darüber informiert / achtgegeben, wann der nächste Hüttenmusikabend stattfindet.

h Nachts war es in der Hütte sehr ruhig / laut / still.

i Um fünf Uhr hat ein Wecker geklingelt. Da waren dann alle auf / wach / müde.

KB 5 **7** **Ordnen Sie zu.**

KOMMUNIKATION

schon verlangen | unheimlich wichtig | wesentlich wichtiger ist | ich nicht sehr viel | ich unfair | ~~legen größten Wert~~ | für mich undenkbar | lehne ich ab | Hauptsache ist doch

Naturfreunde oder Umweltzerstörer?

Wanderer legen größten Wert **(a) auf Ruhe. Im Gegensatz dazu suchen Biker in den Bergen die sportliche Herausforderung. Deshalb kommt es öfter zu Interessenskonflikten. Wir haben zwei Bergfreunde nach ihrer Meinung gefragt.**

Ich gehe sehr gern in den Bergen wandern, aber dort Mountainbike zu fahren, wäre ____________ (b). Von solchen Sportarten halte ____________ (c), weil sie der Natur schaden. Ich finde es ____________ (d), dass man die Landschaft in Ruhe genießen kann. Am allerschlimmsten finde ich, wenn Mountainbike-Rennen mit mehreren hundert Teilnehmern stattfinden. Das ____________ (e).

Viele sagen, dass Mountainbiker die Landschaft zerstören. Das finde ____________ (f). Mountainbiker haben doch auch das Recht, ihre Freizeit in den Bergen zu verbringen. Die ____________ (g), dass man sich an bestimmte Regeln hält. Man kann z.B. ____________ (h), dass jeder seinen Müll wieder mitnimmt und ____________ (i) natürlich noch, dass man auf den Wegen bleibt. Aber das gilt sowohl für Mountainbiker als auch für Wanderer.

KB 5 **8** **Immer diese Regeln!**

SPRECHEN

a **Welche Regeln kennen Sie noch? Schreiben Sie zu jedem Thema eine eigene Regel.**

öffentliche Orte (Restaurants, Museen ...)
In Restaurants und Kneipen ist es untersagt zu rauchen. ...

Reisen
In Jugendherbergen dürfen grundsätzlich keine Tiere mitgebracht werden. ...

Wohnen
In vielen Mietshäusern darf man nur bis 20 Uhr ein Instrument spielen. ...

b **Was halten Sie von diesen Regeln? Diskutieren Sie mit Ihrer Partnerin / Ihrem Partner über die Regeln in a.**

Ich finde, man kann schon verlangen, dass die Leute in Restaurants nicht rauchen. Diese Regel finde ich sinnvoll. ...

TRAINING: HÖREN

1 Skitourismus und Umwelt

a Sehen Sie die Fotos an und lesen Sie die Sätze 1–8 in b. Sammeln Sie Argumente zu dem Thema.

Skipiste

Kunstschnee aus einer Schneekanone

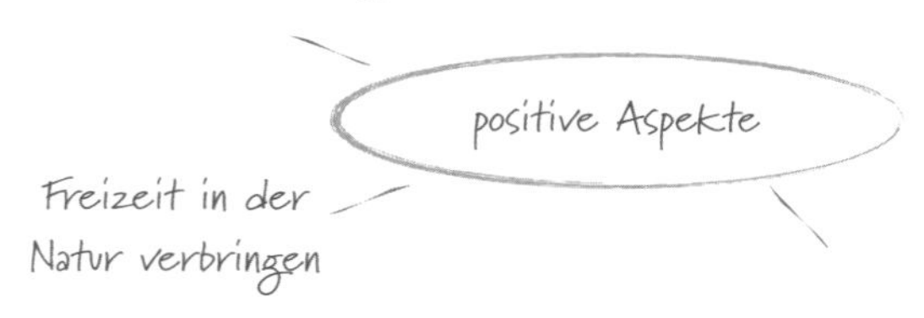

▶ 2 20 **b Lesen Sie noch einmal. Hören Sie dann die Diskussion. Wer sagt was? Ordnen Sie die Aussagen zu und kreuzen Sie an, M = Moderator, T = Frau Tremmel und N = Herr Nadler. Sie hören die Diskussion zweimal.**

TIPP
In Prüfungen müssen Sie bei einer kontroversen Diskussion verstehen, welche Meinung die verschiedenen Gesprächsteilnehmer haben. Überlegen Sie vor dem Hören: Welche Meinungen könnte es zu dem Thema geben? Die Aufgaben können dabei helfen.

Der Moderator einer Diskussionssendung im Radio diskutiert mit dem Autor Frank Nadler und der Tourismusmanagerin Regina Tremmel über das Thema „Skitourismus und Umwelt".

	M	T	N
1 Vier Millionen Leute fahren jeden Winter in den Alpen Ski.	⊗	○	○
2 Viele Menschen legen Wert darauf, ihre Freizeit in der Natur verbringen zu können.	○	○	○
3 Immer öfter herrscht in Wintersportregionen Schneemangel.	○	○	○
4 Man sollte auf keinen Fall Kunstschnee verwenden.	○	○	○
5 Kunstschnee verhindert, dass der Boden zerstört wird, wenn nicht ausreichend Schnee liegt.	○	○	○
6 Ohne Skitourismus würde es kaum Arbeitsplätze geben.	○	○	○
7 Man sollte nicht mit dem eigenen Auto anreisen.	○	○	○
8 Es sollte nicht noch mehr Skigebiete geben.	○	○	○

TRAINING: AUSSPRACHE *Nasale „m", „n", „ng", „nk"*

▶ 2 21 **1 Hören Sie und sprechen Sie nach.**

a nimm – Sinn
b kann – krank
c drinnen – trinken
d dann – Dank
e Decke – denken
f Lamm – lang

▶ 2 22 **2 Hören Sie und sprechen Sie dann.**

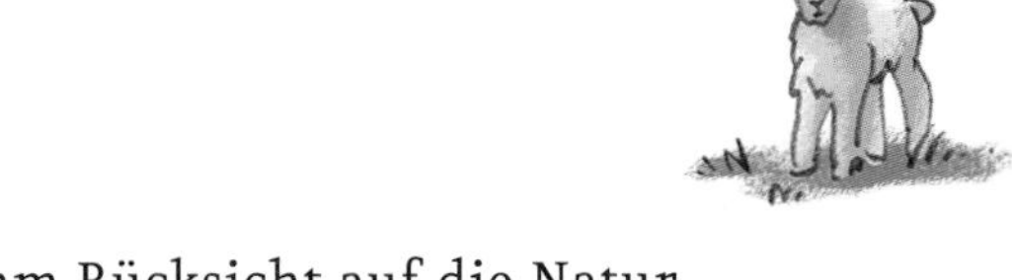

Tipps für eine lange Bergwanderung:
Reserviere unbedingt beim Wirt,
sonst bekommst du keinen Schlafplatz.
Bring einen eigenen Schlafsack mit
und Bargeld für die Übernachtung.
Denk an genug zu trinken,
nimm Rücksicht auf die Natur
und deinen Müll wieder mit.
In der Hütte keine klingelnden Handys.
Das kann man schon verlangen.
Die anderen werden es dir danken.

TEST

1 Ausflug in die Berge: Ordnen Sie zu.

WÖRTER

~~Hütte~~ | Proviant | Tal | Bergstiefel | zieht | reichen | Aussicht

Hallo Ihr Lieben,
anbei erhaltet Ihr noch ein paar weitere Informationen zu unserer Bergtour.
Da wir am Mittwoch erst gegen 18 Uhr in der *Hütte* (a) zu Abend essen, nehmt bitte genügend ________________ (b) für den Tag mit. Am Donnerstag wandern wir den „Alpenblick-Weg" entlang, genießen dort die großartige ________________ (c) und nehmen um 17 Uhr die letzte Gondel ins ________________ (d). In der Hütte sind Straßenschuhe verboten. Bitte ________________ (e) deshalb eure ________________ (f) gleich in der Eingangshalle aus!
Und denkt daran: Turnschuhe ________________ (g) für die Wanderung nicht aus!

_ / 6 PUNKTE

2 In den Bergen: *indem* oder *sodass?* Ergänzen Sie.

STRUKTUREN

a Machen Sie in den ersten Tagen kürzere Wanderungen,
sodass Sie sich an die Höhenluft gewöhnen. (sich an die Höhenluft gewöhnen)

b Nehmen Sie die richtige Kleidung mit, ________________
________________. (bei Kälte geschützt sein)

c ________________,
können Sie auch im Notfall schnell Hilfe holen. (immer ein Handy mitnehmen)

d Packen Sie Pflaster und Verbandsmaterial ein, ________________
________________. (bei einer Verletzung helfen können)

e Schonen Sie die Natur, ________________.
(auf den markierten Wegen bleiben)

_ / 4 PUNKTE

3 Hüttenregeln: Ordnen Sie zu.

KOMMUNIKATION

unheimlich wichtig | mich undenkbar | größten Wert | man das sieht | aber nicht fair | man schon verlangen

■ Wir haben letzte Woche in einer Hütte unsere eigenen Brote gegessen. Der Wirt wollte trotzdem von jedem von uns 2,50 Euro. Ich habe bezahlt, finde diese Regel ________________ (a). Was denkt ihr?

▲ Das wäre für ________________ (b)! Ich wäre einfach gegangen.

● Es kommt darauf an, wie ________________ (c). Du konntest in einem warmen Raum sitzen und die Toilette benutzen. Das kostet alles Geld! Da kann ________________ ________________ (d), dass du etwas bezahlst.

◆ Danke für den letzten Beitrag, den finde ich ________________ (e). Ich bin selbst Hüttenwirt und kann aus eigener Erfahrung nur zustimmen.
Übrigens: Wer etwas zu trinken bestellt, muss die 2,50 Euro natürlich nicht bezahlen. Darauf lege ich ________________ (f).

_ / 6 PUNKTE

Wörter		Strukturen		Kommunikation	
●	0–3 Punkte	●	0–2 Punkte	●	0–3 Punkte
●	4 Punkte	●	3 Punkte	●	4 Punkte
●	5–6 Punkte	●	4 Punkte	●	5–6 Punkte

www.hueber.de/menschen/lernen

LERNWORTSCHATZ

20

1 Wie heißen die Wörter in Ihrer Sprache? Übersetzen Sie.

In den Bergen
Aussicht die, -en
Dreck der
Hütte die, -n
Imbiss der, -e
A: Jause die, -n
CH: Znüni, auch: Zvieri der/das, -
Lebensgefahr die, -en
Stein der, -e
Stiefel der, -
Tal das, ¨-er
Unglück das, -e
verunglücken, ist verunglückt
Wirt der, -e

aus·ziehen, hat ausgezogen
siezen, hat gesiezt
sorgen für, hat gesorgt
treten, ist getreten

steil
umsonst
untersagt sein

Regeln
Gemeinschaft die, -en
Rücksicht die, -en
Rücksicht nehmen auf
Vorschrift die, -en
Wohl das
Zweck der, -e

dienen, hat gedient
gelten, es gilt, hat gegolten
regeln, hat geregelt
verlangen, hat verlangt

dauernd
grundsätzlich
ruhig
sinnvoll

wesentlich
wesentlich wichtiger

Weitere wichtige Wörter
Decke die, -n
Resultat das, -e
Schwierigkeit die, -en
Szene die, -n

aus·reichen, hat ausgereicht
CH: genügen
ausreichend
A: auch: genug
bekannt geben, du gibst bekannt, er gibt bekannt, hat bekannt gegeben
(ein)stecken, hat (ein)gesteckt
klappen, es hat geklappt
A/CH: funktionieren
klingeln, hat geklingelt
A/CH: auch: läuten
um·gehen mit, ist umgegangen

auf sein
unheimlich

nirgends

indem
sodass

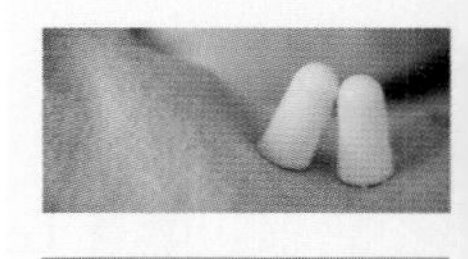

2 Welche Wörter möchten Sie noch lernen? Notieren Sie.

Vorher muss natürlich fleißig geübt werden.

KB 4 **1** **Ergänzen Sie die Wörter.**

WÖRTER

Liebe Billa,
endlich habe ich Zeit, Dir von unserer Tournee zu schreiben. Wir haben nämlich zwei Tage frei. Vier Wochen sind wir jetzt schon kr e u z und q u e r (a) auf allen Autobahnen Deutschlands unterwegs und essen dabei kiloweise G __ b __ c __ (b). Leider sieht man meistens von der U __ g __ bu __ g (c) nicht so viel. Gestern ging ziemlich viel schief: Zuerst sind wir bei der falschen A __ sf __ h __ t (d) von der Autobahn abgefahren. Es war meine S __ h __ ld (e), denn ich hatte nicht richtig aufgepasst. Natürlich sind wir viel zu spät zum Ko __ __ e __ ts __ __ l (f) gekommen, dann haben wir die G __ r __ er __ be (g) nicht gleich gefunden und beim Soundcheck ging auch noch ein La __ t __ pr __ cher (h) kaputt. E __ tg __ gen (i) unserer Erwartung war das Konzert dann trotzdem toll. Das P __ bl __ k __ m (j) war super und die S __ i __ m __ ng (k) fantastisch, obwohl nicht einmal alle Plätze b __ se __ z __ (l) waren. Vielleicht haben sich ja wichtige Leute vom Radio unter das Publikum g __ mi __ ch __ (m) und wir werden jetzt so richtig berühmt. ☺
Ü __ e __ m __ r __ en (n) spielen wir in Berlin. Mal sehen, wie da der E __ pfan __ (o) ist.
So __ an __ e (p) unser letztes Konzert kein M __ ss __ rf __ lg (q) wird, ist es o.k., auch wenn es vielleicht nicht so toll wird wie das g __ st __ ig __ (r).

KB 5 **2** **Orte in der Stadt: Bilden Sie Wörter, ordnen Sie zu und ergänzen Sie den Artikel.**

WÖRTER

~~platz~~ | di | haus | fuß | bad | ger | zo | hal | park | len | sta | ne | ~~markt~~ | haus | on | gän | kauf

a Da findet der Markt statt: *der Marktplatz*
b Da kann man auch im Winter schwimmen: ______________
c Da finden Fußballspiele oder andere Veranstaltungen statt: ______________
d Da dürfen keine Autos fahren: ______________
e Da kann man drinnen parken: ______________
f Da kann man viele verschiedene Waren kaufen: ______________

KB 5 **3** **Lokale Präpositionen**

STRUKTUREN ENTDECKEN

a **Ordnen Sie zu.**

außerhalb | ~~innerhalb~~ | an … entlang | um … herum

1 Die Kinder dürfen nur *innerhalb* des Gartens spielen.
2 Aber die Kinder spielen auch gern ______________ des Gartens.
3 Die Kinder laufen ________ der Kirche ________.
4 Die Kinder laufen ________ die Kirche ______________.

b **Ergänzen Sie die Präpositionen aus a.**

mit Akkusativ	mit Dativ	mit Genitiv
		innerhalb

KB 5 STRUKTUREN

4 Ordnen Sie zu und ergänzen Sie die Präpositionen und die Artikel in der richtigen Form.

um ... herum | ~~durch~~ | gegenüber von | außerhalb | innerhalb | am ... entlang | zu

Gestern habe ich eine Fahrradtour gemacht. Eigentlich wollte ich durch den (a) Schlosspark fahren. Aber ______ d___ (b) Schlossparks sind Fahrräder verboten. Deshalb musste ich ___ d___ ganzen Park ______ (c) fahren. Dann bin ich immer weiter ___ Fluss ______ (d) gefahren, bis ich ______ d___ (e) Stadt war. Dann bin ich abgebogen. Ich kam ___ ein___ (f) kleinen Kirche. ______ d___ (g) Kirche stand eine Bank. Dort habe ich angehalten und eine Pause gemacht.

KB 5 STRUKTUREN

5 Schwierigkeiten

Ergänzen Sie *außerhalb* oder *innerhalb* und die fehlenden Endungen.

a Ich buche ein teures Hotelzimmer, das außerhalb der • Saison nur die Hälfte gekostet hätte.
b Als ich beim Arzt anrufe, höre ich vom Anrufbeantworter die Ansage: „Leider rufen Sie ______ d___ • Sprechzeiten an."
c Ich habe eine hohe Rechnung bekommen, die ich ______ d___ nächst___ • Monats zahlen soll.
d Ich warte seit zwei Wochen auf ein bestelltes Buch, das mir der Online-Händler eigentlich ______ wenig___ • Tage liefern wollte.
e Am Abend habe ich einen beruflichen Termin. Da muss ich hingehen, obwohl er ______ mein___ • Arbeitszeit stattfindet.

KB 7 WÖRTER

6 Schreiben Sie die Wörter richtig.

a Unsere erste CD ist in einem Studio (DIOSTU) in Hamburg entstanden.
b Bei Konzerten ______ wir uns wie richtige Stars ___ (ENKOMMVOR).
c Manchmal müssen wir den Saal nach dem Konzert durch den ______ (GANGNTAOUS) verlassen, weil am Haupteingang zu viele Fans auf uns warten.
d Wir freuen uns immer, wenn es etwas zu essen gibt. Nicht alle Veranstalter sorgen für die ______ (UNGPFLEGVER) der Musiker.
e Viele Freunde helfen uns, indem sie in der Fußgängerzone Prospekte und Flyer ______ (TEIVERLEN).
f Der Bus, den wir für unsere erste Tournee gekauft haben, ist in einem schlechten ______ (STANDZU), aber wenigstens war er billig.
g Es wäre schön, wenn wir einen Manager hätten, der unsere Papiere ______ (NETORD) und die ganze Büroarbeit für uns macht.

BASISTRAINING

KB 7 **7 Was wird nach dem Konzert gemacht? Schreiben Sie Sätze im Passiv.**

STRUKTUREN

a zuerst das Licht im Saal einschalten
b dann die Instrumente einpacken
c danach die Technik abbauen
d leere Flaschen und Gläser an die Bar bringen
e anschließend die Stühle aufräumen
f am Ende die Halle sauber machen

a Zuerst wird das Licht im Saal eingeschaltet.

KB 7 **8 Bankgeschäfte: Ergänzen Sie die Tabelle. Schreiben Sie die Sätze im Aktiv.**

STRUKTUREN ENTDECKEN

a Bargeld Die Kunden	kann können	auch am Automaten Bargeld auch am Automaten	eingezahlt einzahlen.	werden.
b Bis zu 500 Euro Man	können	am Automaten	abgehoben	werden.
c Kredite Die Kunden	müssen	in der Kreditabteilung	beantragt	werden.
d Rechnungen Man	müssen	innerhalb eines Monats	bezahlt	werden.

KB 7 **9 Ein Konzert wird organisiert. Was muss getan werden?**
Markieren Sie die Wörter im Akkusativ. Schreiben Sie dann die Sätze im Passiv.

STRUKTUREN ENTDECKEN

Der Veranstalter muss …
a einen geeigneten Konzertsaal suchen.
b einen passenden Termin finden.
c Plakate drucken.
d die Hotelzimmer für die Band buchen.
e einen kleinen Tournee-Bus organisieren.
f die Presse informieren.

a Ein geeigneter Konzertsaal muss gesucht werden.

KB 8 **10 So soll man sich in einem klassischen Konzert verhalten.**
Schreiben Sie die Sätze im Passiv.

STRUKTUREN

a Nur in der Pause – telefonieren – dürfen
b Während des Konzerts – nicht fotografieren – dürfen
c Auch beim Lieblingslied – nicht mitsingen – sollen
d Während der Vorstellung nicht essen oder trinken – können
e Während des Konzerts – nicht aufstehen – sollen

a Es darf nur in der Pause telefoniert werden.
Nur in der Pause darf telefoniert werden.

KB 8 **11 Kurz vor der Tournee: Schreiben Sie die Sätze im Passiv.**

STRUKTUREN

a den Zustand des Tournee-Busses prüfen müssen
b den Veranstalter anrufen müssen
c am Tag vorher Verpflegung kaufen müssen
d während der Fahrt noch üben können
e den kaputten Lautsprecher reparieren müssen
f vor der Abfahrt noch tanken müssen
g im Tournee-Bus nicht rauchen dürfen

a Der Zustand des Tournee-Busses muss geprüft werden.

KB 10 **12** **Ergänzen Sie die Wörter.**

WÖRTER

Hi Leute! **Welche Stadt, die ihr in letzter Zeit besucht habt, könnt ihr empfehlen?**

Also am meisten begeistert (a) hat mich persönlich Wien. Dort gibt es ein großes kulturelles A________t (b). Wien hat im Ver________h (c) zu anderen Städten auch die schönsten Kaffeehäuser.
Viele davon gab es schon seit Anfang des vorigen Jah________s (d).
Eines der tollsten E________e (e) war der Besuch von Schloss Schönbrunn.
Wir haben eine Woche in Wien verbracht und haben uns keine Sek________e (f) gelangweilt.

Ich war im Sommer in Sankt Gallen in der Schweiz. Am besten gefallen hat mir die Stiftsbibliothek. Die interessantesten Ec________n (g) gab es in der Altstadt. Außerdem herrschte in dieser Stadt eine nette Atm________e (h). Die Menschen haben uns sehr freundlich beha________t (i). Also die Gastf________t (j) war wirklich toll. Wir hatten auch das Vergn________n (k) einer Schifffahrt auf dem Bodensee. Ich möchte bald wieder nach Sankt Gallen fahren. Eine nette Schweizerin, die ich auf dem Schiff kennengelernt habe, ist sch________d (l) daran.

KB 11 **13** **Verbinden Sie.**

a Dresden ist eine
b Diese Stadt ist immer
c Hier finden Sie nicht nur berühmte Gebäude,
d Besonders empfehlenswert ist
e Dieses Stadtviertel hat
f Eine Schifffahrt entlang der Elbe dürfen Sie
g Wenn Sie neugierig geworden sind,

die nettesten Gaststätten und Geschäfte.
auf keinen Fall versäumen.
der schönsten Städte in Deutschland.
dann informieren Sie sich doch auf der Homepage der Stadt.
einen Besuch wert.
die Dresdner Neustadt.
sondern auch interessante Museen.

KB 11 ▶ 2 23 **14** **Was ist richtig? Hören Sie und korrigieren Sie die Sätze.**

HÖREN

a Zürich liegt am Ufer eines Sees und es gibt dort ~~einen Fluss~~ zwei Flüsse.
b Im Vergleich zu anderen Großstädten ist Zürichs Atmosphäre dynamisch.
c Die Bahnhofstraße ist eine sehr bekannte Einkaufsstraße mit modernen Gebäuden.
d Direkt neben dem Schauspielhaus ist das Kunsthaus.
e Im Kunsthaus werden Werke vom 15. Jahrhundert bis zum 19. Jahrhundert ausgestellt.
f Zürich-West ist ein wichtiges Industriegebiet mit vielen Fabriken.
g Das Wasser des Flusses Limmat kann man trinken.
h Im *Frauenbadi*, das vor über 100 Jahren an der Limmat entstand, dürfen heute auch Männer baden.
i Viele Künstler und bekannte Persönlichkeiten sind in Zürich geboren.
j Zürich ist die Hauptstadt der Schweiz.

TRAINING: SCHREIBEN

1 Lesen Sie die E-Mail an das Tourismusbüro in Dresden und ordnen Sie zu.

Es wäre sehr freundlich | Bitte teilen Sie mir auch mit | Könnten Sie mir | ~~Daher möchte ich Sie~~ | Ich hätte außerdem noch gern

Sehr geehrte Damen und Herren,

ich organisiere für eine Gruppe von 12 Teilnehmern aus verschiedenen Ländern eine Wochenendreise nach Dresden. Für die Planung brauche ich noch ein paar Informationen.
Daher möchte ich Sie (a) um Ihre Hilfe bitten.
Wir möchten am Samstag eine Stadtführung machen. ____________________
____________ (b) eine Führung empfehlen, die besonders für junge Leute interessant ist? Muss man sich dazu anmelden?
____________________ (c), wie viel die Führung kostet und ob es eine Ermäßigung für Studenten gibt.
____________________ (d) Infomaterial über Dresden.
____________________ (e), wenn Sie mir Prospekte über die Stadt zusenden könnten. Meine Adresse finden Sie am Ende der E-Mail.

Im Voraus vielen Dank für Ihre Mühe.
Mit freundlichen Grüßen

TIPP

Sie möchten in einer formellen E-Mail bei einer Firma oder Institution um Informationen bitten und haben mehrere Fragen? Nennen Sie in der Einleitung den Grund, warum Sie schreiben. Verwenden Sie für Ihre Bitten verschiedene höfliche Formulierungen und bedanken Sie sich am Ende der E-Mail.

2 Schreiben Sie selbst eine Anfrage an das Tourismusbüro in Dresden und bitten Sie um Informationen.

Sie möchten für Ihren Deutschkurs (10 Teilnehmer) vom 13.–15. März eine Wochenendreise nach Dresden organisieren.

Fragen Sie nach folgenden Punkten:
- Tipps und Infomaterial zu Ausflügen in die Umgebung
- Möglichkeit, Räder zu leihen (Kosten)
- Möglichkeit, Konzertkarten für das Rammstein-Konzert zu bekommen, das im Internet schon ausverkauft ist

Achten Sie auf eine passende Anrede, Einleitung, Dank- und Grußformel. Schreiben Sie höflich.

TRAINING: AUSSPRACHE

Laut-Buchstaben-Beziehung: „f", „v", „w", „ph", „pf", „qu"

▶ 2 24 **1 Hören Sie und schreiben Sie die Wörter in die Tabelle.**

werden – Vergnügen – Navi – Erfolg – Atmosphäre – Koffer – Wetter – Quiz – Verpflegung – Proviant – Wein – quer – privat – Empfang

In diesen Wörtern höre ich …

„f" wie in „fahren"	„w" wie in „warum"
Vergnügen Erfolg …	werden Navi …

2 Ordnen Sie zu.

f | ff | ~~pf~~ | ph | qu | v | v | w

REGEL
Man spricht „f" wie in „fahren" und schreibt ____, ____, ____ oder ____.
Außerdem gibt es die Kombination pf.
Man spricht „w" wie in „warum" und schreibt ____ oder ____.
Außerdem spricht man „kw" in der Kombination ____.

3 Ergänzen Sie die fehlenden Buchstaben.

Herzlich w illkommen auf meiner Clown-Seite

____ollt ihr et____as über meine letzten Au____tritte ____issen?

12.03. – ____orbereitungen ____ür den Au____tritt

____ie immer bin ich schon Tage ____orher ner____ös.
Ob____ohl ich eigentlich keine Zeit da____ür habe, denn es muss ____iel ____orbereitet ____erden und ich dar____ nichts ____ergessen:

Der ____ertrag muss unterschrieben ____erden. Das Kostüm muss ge____aschen ____erden. ____er____legung ____ür die ____ahrt muss ____orbereitet ____erden, denn ohne Pro____iant geht bei mir nichts. Am Schluss packe ich alles in den Ko____erraum, tanke das Auto ____oll – und los geht es. Ich liebe es, kreuz und ____er durchs Land zu ____ahren. Mit Na____i ist das ja kein Problem.

14.03. – ____orstellung im Kindergarten "Wonneproppen"

____as soll ich sagen: Der Au____tritt ____ar ein ____oller Er____olg!
Schon der Em____ang durch die Kindergärtnerin Eva ____ar sehr ____reundlich und die Atmos____äre ____irklich angenehm. Die Kinder waren ____antastisch und haben toll mitgemacht.
Ich habe ihnen ____itze erzählt, lustige ____iz-____ragen gestellt und mit ihnen ____röhliche Lieder gesungen.

____öllig erschö____t bin ich am Abend nach Hause gekommen. Alles ist gut gegangen, keine Katastro____e ist passiert.
Ho____entlich dar____ ich bald ____ieder mein Clownprogramm au____ühren.

▶ 2 25 **Hören Sie und sprechen Sie dann.**

TEST

1 Ordnen Sie zu.

Wörter

~~Noten~~ | Garderobe | Misserfolgen | Notausgängen | Stimmung | Lampenfieber

Wir sind eine Schülerband und organisieren gerade unser erstes Konzert. Habt Ihr Tipps für uns?

Nehmt Eure Noten (a) mit! Ich habe sie einmal vergessen und musste deshalb ein Konzert absagen.

Ihr braucht eine ____________ (b) für Jacken und Mäntel. Wichtig ist auch, dass keine Stühle vor den ____________ (c) stehen.

Manchmal geht trotz guter Vorbereitung alles schief. Lasst Euch von ____________ (d) nicht abhalten!

Wundert Euch nicht, wenn Ihr vor dem Konzert nervös seid, ____________ (e) gehört dazu. Ich wünsche Euch viel Erfolg und eine tolle ____________ (f)!

_ / 5 Punkte

2 Was muss vor dem Auftritt erledigt werden? Ergänzen Sie die Sätze.

Strukturen

buchen | ~~drucken~~ | überprüfen | einladen | schreiben

a Es müssen Plakate gedruckt werden.
b Es ________ ein Raum ____________.
c Eine Pressemitteilung ____________.
d Es ________ Journalisten ____________.
e Die Technik ____________.

_ / 4 Punkte

3 Ordnen Sie zu.

Kommunikation

eine Reise wert | noch keine Sekunde | großen kulturellen Angebot | immer etwas los | Vergleich zu | von der Gastfreundschaft | dem vorigen Jahrhundert

Liebe Elvira,
ich arbeite zurzeit in Linz. Mein Job ist toll und die Stadt gefällt mir auch sehr gut. Hier gibt es fantastische Gebäude aus ____________ (a). Im ____________ (b) den Häusern bei mir zu Hause in Las Vegas sind die wirklich sehr alt! Ich bin fasziniert von dem ____________ (c), die Stadt war 2009 sogar Kulturhauptstadt Europas. Es ist ____________ (d), sodass ich mich ____________ (e) gelangweilt habe. Begeistert bin ich auch ____________ (f) der Österreicher. Du siehst, Linz ist immer ____________ (g).
Hoffentlich bis bald, Ricardo

_ / 7 Punkte

Wörter	Strukturen	Kommunikation
0–2 Punkte	0–2 Punkte	0–3 Punkte
3 Punkte	3 Punkte	4–5 Punkte
4–5 Punkte	4 Punkte	6–7 Punkte

www.hueber.de/menschen/lernen

LERNWORTSCHATZ

1 Wie heißen die Wörter in Ihrer Sprache? Übersetzen Sie.

Konzerte und Veranstaltungen

Atmosphäre die ____
Ausgang / Notausgang der, ⸚e ____
Empfang der, ⸚e ____
CH: auch: Réception die, -en
Garderobe die, -n ____
Lautsprecher der, - ____
Misserfolg der, -e ____
Note die, -n ____
Stimmung die, -en ____
Studio das, -s ____
Vergnügen das, - ____

versäumen, hat versäumt ____

besetzt ____

In der Stadt

Ausfahrt die, -en ____
Fußgängerzone die, -n ____
Fußgänger der, - ____
Gaststätte die, -n ____
A: Lokal das, -e
CH: Restaurant das, -s
Gebäude das, - ____
Hallenbad das, ⸚er ____
Kaufhaus das, ⸚er ____
CH: Warenhaus das, ⸚er
Parkhaus das, ⸚er ____
Platz der, ⸚e ____
Marktplatz der, ⸚e ____
Stadion das, Stadien ____
Umgebung die ____

vorig- ____

Weitere wichtige Wörter

Ausdruck der, ⸚e ____
Gastfreundschaft die ____
Gebäck das, -e ____
Kredit der, -e ____
Not die, ⸚e ____
Papiere (Pl.) ____
Patient der, -en ____
Schuld die, -en ____
schuldlos ____
A/CH: unschuldig
Sekunde die, -n ____
Sozial- ____
Sozialsiedlung die, -en ____
Vergleich der, -e ____
Zustand der, ⸚e ____

ab·heben, hat abgehoben ____
behandeln, hat behandelt ____
ein·zahlen, hat eingezahlt ____
mischen, hat gemischt ____
nach·schlagen, hat nachgeschlagen ____
ordnen, hat geordnet ____
schweigen, hat geschwiegen ____
überweisen, hat überwiesen ____
verpflegen (sich), hat sich verpflegt ____
verteilen, hat verteilt ____
vor·kommen (sich), ist sich vorgekommen ____

gestrig- ____
wert (sein) ____

quer ____
kreuz und quer ____
solange ____
übermorgen ____
übrigens ____
entgegen ____
innerhalb ⟷ außerhalb ____
um … herum ____

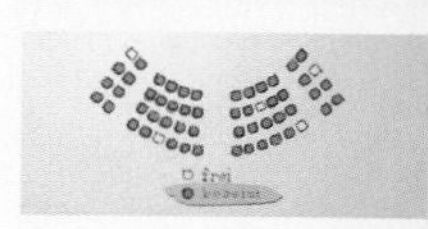

2 Welche Wörter möchten Sie noch lernen? Notieren Sie.

WIEDERHOLUNGSSTATION: WORTSCHATZ

1 Lösen Sie das Rätsel und finden Sie das Lösungswort.

a In dieser Straße dürfen keine Autos fahren. F U S S G Ä _ _ _ _ _ (9) O _ _

b Gebäude für Autos, hat viele Stockwerke _ (5) _ _ (2) _ _ _ _ _ S

c Geschäft, in dem unterschiedliche Waren angeboten werden _ (3) _ U F _ _ (7) _ _

d Hier finden Wettkämpfe und Fußballspiele statt. _ T _ (1) _ _ _ _

e In diesem Gebäude kann man schwimmen. H _ _ _ (6) _ _ _ _ _

f Dort bekommt man etwas zu essen und trinken. _ A _ _ (4) _ T Ä _ _ (8)

Lösung: Wo bin ich? Auf dem M _ _ _ _ _ _ _ _ _ (1 2 3 4 5 6 7 8 9)

2 Lesen Sie den Text und ordnen Sie zu. Nicht alle Wörter passen.

Gemeinschaft | ~~Stiefel~~ | Tal | Hütte | Stein | Verpflegung | Vieh | Rücksicht | Wirtin | Aussicht | Landwirtschaft | Übernachtungen

Mein neues Leben

„Ich habe mich noch nie so lebendig gefühlt!"

Anette Meckbach, 43 Jahre, hatte einen sicheren Job und verdiente gut. Glücklich war sie dabei nicht. Dann hatte sie den Mut, etwas Neues zu beginnen.

Hosenanzug, schicke Frisur, hohe Schuhe – das war früher. Heute trage ich bequeme Kleidung und feste Stiefel (a). Warum? Vor fünf Jahren habe ich meinen Job als Managerin aufgegeben und bin jetzt __________ (b) in einer __________ (c) an der Grenze zwischen Österreich und der Schweiz, in der Nähe des Lünersees.
15 Jahre lang ging es nur um Geld und Karriere, keiner nahm __________ (d) auf den anderen. Heute sind meine fünf Mitarbeiter und ich ein Team. Wir fühlen uns als __________ (e), in der sich jeder auf den anderen verlassen kann. Das ist auch wichtig, denn hier oben gibt es viel zu tun. Wir haben jeden Tag ungefähr 25 __________ (f) in unseren drei Matratzenlagern und rund 100 Gäste, die auf ihrer Wanderung __________ (g) brauchen und nur zum Essen und Trinken kommen.

Natürlich haben wir auch Kühe und Schafe. So können wir unseren Gästen frische Milch und selbst gemachten Käse anbieten. Das klingt nach viel Arbeit? Stimmt, das ist es auch! Aber mein Leben hat wieder einen Sinn. Wenn ich abends die __________ (h) ins __________ (i) genieße, bin ich müde, aber glücklich.

3 Was passt nicht? Streichen Sie das falsche Wort durch.

a Campingplatz – ~~Zweck~~ – Zelt – Übernachtung
b einzahlen – überweisen – ausziehen – abheben
c Vorschrift – Regel – Anweisung – Vergleich
d Wohl – Not – Unglück – Lebensgefahr

WIEDERHOLUNGSSTATION: GRAMMATIK

1 Was passt?

Ordnen Sie zu und ergänzen Sie die Endungen.

am … entlang | um … herum | außerhalb | innerhalb | ~~durch~~

- ■ Wo bleibst du denn so lange? Wenn du nicht ________________(a) d___ nächst___ halb___ Stunde kommst, fangen wir ohne dich mit dem Picknick an.
- ▲ Ich glaube, ich bin bald da. Ich fahre gerade _durch_ (b) e_in_ Dorf mit einem Fluss.
- ■ Ach ja, dann weiß ich, wo du bist. Fahr immer ____ Fluss ____________ (c), bis du ________________ (d) d___ Dorfes bist. Da musst du dann links abbiegen, dann kommst du zu einem See. Wir sind am Ufer gegenüber. Du musst also noch ____ d____ ganz___ See _________ (e) fahren.
- ▲ O.k., dann weiß ich Bescheid. Bis gleich.

2 Was muss auf der Hütte erledigt werden?

Schreiben Sie Sätze im Passiv mit *müssen*.

Heute erledigen

- ✓ den Gastraum sauber machen
- ○ mittags Essen verteilen
- ○ zwei Apfelkuchen backen
- ○ wenn es kalt ist: die Hütte heizen
- ○ das Deckenlicht unbedingt reparieren
- ○ am Abend Fenster schließen
- ○ Getränke für nächste Woche besorgen

Der Gastraum muss sauber gemacht werden.

3 Traumberuf Popstar: Ordnen Sie zu und schreiben Sie die Sätze.

desto | ~~indem~~ | sodass | je | indem

a Viele Jugendliche denken, sie können Popstar werden, _indem sie an einer Castingshow im Fernsehen teilnehmen_. (Sie nehmen an einer Castingshow im Fernsehen teil.) Aber das klappt meistens nicht.

b Es gibt sehr viele Teilnehmer, ______________________________. (Der einzelne Bewerber hat nur geringe Chancen.)

c Je mehr Talent jemand hat, ______________________________. (Die Chancen sind gut, berühmt zu werden.)

d Man kann sein Talent weiterentwickeln, ______________________________. (Man geht an eine Musikakademie.)

e (Man spielt oft in Clubs.) ______________________________, umso bekannter wird man.

SELBSTEINSCHÄTZUNG *Das kann ich!*

Ich kann jetzt ...

... Fragen zu einer Präsentation stellen: L19

Ich w________ g______ w_________, wer denn die Arbeiten organisiert?
G______ ____ d______ a______ ein Heimatmuseum?
W__________ S____ eigentlich sch____, wo Sie Ihren nächsten Auftritt haben?

... Regeln diskutieren: L20

■ Von der Regel zur Nachtruhe h________ ich nicht v______.
▲ Das f________ ich sc______ w___________. Sonst ist immer jemand laut.
● Wes______________ wichtiger f________ ich ein Handyverbot.
◆ Wirk__________? Das wä____ für mich unde__________.

... etwas anpreisen: L21

Die int__________________________ E________ gab ____ in Augsburg.
Und Augsburg h________ au____ den net____________ Konzertveranstalter.
Wir hatten das Ver____________ ei______ persönlichen Stadtführung.
Die „Fuggerei“ war ei______ der to___________ Er______________.
Wir haben uns k__________Sek_________ gelangweilt.
In der Altstadt gibt es fan________________ Geb________ aus dem vor_______ Jahrhundert.

Ich kenne ...

... 10 Wörter zum Thema „Landschaft und Tourismus“: L19

Das interessiert mich: ______________________________
Das interessiert mich nicht: ______________________________

... 8 Wörter zum Thema „In den Bergen“: L20

Das habe ich schon mal gebraucht/benutzt: ______________________________
Das habe ich noch nie gebraucht/benutzt: ______________________________

... 8 Wörter zum Thema „Konzerte und Veranstaltungen“: L21

____

Ich kann auch ...

... Vergleiche ausdrücken (Satzverbindung: *je ... desto/umso ...*): L19

Viele Menschen engagieren sich. Der Verein kann seine Arbeit gut machen.

____

... Fragen, Bitten, Aufforderungen freundlicher formulieren und Bezug auf gemeinsames Wissen nehmen (Modalpartikeln: *denn, doch, eigentlich, ja*): L19

Gibt es ________ /___________________ auch ein Heimatmuseum?
Sie könnten ________ zum Beispiel eine Patenschaft für eine Heidschnucke übernehmen.
Ich habe Ihnen ________ vorhin vom Naturschutzverein erzählt.

... Mittel und Resultate ausdrücken (Satzverbindungen: *indem* und *sodass*): L20

Notiere Route und Ziel deiner Bergtour, ____________ du gefunden werden kannst, falls du verunglückst.
__________ du Route und Ziel deiner Bergtour notierst, kannst du gefunden werden, falls du verunglückst.

SELBSTEINSCHÄTZUNG *Das kann ich!*

... die Lage von Orten und die Richtung angeben (lokale Präpositionen: *um ... herum, an/am ... entlang, innerhalb, außerhalb*): L21
Es geht _____ Rhein _______________ nach Basel.
Der Veranstaltungsort liegt etwa 20 Kilometer _______________ der Stadt.
Wir fahren dreimal _____ das Zentrum __________.
Im Zentrum, _______________ der Stadtmauer, liegt die Altstadt.

... Zeitangaben machen (temporale Präpositionen: *innerhalb, außerhalb*): L21
_______________ weniger Tage reisen wir durch Deutschland und die Schweiz.
Das Museum hatte zu. Wir standen _______________ der Öffnungszeiten vor der Tür.

... Verpflichtungen ohne Subjekt ausdrücken (Passiv Präsens mit Modalverben: *muss ... geübt werden*): L21
vorher fleißig üben: Es _______________

Auftrittsmöglichkeiten suchen: _______________

Üben/Wiederholen möchte ich noch:

____

RÜCKBLICK

Wählen Sie eine Aufgabe zu Lektion 19 _______________

1 Sie planen eine Reise in die Lüneburger Heide und suchen nach Reiseinformationen.

Sehen Sie noch einmal im Kursbuch auf Seite 120 und 121 nach und ergänzen Sie.

a Wie ist die Natur/Landschaft in der Region?
b Welche Urlaubsaktivitäten kann man machen?
c Welche lokalen Produkte kann man kaufen?
d Welche Informationen fehlen Ihnen noch?

a Die Landschaft in der Lüneburger Heide ist sehr flach. Es gibt ...

2 Reiseplanungen

a Wählen Sie eine Region in Deutschland, Österreich oder der Schweiz. Recherchieren Sie im Internet und machen Sie Notizen.

Region: die Pfalz / Speyer
Natur/Landschaft: Weinberge, Wälder, Rheintal
Aktivitäten: Dom in Speyer, Technik-Museum, Wandern
Produkte: Wein, Marmelade, Wurst

b Schreiben Sie Reiseinformationen für die Region.

Reisen in die Pfalz / nach Speyer
In der sonnigen Pfalz finden Sie neben Wäldern und Flusstälern viele Weinberge. An der Weinstraße können Sie zwischen Weinbergen spazieren gehen. Genießen Sie ...

RÜCKBLICK

Wählen Sie eine Aufgabe zu Lektion 20

1 Hüttenregeln

Lesen Sie noch einmal die Regeln im Kursbuch auf Seite 124. Kreuzen Sie an.

		richtig	falsch
a	Mas sollte einen Hüttenschlafplatz vorher reservieren.	⊗	○
b	Auch in den Bergen sollte man höflich sein und sich siezen.	○	○
c	In der Hütte kann man seinen eigenen Imbiss essen.	○	○
d	Man darf nur saubere Bergstiefel in der Hütte tragen.	○	○
e	Man sollte einen Schlafsack mitbringen.	○	○
f	Ab 22 Uhr sollte man leise sein, sodass man die anderen Gäste nicht stört.	○	○
g	Der Hüttenbucheintrag dient dazu, dass man bei einem Unfall schneller gefunden wird.	○	○
h	Man sollte seinen Müll in der Hütte in den Mülleimer werfen.	○	○

2 Regeln in einer Wohngemeinschaft

Sie wohnen in einer WG. Ihre Mitbewohner sind chaotisch und nehmen wenig Rücksicht auf die anderen. Schreiben Sie WG-Regeln.

Unsere WG-Regeln – gelten auch für dich!
– Geschirr: Du kannst für mehr Sauberkeit in unserer WG sorgen, indem du dein Geschirr immer gleich abspülst. Warte nicht, bis es keine einzige saubere Tasse mehr gibt! …

Wählen Sie eine Aufgabe zu Lektion 21

1 Lesen Sie noch einmal den Blog über die Tournee durch Deutschland und die Schweiz im Kursbuch auf Seite 128 und 129. Was passiert wo? Kreuzen Sie an.

		Essen	Basel	Augsburg
a	Die „Wonnebeats" verpassen die richtige Autobahnausfahrt.	⊗	○	○
b	Das Konzert findet außerhalb der Stadt statt.	○	○	○
c	Die Band mischt sich unter das Publikum.	○	○	○
d	Die „Wonnebeats" werden mit leckerem Essen empfangen.	○	○	○
e	Die Musikerinnen besichtigen das Folkwang-Museum und eine Synagoge.	○	○	○
f	Überall in der Stadt hängen Plakate.	○	○	○
g	Am Nachmittag gab es noch Karten, aber am Abend waren alle Plätze besetzt.	○	○	○

2 Schreiben Sie einen Blog über eine kurze Reise, die Sie gemacht haben.

- Wo waren Sie? Wann sind Sie gereist?
- Was haben Sie besichtigt und unternommen?
- Was haben Sie sonst noch erlebt?
- Was hat Ihnen besonders gefallen?

Freitagabend
Gleich nach der Arbeit ging es los. Ich bin mit meiner besten Freundin nach Wien gereist. Leider gab es einen langen Stau auf der Autobahn. Dann …

LITERATUR

HARRY KANTO MACHT URLAUB

Teil 3: Ich habe es ja gewusst!

„Schneemann! Setzt du dich wieder zu uns?"
„Wenn ich darf ..."
„Gern", sagte Clarissa. „Wie war denn Ihr Tag – so ganz ohne Skifahren? Ist Ihnen nicht langweilig gewesen?"
Soll ich Clarissa die Geschichte erzählen? Wird sie mir glauben?
Ich versuchte es: „Ich habe heute den Hoteldieb gefunden."
„Wow! Bist du ein Geheimagent?" Emma machte große Augen.
„So etwas Ähnliches." Ich lächelte.
„Aha, ein Geheimagent – und Sie haben den Fall gelöst." Clarissa glaubte mir natürlich nicht.

Also erzählte ich ihr alles: dass ich Privatdetektiv war, dass ich gestern zufällig ein geheimes Gespräch über gestohlenes Geld gehört hatte und dass einer der beiden Männer niemand anders war als der Hotelmanager. Sein Bild hatte ich nämlich in der Zeitung gesehen.
„Und jetzt glauben Sie, dass der Hotelmanager sein eigenes Hotel ausgeraubt hat? Das ist doch verrückt."
„Ich werde es Ihnen beweisen", sagte ich. „Fahren wir zu seinem Haus und beobachten ihn. Er wird uns zum Geld führen."
„Au ja, Tante Clarissa! Ich bin auch eine Geheimagentin!"
Oje, an dich habe ich gar nicht gedacht.
„Tut mir leid, Emma, das ist für ein Kind zu gefährlich. Es ist wohl besser, ich fahre alleine."
„Aber du bist doch ein Geheimagent, du passt auf mich auf."
„Ich erzähle dir danach alles, was ich gesehen habe. Versprochen."
„Wenn Sie wirklich etwas Interessantes finden, rufen Sie mich an." Clarissa gab mir ihre Handynummer.
Willems Adresse hatte ich während des Tages herausgefunden. Nun nahm ich ein Taxi zu seinem Haus.
Haus? Es war eine riesige Villa.
Und so einer stiehlt Geld? Warum?
Ich suchte mir ein Versteck und beobachtete die Villa.
Und ich hatte Glück, denn nicht viel später kamen die beiden Männer.
„Du hast das Geld jetzt in meinen Keller gebracht? Bist du verrückt?", fragte Willems.
„Aber Chef, das ist der beste Platz. Niemand sucht im Keller des Hotelmanagers."
Ich habe es ja gewusst!
Ich rief Clarissa an: „Die Diebe sind hier! Und ich weiß auch, wo das Geld ist. Rufen Sie schnell die Polizei und ..."
Dann sah ich nur noch Sterne und alles wurde schwarz.

In der BRD wurde die Demokratie eingeführt.

KB 3 **1** **Zeitungsüberschriften: Schreiben Sie die Wörter richtig.**

Wörter

a) Gegner (Gneegr) protestieren gegen das geplante Kraftwerk.
„Für diesen ______ (uaB) darf es keine ______________ (gungGemineh) geben.
______________ (tuevenell) können wir ihn aber durch unseren Protest noch verhindern."

b) ______________ (ischEuropäe) Union will Unternehmen zu mehr Datenschutz ______________ (engzwin).

c) Hat die Opposition im Parlament zu wenig ______________ (atMch)? – ______________ (Azanhl) der Sitze unter 25 Prozent gesunken

d) Wirtschaft in der Euro-______________ (eZno) wächst weiter. ______________ (chUresa) ist der steigende Export.

e) Steigende ______________ (Gwteal) bei betrunkenen Fußballfans: Die Polizeigewerkschaft verlangt als ______________ (Konquseenz) absolutes Alkoholverbot im Stadion.

f) Auch bei Traumpaaren gibt es keine ______________ (arieGant) für die Ehe: Tom und Dana nach nur einem Jahr geschieden
„Unsere ______________ (tellVorungens) von einer guten Beziehung sind zu verschieden."

g) Dieb gelang ______________ (chFult) aus dem Gefängnis

KB 4 **2** **Medien früher und heute**

Strukturen

a **Ergänzen Sie die Partizipien.**

1 Früher wurden öfter Briefe geschrieben (schreiben).
2 Musik-CDs sind im Laden ______________ (kaufen) worden.
3 1973 wurde das erste Mobiltelefon ______________ (herstellen).
4 1971 ist die erste E-Mail ______________ (verschicken) worden.
5 Heute werden Informationen oft im Internet ______________ (suchen).
6 Filme können aus dem Internet ______________ (herunterladen) werden.

Strukturen entdecken

b **Schreiben Sie die Sätze aus a in die Tabelle.**

Präsens:

Präteritum:

1 Früher	wurden	öfter Briefe	geschrieben.	

Perfekt:

KB 4 **3** **Ergänzen Sie die Verben im Passiv Präteritum.**

STRUKTUREN

Der Volkswagen – Geschichte eines Autos

Anfang der 30er-Jahre wurde der Volkswagen (VW) von Ferdinand Porsche entwickelt (entwickeln) (a). 1947 wurden die ersten VW ins Ausland __________ (exportieren) (b). Vor allem in den USA war das Auto sehr beliebt. Wegen seines Aussehens __________ es später „Käfer" __________ (nennen) (c). Ende der 70er-Jahre sanken die Verkaufszahlen, denn es kamen andere beliebte Kleinwagen auf den Markt. In Deutschland __________ der letzte Käfer 1978 __________ (bauen) (d). Bis 2003 __________ der VW-Käfer nur noch in Mexiko __________ (produzieren) und bis 1985 auch in Deutschland __________ (anbieten) (e). Später gab es dann ein neues Modell des Käfers, das aber nicht so erfolgreich war wie das Original. Der *New Beetle* __________ nur von 1997 bis 2010 __________ (herstellen) (f).

KB 4 **4** **Was erzählt der Stadtführer über die Hackeschen Höfe in Berlin?**
Schreiben Sie Sätze im Passiv Perfekt.

STRUKTUREN

Die Hackeschen Höfe sind ein beliebter Treffpunkt für Berliner und Touristen. In den acht miteinander verbundenen Höfen gibt es Wohnungen, Büros, Kneipen, Galerien, ein Theater und ein Kino.

a Die Hackeschen Höfe sind Anfang des vorigen Jahrhunderts gebaut worden.
(Anfang des vorigen Jahrhunderts bauen)
b 1906 __________.
(sie eröffnen)
c In den Höfen gab es circa 80 Wohnungen, zwei Festsäle, Büros, Geschäftshäuser und Fabriketagen.
Dort __________.
(vor allem Kleidung herstellen)
d In den Festsälen __________.
(viele Feste feiern)
e 1909 __________.
(dort sogar ein expressionistischer Dichterclub gründen)
f Einige Gebäude __________.
(im Zweiten Weltkrieg zerstören)
g Nach dem Mauerfall __________.
(die Höfe renovieren)
h 1997 __________.
(die Renovierung beenden)

KB 4 STRUKTUREN

5 Deutschland in den 50er- und 60er-Jahren

Schreiben Sie Sätze im Passiv Präteritum und im Passiv Perfekt.

a Nach dem Krieg – neue Wohnungen – bauen
b Viele Waschmaschinen, Fernseher und Autos – kaufen
c In den 50er-Jahren – auch samstags – arbeiten
d Erst in den 60er-Jahren – die 5-Tage-Woche – einführen
e Viele Arbeitnehmer aus Südeuropa – einstellen

a **Präteritum:** Nach dem Krieg wurden neue Wohnungen gebaut.
Perfekt: Nach dem Krieg sind neue Wohnungen gebaut worden.

KB 6 KOMMUNIKATION

6 Welches historische Ereignis beeindruckt Sie besonders? Ordnen Sie zu.

mir noch nie vorstellen | hätte ich gern | ~~schon immer beeindruckt~~ | gern gesehen | ich gern erlebt | immer interessiert | beeindruckend gewesen sein | dabei gewesen | bestimmt eine tolle Zeit

■ Mich haben die Pyramiden in Ägypten *schon immer beeindruckt* (a). Vor 4500 Jahren gab es kaum technische Hilfsmittel. Ich konnte ______________ (b), wie man damals so große Pyramiden bauen konnte. Das hätte ich ______________ (c).

● Mich hat die Geschichte des Fliegens schon ______________ (d). Der Pilot Charles Lindbergh flog 1927 in gut 33 Stunden ganz allein von New York nach Paris. Das muss ______________ (e). Das ______________ (f) erlebt.

▲ Ich wäre gern 1969 beim Woodstock-Festival ______________ (g). Die Stimmung muss super gewesen sein. Das hätte ______________ (h). Die 60er-Jahre waren ______________ (i).

KB 6

7 Deutschland im Herbst 1989

▶ 2 26 HÖREN

a Hören Sie den Beginn des Textes. Was ist richtig? Kreuzen Sie an.

Im Text geht es um ...
- ◯ die Demonstrationen, die im Herbst 1989 in Leipzig stattfanden.
- ◯ einen Mann, der die Maueröffnung erlebt hat.
- ◯ die Erwartungen der DDR-Bürger im Herbst 1989.

▶ 2 27 HÖREN

b Hören Sie jetzt das Interview. Notieren Sie die Antworten in Stichpunkten.

1 Was hat Uli U. beruflich gemacht? *war Student*
2 Wie hat Uli im Herbst 1989 gezeigt, dass er mit dem politischen System nicht zufrieden war?
3 Wo war Uli, als er von der Maueröffnung erfuhr?
4 Worüber war Uli überrascht, als er über die Grenze ging?
5 Wie lange war Uli am ersten Abend in Westberlin?
6 Hatte Uli vor, im Westen zu bleiben?
7 Warum gab es auch am Wochenende lange Schlangen an den Banken?
8 Was hat sich Uli im Westen gekauft?

TRAINING: LESEN

1 Flucht aus der DDR

a **Lesen Sie die Aufgaben 1 und 2 in a und den Anfang des Artikels (Zeile 1–9) in b. Notieren Sie dann die Zahlen. Im Text fehlen Wörter, die Sie vielleicht nicht kennen. Die unterstrichenen Wörter helfen.**

Wie viele Personen …
1 versuchten, zwischen 1961 und 1989 die DDR ohne Ausreisegenehmigung zu verlassen? ______
2 sind an der Mauer gestorben? etwa ______

> TIPP: Sie kennen nicht alle Wörter in einem Text? Das macht nichts. Sie können den Text trotzdem verstehen, denn die Bedeutung vieler Wörter kann man aus dem Kontext erkennen. Außerdem helfen ähnliche Wörter aus anderen Sprachen, wie z.B. illegal.

b **Lesen Sie die Aufgaben. Lesen Sie dann den Artikel weiter. Was ist richtig? Kreuzen Sie an.**

1 Ein DDR-Soldat, der aufpassen sollte, dass niemand über die Grenze geht,
- a wollte den Mauerbau verhindern. ○
- b entschloss sich ungeplant zur Flucht. ○

2 Im Jahr 1964
- a bauten 57 DDR-Bürger einen Tunnel unter der Mauer. ○
- b gelang 57 DDR-Bürgern die Flucht durch einen Tunnel. ○

FLUCHT AUS DER DDR

Zwischen 1961 und 1989 haben circa 1,25 Millionen DDR-Bürger ihr Land verlassen. 150 000 versuchten, illegal zu ______ 1. Viele davon kamen ins Gefängnis oder bezahlten ihren Fluchtversuch mit dem Leben. Die genaue Anzahl der ______ 2 ist nicht bekannt, aber allein an der Berliner Mauer waren es mindestens 138. Nur 40 000 ist die Flucht gelungen.
Weltberühmt wurde zum Beispiel der Fall eines DDR-Soldaten in Uniform. Er sollte im August 1961 während des Mauerbaus verhindern, dass DDR-Bürger in den Westen fliehen. Doch dann entschied er spontan, selbst über den Stacheldrahtzaun zu springen. Das Foto von diesem Ereignis ging um die ganze Welt. Eine der spektakulärsten Fluchten ereignete sich im Oktober 1964. 57 Männer, Frauen und Kinder gelangten durch einen circa 150 Meter langen Tunnel unter der Mauer in die Freiheit. Mit größter Mühe hatten Westberliner Studenten und Verwandte der Flüchtlinge den Tunnel in monatelanger Arbeit gegraben.

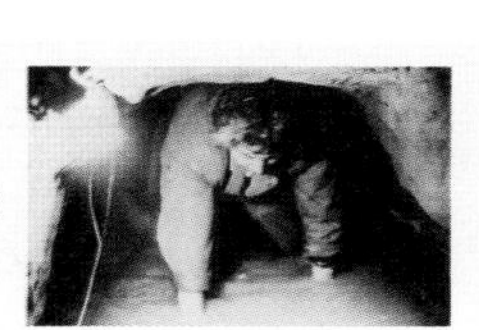

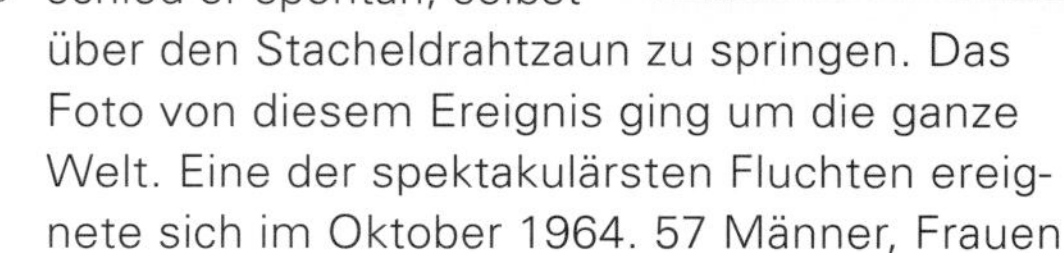

1: flüchten 2: Todesopfer

TRAINING: AUSSPRACHE *Konsonantenverbindung „ks“*

1 Hören Sie.

▶ 2 28 **a** **An welcher Position im Wort hören Sie „ks“? Markieren Sie.**

Experiment – Kriegsende – Volksabstimmung – Text – Alltagskultur – sechs – Komplex – Lexikon – wachsen – unterwegs

▶ 2 29 **Hören Sie noch einmal und sprechen Sie nach.**

b **Ergänzen Sie.**

> REGEL: Man spricht „ks“ bei: X, ___, ___, ___.

▶ 2 30 2 Hören Sie und sprechen Sie dann.

Sechs Hexen aus Brixen sind
unterwegs nach Niedersachsen.
Sie fliegen nach links,
sie fliegen nach rechts – und landen – oje –
bei der Volksabstimmung in Sachsen.

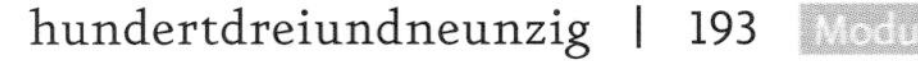

TEST

1 Erinnerungen an 1989, als die Mauer fiel: Ordnen Sie zu.

Wörter

Denkmal | ~~Gewalt~~ | Mauer | Soldaten | Bau | Flucht | Macht

- ● Damals war ich noch nicht auf der Welt. Aber ich weiß, dass es eine friedliche Revolution ohne _Gewalt_ (a) war. Ich kann mir gar nicht vorstellen, dass Berlin damals durch eine ______________ (b) geteilt wurde.
- ■ Ich wohnte in Ostberlin. Als in Ungarn die Grenzen in den Westen geöffnet wurden, überlegte ich nicht lange. Mit mir waren Tausende auf der ______________ (c). Überall waren ______________ (d), aber sie konnten nicht verhindern, dass die Menschen das Land verließen. Die DDR-Regierung hatte ihre ______________ (e) verloren.
- ▲ Meine Großeltern in Westberlin konnten es kaum erwarten, wieder die Freunde und Kollegen zu treffen, von denen sie 1961 beim ______________ (f) der Mauer getrennt worden sind.
- ▼ Stimmt es, dass von der Mauer heute nur noch Reste stehen? Schade, sie sollte doch ein ______________ (g) sein!

_ / 6 Punkte

2 Schreiben Sie Sätze im Passiv.

Strukturen

a Präteritum: Deutschland – nach dem Krieg – in vier Zonen – aufteilen
b Perfekt: 1949 – gründen – die BRD und die DDR
c Präteritum: Die Mauer – bauen – 1961 – in Berlin
d Präteritum: An den Grenzen – kontrollieren – die Menschen – von Soldaten
e Perfekt: Nach 28 Jahren – die Mauer – wieder öffnen

_ / 4 Punkte

a Deutschland wurde nach dem Krieg in vier Zonen aufgeteilt.

3 Ordnen Sie zu.

Kommunikation

hätte ich erlebt | Menschen interessiert | mir gut vorstellen | gern dabei gewesen | beeindruckend gewesen

Mich haben schon immer ______________________ (a), die ein Leben lang für ihre Ziele gekämpft haben. Deshalb wäre ich ______________________ (b), als Martin Luther King am 28. August 1963 in Washington seine Rede „I have a dream" hielt. Zusammen mit 250 000 Menschen ______________________ (c), wie er Freiheit und Gerechtigkeit für alle Menschen forderte, egal welche Hautfarbe oder Religion sie haben. Die Stimmung am Lincoln Memorial kann ich ______________________ (d). Das muss sehr ______________________ (e) sein.

_ / 5 Punkte

Wörter		Strukturen		Kommunikation	
●	0–3 Punkte	●	0–2 Punkte	●	0–2 Punkte
●	4 Punkte	●	3 Punkte	●	3 Punkte
●	5–6 Punkte	●	4 Punkte	●	4–5 Punkte

www.hueber.de/menschen/lernen

LERNWORTSCHATZ

1 Wie heißen die Wörter in Ihrer Sprache? Übersetzen Sie.

Geschichtliches

Bau der, -ten ______
Bundes- ______
  Bundesstaat der, -en ______
  Bundesregierung die, -en ______
Denkmal das, ¨-er ______
Einführung die, -en ______
Europäische Union die ______
  europäisch ______
Flucht die, -en ______
Gegner der, - ______
Gewalt die, -en ______
  gewaltvoll ______
Macht die, ¨-e ______
National- ______
  Nationalfeiertag der, -e ______
  Nationalhymne die, -n ______
Soldat der, -en ______
Teil der, auch: das, -e ______
Ursache die, -n ______
Verlust der, -e ______

fordern, hat gefordert ______
protestieren, hat protestiert ______

Weitere wichtige Wörter

Anzahl die, -en ______
Garantie die, -n ______
Genehmigung die, -en ______
  genehmigen, hat genehmigt ______
Hit der, -s ______
Konsequenz die, -en ______
Vorstellung die, -en ______
erscheinen, ist erschienen ______
  A: vorkommen
loben, hat gelobt ______
zwingen, hat gezwungen ______

angeblich ______
eventuell ______
hinterher ______
  A: auch: danach

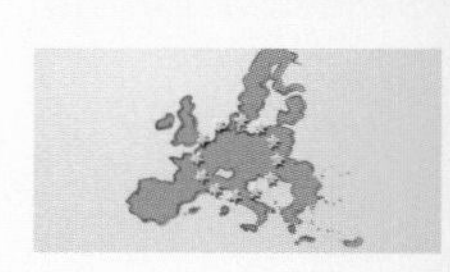

2 Welche Wörter möchten Sie noch lernen? Notieren Sie.

______
______
______
______
______
______
______
______
______

Fahrradfahren ist in.

KB 3 **1** **Ergänzen Sie.**

WÖRTER

DIE FAHRRADFREUNDE

- **Er s a t z t e i le (a), Zubehör und Reparatur**
  Hier finden Sie zahlreiche Tipps zu Licht, Bre ___ ___ en (b), K ___ ___ ___ geln (c), Reifen oder Reifend ___ u ___ k (d).
- **M ___ ___ i ___ i ___ ät (e) auch ohne eigenes Fahrrad**
  Fahrradst ___ ___ ___ ___ nen (f) in Ihrer Nähe: zur Übersicht
- **Fahrradpflege & Rein ___ ___ ___ ng (g)**
  Gepflegte Räder halten länger. Wir haben n ___ tz ___ i ___ he (h) Informationen für Sie.
- **Bürgerinitiative: Tempo 30**
  Für mehr Sicherheit auch auf großen Kr ___ ___ z ___ n ___ en (i): Ein Tempolimit s ___ hüt ___ t (j) nicht nur Radfahrer, sondern verb ___ s ___ ert (k) ne ___ e ___ be ___ (l) auch die Wohnqualität.
  Zu aktuellen Aktionen

KB 3 **2** **Fahrradfreundliche Städte: Was ist richtig? Kreuzen Sie an.**

STRUKTUREN

a Die Städte sollten für eine fahrradfreundliche Atmosphäre sorgen,
 ☒ statt ○ ohne nur an die Autofahrer zu denken.
b Man kann eine Stadt nicht fahrradfreundlicher machen,
 ○ statt ○ ohne den Autofahrern Platz wegzunehmen.
c ○ Statt ○ Ohne noch mehr Straßen zu bauen, sollten die Städte lieber mehr Fahrradwege bauen.
d Mit Park & Ride-Angeboten können Pendler in die Stadt kommen,
 ○ statt ○ ohne im Stau zu stehen.
e In autofreien Städten bleiben auch Familien im Zentrum wohnen,
 ○ statt ○ ohne aufs Land zu ziehen.

KB 3 **3** **Ordnen Sie zu und schreiben Sie Sätze mit *ohne zu* oder *statt zu*.**

STRUKTUREN

auf Autos achten | ~~ein Flugzeug nehmen~~ | dir ein neues kaufen | mich vorher fragen | mit dem Fahrrad fahren

a Wir fahren dieses Jahr mit dem Zug in den Urlaub, ... — a statt ein Flugzeug zu nehmen.
b Willst du dein Fahrrad nicht lieber reparieren, ...
c Du kannst doch nicht einfach mein Auto nehmen, ...
d Mein Mann fährt immer mit dem Auto zum Bäcker, ...
e Auf reinen Fahrradstraßen kann man sicher Rad fahren, ...

KB 3 STRUKTUREN ENTDECKEN

4 *Statt/Ohne dass* oder *statt/ohne zu*?

a Markieren Sie die Subjekte in Haupt- und Nebensätzen. Sind sie gleich? Kreuzen Sie an.

	gleich	verschieden
1 Die Bürger können schon jetzt kaum durch die Stadt radeln, ohne dass Autofahrer ihnen die Vorfahrt nehmen.	○	☒
2 Die Politiker wollen offenbar eine neue Schnellstraße bauen, ohne dass sie die Bürger befragen. / ohne die Bürger zu befragen.	○	○
3 Die Bürgerinitiative will die Verkehrspolitik mitbestimmen, statt dass die Politiker alles allein entscheiden.	○	○
4 Die Bürgerinitiative möchte Autos in Städten verbieten, statt dass sie breitere Radwege fordert. / statt breitere Radwege zu fordern.	○	○

b Was ist richtig? Kreuzen Sie an.

GRAMMATIK

	(an)statt/ ohne dass	(an)statt/ ohne zu
Das Subjekt in Haupt- und Nebensatz ist gleich: Nebensatz mit	○	○
Die Subjekte in Haupt- und Nebensatz sind verschieden: Nebensatz nur mit	○	○

KB 3 STRUKTUREN

5 Schreiben Sie die Sätze mit *ohne dass/statt dass* und wenn möglich auch mit *ohne zu/statt zu*.

a Ich muss oft Überstunden machen. Ich bekomme kein Geld dafür.
b Ich erledige die meisten Aufgaben für unseren Chef. Die neue Kollegin hilft mir nicht.
c Die neue Kollegin telefoniert lieber privat. Sie macht ihre Arbeit nicht.
d Ich suche mir jetzt einen neuen Job. Ich rege mich nicht weiter auf.
e Ich schreibe Bewerbungen. Meine Kollegin weiß es nicht.

a Ich muss oft Überstunden machen, ohne dass ich Geld dafür bekomme.
Ich muss oft Überstunden machen, ohne Geld dafür zu bekommen.

KB 5 KOMMUNIKATION

6 Aber das ist mir ganz egal.

a Ordnen Sie zu.

Das ist mir ganz egal/gleich. | Ich kann dir da nur zustimmen. | ~~Dafür spricht, dass …~~ | Ärgerst du dich denn nicht darüber? | Das interessiert mich nicht. | Ich bin völlig anderer Meinung. | ~~Mein Standpunkt ist, dass …~~ | Davon halte ich nicht viel. | Ich bin voll und ganz deiner Meinung. | Macht dir das nichts aus? | Meinetwegen kann jeder das so machen, wie er möchte.

Zustimmung ausdrücken	Ablehnung ausdrücken	rückfragen und Gleichgültigkeit ausdrücken
Dafür spricht, dass … Mein Standpunkt ist, dass …		

b Ergänzen Sie. Hilfe finden Sie in der Tabelle in a.

■ Guck mal, mein neues Auto.
▲ Wow, ein Sportwagen! Toll! Aber nicht besonders umweltfreundlich, oder?
■ Du hast recht. Ich kann *dir da nur zustimmen* (1).
Aber das ist ______________________________ (2).
▲ Der verbraucht bestimmt viel Benzin, oder? Macht ______________________
__________ (3)?
■ Doch, aber Autos sind meine große Leidenschaft. Da achte ich nicht auf den Energieverbrauch. ______________________________ (4), wie er möchte.
▲ Ich bin voll ______________________________ (5). Ich habe keine Badewanne und einen Ökostrom-Anbieter. Aber für meine Fernreisen nehme ich nicht die Eisenbahn, sondern das Flugzeug.

KB 6

7 Umweltschutz und Lebensqualität

WÖRTER

a Sie haben im Fernsehen eine Diskussionssendung zu diesem Thema gesehen. Lesen Sie den Beitrag im Online-Forum der Sendung und ordnen Sie zu. Nicht alle Wörter passen.

abhängt | eventuell | Gesetze | Gewalt | konsumiere | sowieso | Stecker | steht … fest | tatsächlich | ~~Umweltverschmutzung~~ | verschlechtert | zwinge

Brauchen wir ____________________ (1) mehrere Autos pro Familie und jeden Tag ein Stück Fleisch? Sind Fernreisen nötig? Was darf ich mir in Zeiten starker *Umweltverschmutzung* (2) noch leisten? Kann ich die Umwelt schützen, indem ich die ____________________ (3) von Stand-by-Geräten aus der Steckdose ziehe und im Winter keine Erdbeeren ____________________ (4)? Natürlich nicht! Während sich der Zustand des Klimas weiter ____________________ (5), wird immer noch diskutiert, statt zu handeln. Meiner Ansicht nach brauchen wir bessere ____________________ (6), denn ohne die werden wir unser Umweltverhalten ____________________ (7) nicht ändern. Und es ____________________ doch ____________________ (8), dass unsere Lebensqualität nicht nur vom Konsum, sondern auch von einer sauberen Umwelt ____________________ (9).

SCHREIBEN

b Schreiben Sie selbst einen Beitrag zu dem Thema. Machen Sie Notizen zu den Fragen. Hilfe finden Sie auch in der Tabelle in 6a.

– Was ist für Sie Lebensqualität? Was ist Ihnen wichtig? / nicht so wichtig?
– Wie wichtig ist Ihnen Umweltschutz? Beeinflusst der Umweltschutz Ihr Verhalten?
– Was meinen Sie? Brauchen wir Gesetze für den Umweltschutz?

TRAINING: HÖREN

1 Umzug aufs Land: Notieren Sie Wörter zum Thema.

Umzug aufs Land

Vorteile: frische Luft, mehr Platz, Ruhe, geringere Miete

Nachteile: Abhängigkeit vom Auto, kein kulturelles Angebot

TIPP

In Prüfungen hören Sie Gespräche zwischen zwei Personen. Sie hören diese Gespräche nur einmal. Die Personen sprechen über Alltagsthemen wie Feste und Veranstaltungen, Ausbildung und Beruf, Familie und Kinder, Reisen und Urlaub ... Wenn Sie vor der Prüfung Wörter zu diesen Themen wiederholen, wird das Hörverstehen leichter.

▶ 2 31

2 Sie stehen an der Bushaltestelle und hören ein Gespräch zwischen zwei Personen.

Lesen Sie zunächst die Aufgaben und hören Sie dann. Kreuzen Sie an.

		richtig	falsch
a	Der Mann ist vor einem halben Jahr mit seiner Familie aufs Land gezogen.	⊗	○
b	Die Kinder haben sich auf dem Land sofort sehr wohlgefühlt.	○	○
c	Es gibt leider nicht so viele Kinder in der Nachbarschaft.	○	○
d	Die Familie hat auf dem Land mehr Platz.	○	○
e	Die Ruhe und die frische Luft gefallen dem Mann besonders gut.	○	○
f	Der Mann hält nicht viel vom bunten Stadtleben.	○	○
g	Die Frau würde lieber auf dem Land als in der Stadt wohnen.	○	○
h	Der Mann fährt meistens mit dem Zug zur Arbeit.	○	○
i	Die Kinder waren in der Stadt selbstständiger.	○	○

TRAINING: AUSSPRACHE *Satzakzent: Nachdruck und Gleichgültigkeit*

AUSSPRACHE – AUSSPRACHE –

▶ 2 32

1 Hören Sie die Reaktionen und sprechen Sie nach. Achten Sie auf den Satzakzent.

Meiner Meinung nach sollten die öffentlichen Verkehrsmittel kostenlos sein.

a Ich kann dir da nur zustimmen.
b Ich bin voll und ganz deiner Meinung.
c Davon halte ich nicht viel.
d Da bin ich völlig anderer Meinung.

▶ 2 33

2 Hören Sie und markieren Sie den Satzakzent: ___.

■ Oh Mann! ↘ Sandra hat schon wieder Plastik in den Biomüll geworfen. ↘
▲ Na und? ↗
■ Sag mal →, ärgerst du dich denn nicht darüber? ↗
▲ Nein →, das ist mir gleich. ↘
■ Ja →, aber man muss doch etwas für die Umwelt tun. ↘
▲ Ach. ↘ Meinetwegen kann das jeder so machen →, wie er möchte. ↘

Spielen Sie das Gespräch mit Ihrer Partnerin / Ihrem Partner.

TEST

1 Radtouren am Bodensee: Ordnen Sie zu.

WÖRTER

Kreuzungen | ~~Eisenbahn~~ | Bremsen | Klingel | Vorfahrt | Reifendruck | Ersatzteile | Stationen

Route Nr. 5: Radeln Sie 250 Kilometer rund um den See auf Radwegen und ruhigen Nebenstraßen. Sie können die Route jederzeit mit Hilfe von Fähren oder der Eisenbahn (a) abkürzen.

Fahrräder: In vielen Hotels können Fahrräder ausgeliehen werden. Falls Sie Ihr eigenes Rad mitbringen, achten Sie bitte darauf, dass es zwei ___________ (b), ein Vorder- und Rücklicht und eine ___________ (c) hat, die nicht zu leise ist.

Sicherheit: Entlang der Route finden Sie in regelmäßigen Abständen Service-___________ (d), an denen Sie Ihren ___________ (e) prüfen oder auch ___________ (f) kaufen können.

Verkehr: An ___________ (g) ohne Verkehrszeichen gilt: Wer von rechts kommt, hat ___________ (h).

_ / 7 PUNKTE

2 Tag der Umwelt: Ergänzen Sie die Sätze mit *ohne … zu*, *ohne dass*, *statt … zu* oder *statt dass*. Manchmal gibt es zwei Lösungen.

STRUKTUREN

a Steigen Sie Treppen, … (keinen Aufzug benutzen)
b Nehmen Sie zum Einkaufen eine Stofftasche mit, … (keine Plastiktasche kaufen)
c Ihre Wäsche trocknet auch, … (keinen Trockner benutzen)
d Verkaufen Sie Ihre Kleidung auf einem Flohmarkt, … (nicht in den Müll werfen)
e Spezialisten reparieren Ihr kaputtes Handy, … (kein neues Gerät kaufen)
f So schützen Sie die Umwelt, … (nicht auf Lebensqualität verzichten)

a Steigen Sie Treppen, statt den Aufzug zu benutzen. / statt dass Sie den Aufzug benutzen.

_ / 8 PUNKTE

3 Wer ist für die Umwelt verantwortlich? Was sagen die Personen? Ergänzen Sie.

KOMMUNIKATION

■ Natürlich sind die Industriebetriebe die größten Umweltverschmutzer. Da k ___ ___ ___ ich dir nur ___ us ___ i ___ ___ ___ ___ (a). Aber ich finde, du machst es dir zu einfach, bloß den anderen die Schuld zu geben.

▲ Da bin ich a ___ ___ ___ r ___ ___ Me ___ ___ ___ ___ g (b). Was kann ich als einzelne Person schon tun? Meinet ___ ___ ___ ___ ___ kann j ___ ___ ___ ___ das so ___ ac ___ ___ ___ (c), wie er möchte.

■ Denk doch nur mal an unsere Stadt. Obwohl wir hier so gut wie keine Industrie haben, ist die Luft stark verschmutzt. Ä ___ ___ ___ ___ ___ ___ du dich ___ ___ nn nicht d ___ ___ ü ___ ___ ___ (d)?

▲ Doch, das gefällt mir auch nicht. Da h ___ ___ ___ du r ___ ___ ___ ___ (e).

_ / 5 PUNKTE

Wörter		Strukturen		Kommunikation	
●	0–3 Punkte	●	0–4 Punkte	●	0–2 Punkte
●	4–5 Punkte	●	5–6 Punkte	●	3 Punkte
●	6–7 Punkte	●	7–8 Punkte	●	4–5 Punkte

www.hueber.de/menschen/lernen

LERNWORTSCHATZ

1 Wie heißen die Wörter in Ihrer Sprache? Übersetzen Sie.

Klima und Umwelt

Anbieter der, - __________________
Energie die, -n __________________
Gesetz das, -e __________________
Konsum der __________________
Mobilität die __________________
mobil __________________
Reinigung die, -en __________________
Station die, -en __________________
Stecker der, - __________________
Steckdose die, -n __________________
Umweltverschmutzung die, -en __________________

konsumieren, hat konsumiert __________________
schützen, hat geschützt __________________
verbessern, hat verbessert __________________
verbrauchen, hat verbraucht __________________
verschlechtern (sich), hat sich verschlechtert __________________

nützlich __________________
das Nützliche __________________

Fahrrad und Verkehr

Bremse die, -n __________________
bremsen, hat gebremst __________________
Druck der __________________
Eisenbahn die, -en __________________
Eisen das __________________
Ersatzteil das, -e __________________
A: Ersatzteil der, -e
Klingel die, -n __________________
CH: auch: Glocke die, -n

Kreuzung die, -en __________________
Vorfahrt die, -en __________________
A: Vorrang der
CH: Vortritt der

Weitere wichtige Wörter

Badewanne die, -n __________________
Forum das, Foren __________________
Standpunkt der, -e __________________

ab·hängen von, hat abgehangen __________________
bemühen (sich), hat sich bemüht __________________
fest·stehen, hat festgestanden __________________
fest·stellen, hat festgestellt __________________
vor·ziehen, hat vorgezogen __________________
zu·stimmen, hat zugestimmt __________________

breit __________________
Breite die, -n __________________
gleich __________________
nötig __________________
rein __________________

meinetwegen __________________
nebenbei __________________
offenbar __________________
sowieso __________________

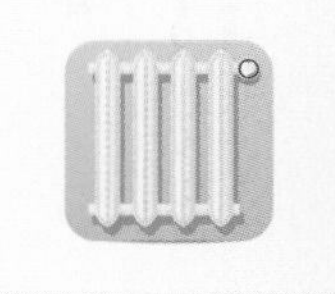

statt ... dass/zu __________________
ohne ... dass/zu __________________

2 Welche Wörter möchten Sie noch lernen? Notieren Sie.

____
____
____

Das löst mehrere Probleme auf einmal.

KB 4 WÖRTER

1 Bilden Sie Wörter. Ergänzen Sie dann und vergleichen Sie.

TIK | ~~DIS~~ | PRO | ~~TANZ~~ | NUNG | KRI | ZESS | PLA

Deutsch	Englisch	Meine Sprache oder andere Sprachen
a die Distanz	distance	
b	planning	
c	process	
d	criticism	

KB 4 WÖRTER

2 Was passt? Kreuzen Sie an.

Liebe Isa,

Du wolltest wissen, wie mir das Leben auf dem Land gefällt. Also, ☒ anfangs ◯ allmählich (a) war es schon ein bisschen komisch. Bei der Renovierung des Hauses gab es natürlich einige Probleme. Die ◯ Teile ◯ Einzelheiten (b) kann ich hier gar nicht schreiben. Aber ich erzähle Dir alles der ◯ Reihe ◯ Reihenfolge (c) nach, wenn Du mich besuchst.

◯ Angeblich ◯ Allmählich (d) fühle ich mich hier aber schon ziemlich wohl. Ich bin froh, dass wir ◯ beschlossen ◯ zugestimmt (e) haben, aufs Land zu ziehen. Hier gibt es kaum Verkehr und ◯ Abgase ◯ Umwelt (f). Das genieße ich. Die Leute sind auch total nett. Nur ◯ nebenbei ◯ nebenan (g) wohnt ein unsympathischer Typ. Er regt sich immer auf, wenn ◯ Pflanzen ◯ Blätter (h) von unseren Bäumen in seinen Garten fallen. Aber er ist zum Glück nicht so oft ◯ da ◯ weg (i). ◯ Anscheinend ◯ Endlich (j) muss er beruflich viel reisen.

Kommst Du nächstes Wochenende? Dann backe ich einen leckeren Kuchen mit ◯ Pflaumen ◯ Verpflegung (k) aus unserem eigenen Garten. Die sind nämlich schon ◯ fertig ◯ reif (l).

KB 5 STRUKTUREN ENTDECKEN

3 Wozu? Warum? Absichten und Gründe

a Was ist richtig? Kreuzen Sie an. Markieren Sie die Subjekte und die Verben.

1 Ich treibe Sport, ☒ um ◯ weil gesund zu bleiben.
2 Ich bewege mich viel, ◯ damit ◯ weil ich gesund bleiben will.
3 Ich habe keinen Vitaminmangel, ◯ damit ◯ weil ich viel Obst esse.
4 Ich gehe früh ins Bett, ◯ damit ◯ um mindestens acht Stunden schlafen zu können.
5 Ich schlafe viel, ◯ damit ◯ um sich mein Körper erholen kann.
6 Ich mache eine Diät, ◯ um ◯ weil abzunehmen.
7 Ich esse weniger, ◯ damit ◯ weil ich abnehmen möchte.

b Ergänzen Sie die Konjunktionen *um … zu* und *damit*.

GRAMMATIK

Subjekt in Haupt- und Nebensatz ist gleich
→ Nebensatz mit ______________ oder damit

Subjekte in Haupt- und Nebensatz sind verschieden
→ Nebensatz nur mit ______________

c **Ergänzen Sie *zu* und die Verben aus den *um ... zu*-Sätzen in a.**

GRAMMATIK

Die Position von *zu* ...

bei trennbaren Verben: ______

bei Modalverben: ______

bei allen anderen Verben: zu bleiben

KB 5 STRUKTUREN

4 Das habe ich immer dabei! Ordnen Sie zu und schreiben Sie Sätze mit *um ... zu*.

Zigaretten anzünden | etwas notieren können | Geld abheben | bar bezahlen | ~~immer erreichbar sein~~ | Termine nicht vergessen

a ein Handy, um immer erreichbar zu sein

b ein Feuerzeug, ______

c Geld, ______

d eine EC-Karte, ______

e einen Stift, ______

f einen Kalender, ______

KB 5 STRUKTUREN

5 Mein Zuhause

Schreiben Sie Sätze mit *um ... zu*. Verwenden Sie *damit*, wenn *um ... zu* nicht möglich ist.

Ich brauche ...

a ein großes Sofa, damit Gäste übernachten können.
(Gäste können übernachten.)

b eine Spülmaschine, ______.
(Ich muss nicht mit der Hand spülen.)

c große Fenster, ______.
(Meine Pflanzen haben genug Licht.)

d einen Balkon, ______.
(Ich kann im Sommer immer draußen sitzen.)

KB 7 STRUKTUREN

6 Im Meeting: Ordnen Sie zu.

~~vorbereitet hätte~~ | wäre | dauern würde | zuhören würde | gehören würde

a Petra tut so, als ob sie sich auf die Konferenz vorbereitet hätte.

b Es sieht so aus, als ob sie dem Chef ______.
Aber in Wirklichkeit chattet sie.

c Petra scheint es, als ob die Sitzung schon ewig ______,
obwohl sie erst vor zehn Minuten begonnen hat.

d Plötzlich klingelt Petras Smartphone. Petra tut so, als ob ihr das klingelnde Smartphone nicht ______.

e Sie tut so, als ob die Konferenz interessant ______.
Aber sie schreibt eine SMS.

BASISTRAINING

KB 7 **7** **In der WG: Schreiben Sie *als ob*-Sätze.**

STRUKTUREN

a In der Küche sieht es aus, ...
(Wir haben schon monatelang nicht mehr geputzt.)

a ... als ob wir schon monatelang nicht mehr geputzt hätten.

b Überall stehen leere Flaschen herum. Es scheint so, ...
(Wir feiern dauernd Partys.)

c Die Spülmaschine hört sich an, ...
(Sie geht bald kaputt.)

d Ben, unser Mitbewohner, tut so, ...
Aber er will nur nicht beim Aufräumen helfen.
(Er muss für eine Prüfung lernen.)

KB 8 **8** **Lösen Sie das Rätsel und finden Sie das Lösungswort.**

WÖRTER

Lösung: ↓

					a	E		T								E	N
				b	A							D					
	c	V									N						
d	R								L								
			e	V								N					
					f	S			G								
						g	K					N					
								O									
					h	B								N			
								I									
			i	E									G				
			j	A							G						

Lösung:
Wissenschaftler entwickeln ständig neue ______________.

a Viele haben ihre Arbeit verloren. Die Gewerkschaft konnte die ... nicht verhindern.
b Kein Teilnehmer fehlt. Alle sind ...
c Der Täter kam ins Gefängnis, nachdem das ... aufgeklärt worden war.
d Seit seinem Unfall kann mein Nachbar nicht mehr laufen. Er sitzt im ...
e Umwelt und Klima bleiben nicht gleich. Sie ... sich.
f Wegen der vielen Abgase kann man den Himmel nicht mehr sehen. Es liegt ... über der Stadt.
g Die Patienten ... über starke Schmerzen.
h Kannst du ein paar Gründe nennen? Du musst deine Meinung ..., sonst kannst du mich nicht überzeugen.
i Die ... zwischen München und Hamburg beträgt ungefähr 800 Kilometer.
j Ich glaube, ich könnte nicht mehr ohne Smartphone leben. Ich bin davon ...

KB 8 **9** **So sieht unsere Zukunft aus.**

LESEN

a Überfliegen Sie den Text und kreuzen Sie an. Welcher Titel passt am besten?

○ 1 Wie sollen ältere Menschen in den Städten wohnen?
○ 2 Warum wir von Energiekonzernen abhängig sind.
○ 3 Wie werden sich unsere Städte in Zukunft entwickeln?

Wir haben die Zukunftsforscherin Frau Professor Meier gefragt.

Ich bin davon überzeugt, dass die Stadt in Zukunft als Wohnort eine noch wichtigere Rolle spielen wird als heute. In Hamburg zum Beispiel wächst die Zahl der Einwohner jährlich um (5) circa 5000. Wenn sich die Zahl der Städtebewohner weiter so vergrößert, dann brauchen wir mehr Wohnraum. Meiner Überzeugung nach müssen viel mehr Wohnungen gebaut werden, die sich auch Leute mit einem durch- (10) schnittlichen Einkommen leisten können. Dazu gibt es keine Alternative.
Bei der zunehmenden Alterung der Gesellschaft müssen wir uns natürlich auch für die Städte Wohnformen überlegen, die für ältere (15) Leute geeignet sind, wie zum Beispiel Mehrgenerationenhäuser. Wir können nicht so tun, als ob allein der Bau von weiteren Altenheimen die Lösung wäre.
Für mich besteht kein Zweifel daran, dass sich (20) die Nachfrage nach Energie besonders in den Städten erhöhen wird. Wir haben keine andere Wahl: Wir müssen weiter intensiv nach alternativen umweltfreundlichen Energien suchen, sonst nimmt die Klimaerwärmung noch schnel- (25) ler zu. Die Sache ist aber ganz einfach: Städtebewohner müssen ihre Energie selbst produzieren, indem sie zum Beispiel Sonnenenergie nutzen. Dadurch sinkt der Stromverbrauch in den Städten und man braucht nicht so viele gro- (30) ße Kraftwerke und Stromleitungen.
Das löst also zwei Probleme auf einmal.

b Wo steht das im Text? Lesen Sie noch einmal und notieren Sie die Zeile(n).

1 Verbraucher sollen nicht von Energiekonzernen abhängig sein. *25–28*
2 Die Zahl älterer Menschen erhöht sich. ______
3 In Zukunft wird noch mehr Strom verbraucht. ______
4 Man braucht Alternativen zu Altenheimen. ______
5 Es muss mehr günstige Wohnungen geben. ______
6 Bei der Produktion von Energie muss man Rücksicht auf die Umwelt nehmen. ______
7 Immer mehr Menschen ziehen in Städte. ______

KB 8 **10** **Ergänzen Sie die Rede des Betriebsrats. Hilfe finden Sie im Text in 9.**

KOMMUNIKATION

Meiner Überzeugung (a) nach müssen wir Arbeitnehmer zu viele Überstunden machen. Wir ______ (b), als ob es gesund wäre, jeden Tag zehn oder zwölf Stunden zu arbeiten. ______ (c) überzeugt, dass das die Ursache für viele Krankheiten ist.
______ (d) einfach: Jeder Mitarbeiter soll für seine Überstunden Freizeit bekommen, statt dass die Firma jede Überstunde bezahlt. Das löst gleich ______ (e): Wir Arbeitnehmer sind zufriedener und es gibt weniger Probleme, weil kein kranker Mitarbeiter vertreten werden muss. Für mich ______ (f) daran, dass das sowohl für uns Mitarbeiter als auch für die Firma gut wäre.

1 Ein Gespräch über eine Präsentation vorbereiten

a Nach einer Präsentation führen Sie mit Ihrer Partnerin / Ihrem Partner ein Gespräch. Wie können Sie auf Fragen und Kommentare der Zuhörerin / des Zuhörers reagieren? Ordnen Sie zu.

~~Das ist eine gute Frage. Aber leider weiß ich das nicht so genau. Ich glaube, …~~ | Ja, richtig, das habe ich vergessen / das wollte ich noch sagen: … | Das bedeutet … | Das habe ich schon gesagt: Meiner Meinung nach … | Danke. Das freut mich.

Kommentare und Fragen der Zuhörerin / des Zuhörers	Reaktionen der/des Präsentierenden
Ihr Vortrag hat mir sehr gut gefallen. Ich habe viel Neues gelernt. Besonders interessant fand ich, dass … Es überrascht/wundert mich, dass …	
Ihre Präsentation war sehr interessant. Aber ich habe nicht alles ganz genau verstanden. Ich würde gern fragen, was … bedeutet? / Darf ich fragen, was … bedeutet?	
Das war gut. Aber ich glaube, Sie haben nichts über die Vorteile von … gesagt. Können Sie vielleicht noch etwas dazu sagen?	
Darf ich noch etwas fragen? Ich würde gern wissen, was Sie von … / davon halten. / was Sie über … denken.	
Ich hätte noch eine Frage: Wissen Sie eigentlich, …	*Das ist eine gute Frage. Aber leider weiß ich das nicht so genau. Ich glaube, …*

TIPP: In Prüfungen wird nicht nur die Präsentation, sondern auch das Gespräch darüber bewertet. Antworten Sie nicht zu kurz auf die Rückfragen und Kommentare Ihrer Partnerin / Ihres Partners.

b Wie kann man Fragen zur Präsentation stellen und Interesse zeigen? Lesen Sie die Situationen und schreiben Sie Sätze. Hilfe finden Sie in a.

1 Sie fanden den Vortrag sehr gut.

____

2 Im Vortrag wurde nicht über Vorteile gesprochen.

____

3 Ihre Partnerin / Ihr Partner hat ihre/seine eigene Meinung nicht gesagt.

____

4 Sie möchten eine Frage stellen.

____

TRAINING: SPRECHEN

5 Ein Punkt war für Sie besonders überraschend.

TIPP Überlegen Sie schon beim Zuhören, welche Frage Sie zur Präsentation stellen können. Vergessen Sie auch nicht zu sagen, wie Ihnen die Präsentation insgesamt gefallen hat oder was Sie besonders interessant gefunden haben.

2 Eine Präsentation halten und ein Gespräch darüber führen

a Halten Sie Ihre Präsentation „Eine Urlaubsregion in meinem Heimatland" im Kursbuch auf Seite 174 (noch einmal).

b Sprechen Sie dann mit Ihrer Partnerin / Ihrem Partner über die Präsentation.

c Tauschen Sie danach die Rollen.

TRAINING: AUSSPRACHE *Diphthonge*

1 Laute und Buchstaben

▶ 2 34 **a** Hören Sie und sprechen Sie nach.

1 Pflaume – bauen – Haus – Auto
2 Zweifel – Beitrag – Kaiser – Mai – reif
3 Überzeugung – betreuen – Träume – Gebäude – Bäume

▶ 2 35 **b** Hören Sie und sprechen Sie nach.

1 Reife Pflaumen fallen von den Bäumen.
2 Kein Zweifel: Im Mai blühen die Pflaumenbäume.
3 Meine Überzeugung ist: Jeder sollte ein Energiespar-Haus bauen und ein Elektroauto fahren.

2 Reime

▶ 2 36 **a** Hören Sie und sprechen Sie dann.

■ Reim doch mal was!
▲ Ach nein.
■ Doch!
▲ Na gut: nein, Bein, Wein … Und jetzt du.
■ Ich?
▲ Ja. Du auch!
■ Na gut: auch, Bauch, Rauch …
▲ Toll. Wir müssen heute –
■ heute, betreute, freute …

b Finden Sie noch mehr Reime auf *nein, auch, heute*? Oder reimen Sie mit *Träume* oder *Haus*.

TEST

1 Leben im Alter: Ordnen Sie zu.

WÖRTER

Zweifel | ~~Absicht~~ | Wirklichkeit | Nachfrage | Altenheim | Planung

▲ Ich habe nicht die _Absicht_ (a), in ein ______________ (b) zu gehen. Deshalb möchte ich mit Freunden eine Wohngemeinschaft für Senioren gründen.
● Gute Idee! Leider ist es in ______________ (c) nicht so einfach. Nehmt euch viel Zeit für die ______________ (d).
■ Ich habe so meine ______________ (e), ob das funktioniert. Wer kümmert sich um die Wäsche oder den Einkauf?
◆ Ich wohne in einem Seniorenheim und finde es toll. Übrigens, die ______________ (f) ist groß und es gibt lange Wartelisten.

_ / 5 PUNKTE

2 Gesund leben: Schreiben Sie Sätze mit *damit* oder *um ... zu*. Manchmal gibt es zwei Lösungen.

STRUKTUREN

a Manche Menschen ziehen aufs Land, ... (ihre Kinder können ohne Smog aufwachsen)
b Andere kaufen viele Bioprodukte, ... (sich gesund ernähren)
c Viele fahren lieber mit dem Fahrrad als mit dem Auto, ... (die Umwelt schützen)
d Neue Wohnformen werden gebildet, ... (die Menschen können sich gegenseitig unterstützen)

a Manche Menschen ziehen aufs Land, damit ihre Kinder ohne Smog aufwachsen können.

_ / 5 PUNKTE

3 Ergänzen Sie die Sätze.

STRUKTUREN

a Manche Menschen tun so, als ob im Bereich der Pflege ... (Roboter – die Lösung – sein)
b Es scheint so, als ob ... (Roboter – die Arbeit von Krankenpflegern – können übernehmen)
c Und es hört sich so an, als ob ... (nur noch ein paar technische Verbesserungen – nötig sein)

a Manche Menschen tun so, als ob im Bereich der Pflege Roboter die Lösung wären.

_ / 2 PUNKTE

4 Ordnen Sie zu.

KOMMUNIKATION

können nicht so | besteht kein Zweifel | Überzeugung nach | diese Zahl realistisch | Sache ganz einfach

■ Anscheinend wird in zehn Jahren jeder dritte Deutsche älter als 60 Jahre sein. Ist ______________ (a)?
▲ Ja! Darüber berichten Forscher seit Jahren. Dabei ist die ______________ (b). Meiner ______________ (c) muss man die Arbeit neu verteilen.
■ Aber wir ______________ (d) tun, als ob es in Zukunft nur gesunde Menschen geben würde. Für mich ______________ (e) daran, dass wir mehr Pflegeplätze und Pflegekräfte brauchen.

_ / 5 PUNKTE

Wörter		Strukturen		Kommunikation	
●	0–2 Punkte	●	0–3 Punkte	●	0–2 Punkte
●	3 Punkte	●	4–5 Punkte	●	3 Punkte
●	4–5 Punkte	●	6–7 Punkte	●	4–5 Punkte

www.hueber.de/menschen/lernen

LERNWORTSCHATZ

1 Wie heißen die Wörter in Ihrer Sprache? Übersetzen Sie.

Gemeinschaft/Zukunft

Abgase die (Pl.) ____________
CH: Abgas das, -e
Absicht die, -en ____________
Altenheim/Altersheim das, -e ____________
A/CH: Altersheim das, -e
Entfernung die, -en ____________
Entlassung die, -en ____________
Kritik die, -en ____________
Nachfrage die, -n ____________
Planung die, -en ____________
Prozess der, -e ____________
Smog der, -s ____________
Technologie die, -n ____________
Verbrechen das, - ____________
Wirklichkeit die, -en ____________
Zweifel der, - ____________

beschließen, hat beschlossen ____________
erhöhen (sich), hat sich erhöht ____________
klagen (über), hat geklagt ____________
realisieren, hat realisiert ____________
verändern (sich), hat sich verändert ____________
vergrößern (sich), hat sich vergrößert ____________
zweifeln, hat gezweifelt ____________

abhängig ⟷ unabhängig ____________
ewig ____________

Weitere wichtige Wörter

Blatt das, ¨-er ____________
Distanz die, -en ____________
Einzelheit die, -en ____________
Metzgerei die, -en ____________
Metzger der, - ____________
A: auch: Fleischhauer der, -
Pflaume die, -n ____________
A: Zwetschke die, -n
CH: Zwetschge die, -n
Reihe die, -n ____________
der Reihe nach ____________
Rollstuhl der, ¨-e ____________
Rollstuhlfahrer der, - ____________

an·zünden, hat angezündet ____________
begründen, hat begründet ____________

anwesend ⟷ ____________
abwesend (sein) ____________
da sein ____________
reif ____________

allmählich ____________
anfangs ____________
anscheinend ____________
nebenan ____________

als ob ____________
damit ____________

um … zu ____________

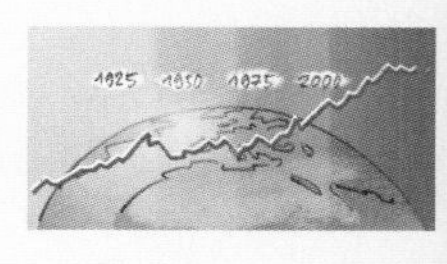

2 Welche Wörter möchten Sie noch lernen? Notieren Sie.

____
____
____
____

WIEDERHOLUNGSSTATION: WORTSCHATZ

1 Ordnen Sie zu. Nicht alle Wörter passen.

verbrauchen | Rollstuhl | schützen | Nachfrage | verändern | erhöhen | Konsequenzen | klagen | ~~Verkehrsplanung~~ | verbessert | Smog | beschließen

Mobilität für alle!

Die Ampel springt auf Grün: Friedrich Schulz steht mit seinem ______________ (a) mitten auf der Straße, als die Ampel wieder Rot zeigt. Die Autofahrer kommen näher. Herr Schulz hat nun gleich zwei Probleme: Er ist zu langsam, außerdem ist der Bürgersteig auf der anderen Straßenseite viel zu hoch.
Solche Situationen wie diese sind nicht ungewöhnlich. Kritiker ______________ (b) seit Langem darüber, wie gefährlich der Straßenverkehr für Fußgänger, besonders für Kinder, Senioren oder Menschen mit Behinderung ist. Denn in der Verkehrsplanung (c) geht es meistens um die Fragen, welchen Platz die Radfahrer und die Autos brauchen. Dabei wird oft vergessen, dass auch Fußgänger eine wichtige Rolle bei der Mobilität der Zukunft spielen. Sie ______________ (d) keine Energie und verursachen keinen ______________ (e). Aber wie kann man sie besser ______________ (f)? Wie kann man Wege und Plätze so ______________ (g), dass sich Fußgänger nicht nur sicher, sondern auch wohl fühlen? Mit diesen Fragen beschäftigt sich jedes Jahr die Internationale Fußgängerkonferenz Walk21, die 2013 zum ersten Mal in Deutschland, in München, stattfand.

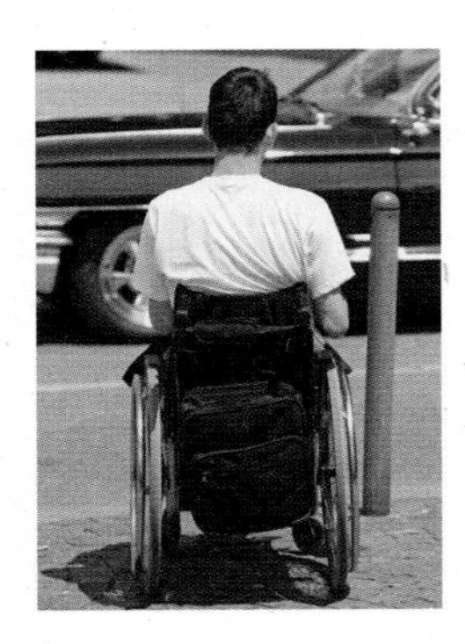

Auf dieser Konferenz diskutieren mehrere hundert Politiker, Stadtplaner und Wissenschaftler regelmäßig, wie der Fußverkehr in Städten ______________ (h) werden kann. Außer zahlreichen Präsentationen gibt es Ausflüge zu Fuß, sogenannte Walkshops. Bei diesen Spaziergängen werden Fußgängerwege getestet und konkrete ______________ (i) gefordert.
Im besten Fall ______________ (j) die Verantwortlichen im Rathaus daraufhin, Ampelschaltungen zu verlängern und Bürgersteige niedriger zu machen.
So wie bei Friedrich Schulz. Er kann nun sicher die Straße überqueren.

2 Lösen Sie das Rätsel.

a 1961 war der M(11) A U _ _ B _ _ in Berlin.

b Nomen für „fliehen": _ _ U _ _(3) _

c Körperliche Macht: G _ W _ _(8) T

d Anderes Wort für Feind: G _ G _(6) _(13) _

e Sie kämpfen im Krieg: _ _(5) _ D _ _ _ _(12)

f Wurde am 1. November 1993 gegründet: _ U _ O _ Ä _(4) _ _ _(9) _ Union.

g Anderes Wort für Grund: _ _ _ _(2) _ _ _ _

Was wurde von August Heinrich Hoffmann von Fallersleben gedichtet?

Die deutsche N(1) _(2) _(3) _(4) _(5) _(6) A(7) _(8) _(9) Y(10) M(11) _(12) _(13)

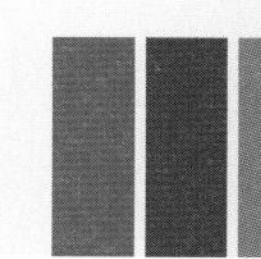

WIEDERHOLUNGSSTATION: GRAMMATIK

1 Eine „fahrradfreundliche Stadt“

Was wurde alles gemacht? Schreiben Sie Sätze im Passiv Präteritum.

a viele Straßen in reine Fahrradstraßen – umwandeln
b Kreuzungen – sicherer machen
c ein neuer Radfahrerstadtplan – veröffentlichen
d die Parkflächen für Fahrräder – vergrößern
e die Anzahl der Radwege – erhöhen
f viele alte Radwege – verbessern

a Viele Straßen wurden in reine Fahrradstraßen umgewandelt.

2 Meine Freundin Rosa tut so, ...

Ordnen Sie zu und ergänzen Sie die Verben im Konjunktiv.

verbrauchen | ~~sein~~ | sein | kaufen | nutzen | retten wollen

a Es scheint so, als ob meine Freundin Rosa sehr umweltbewusst _wäre_.
b Es sieht so aus, als ob sie allein die Welt ______.
c Sie tut so, als ob sie fast kein Wasser ______.
d Sie tut so, als ob sie nur ökologische Lebensmittel ______.
e Es scheint so, als ob sie nur öffentliche Verkehrsmittel ______.
f Sie sieht so aus, als ob sie ein Hippie ______.

Aber in Wirklichkeit isst sie fast nur Fast Food, badet jeden Tag und fährt jeden Meter mit dem Auto.

3 Good Bye, Lenin! – ein Film

Lesen Sie die Filmkritik. Welche Konjunktion ist richtig? Kreuzen Sie an.

Good Bye, Lenin!

Der Film *Good Bye, Lenin!* spielt zwischen 1989 und 1990 in der DDR. In dem Film geht es um den 21-jährigen Alex und seine kranke Mutter, die sich für den Sozialismus eingesetzt hat.
Die Mutter wird krank und liegt im Koma. Nach acht Monaten wacht die Mutter wieder auf, ☒ ohne zu ○ statt zu (a) wissen, dass die Mauer gefallen ist und der Alltag der Menschen nicht mehr so ist wie vorher. Überall gibt es jetzt Coca Cola, Fast Food und Autos aus dem Westen, aber kaum mehr die vertrauten DDR-Produkte, die die Mutter gern haben möchte. Die kranke Frau soll sich aber nicht aufregen, ○ damit ○ um (b) sich ihr Gesundheitszustand nicht verschlechtert. Deshalb tut Alex so, ○ ohne dass ○ als ob (c) sich nichts verändert hätte, ○ ohne dass ○ statt (d) ihr von der neuen politischen Situation zu erzählen. Alex tut alles, ○ damit ○ um (e) ihr eine andere Wirklichkeit vorzuspielen.
Er produziert zusammen mit einem Freund sogar eigene Nachrichtensendungen, ○ damit ○ ohne dass (f) die Mutter fernsehen kann, ○ ohne ○ ohne dass (g) sie die Wahrheit erfährt.
Ob die Mutter das wirklich alles glaubt, bleibt in dieser wundervollen Tragikomödie über das Ende der DDR offen.

SELBSTEINSCHÄTZUNG Das kann ich!

Ich kann jetzt ...

... Wunschvorstellungen ausdrücken: L22

M______ hat schon i_________ die Französische Revolution interessiert.
Das war be____________ eine beein__________________ Zeit.
Das h________ ich gern erl________.

... Zustimmung/Ablehnung ausdrücken: L23

Ganz ge______!
Ich kann d____ da nur zu_______________.
Ich bin vö_______ an__________ Mei_________. Mein Sta_______________ ist,
dass wir Autos in Städten verbieten müssen.

... rückfragen und Gleichgültigkeit ausdrücken: L23

- ■ ___________ dir das nichts aus?
- ▲ Nein, das ist mir ganz ____________.
- ■ Ärgerst du dich denn nicht da__________?
- ▲ Mei_________________ kann jeder das so machen, wie er m__________.

... Überzeugung ausdrücken: L24

W______ sich die Zahl der Senioren wei______ so erhö____, dann br___________
wir Technologien, die ihnen ein unabhängiges Leben ermöglichen.
Dazu gibt es keine Alt________________.
B____ der zune_______________ Alterung der Gesellschaft k__________ wir nicht
so t____, als ob alle alten Menschen persönlich betreut werden könnten.
F____ mich b____________ kein Z____________ daran, dass Roboter in Pflegeheimen
eine wichtige Rolle spielen werden.

Ich kenne ...

... 8 Wörter zum Thema „Geschichte“: L22

____

... 8 Wörter zum Thema „Umwelt und Klima“: L23

____

... 8 Wörter zum Thema „Zukunft“: L24

____

Ich kann auch ...

... Handlungen in der Vergangenheit ohne Subjekt beschreiben (Passiv Perfekt, Passiv Präteritum): L22

Der Westteil von Berlin _____________ von den sowjetischen Truppen
____________________. (Passiv Perfekt: *besetzen*)

In der BRD __________ die Demokratie ____________________.
(Passiv Präteritum: *einführen*)

SELBSTEINSCHÄTZUNG *Das kann ich!*

... **ausdrücken, dass etwas anders oder nicht wie erwartet eintritt (Satzverbindungen: *(an)statt zu, ohne zu, (an)statt dass, ohne dass*):** L23 ○ ○ ○
Ich steigere lieber Fitness und Kondition, __________ im Stau ____ stehen.
Die Bürger demonstrieren für bessere Radwege, __________________ die Politik etwas ändert.

... **Absichten ausdrücken (Satzverbindungen: *um zu, damit*):** L24 ○ ○ ○
Drei Familien haben den Betrieb wieder aufgebaut,
__________ wir die Nachfrage nach Obst und Gemüse bedienen können.
Wir hatten uns zusammengeschlossen, _____ gemeinsam ein Dorf ____ bauen.

... **irreale Vergleiche ausdrücken (Satzverbindungen: *als ob* + Konjunktiv II):** L24 ○ ○ ○
Wir tun so, ____

____.
(in Sachen Klimaschutz noch ewig Zeit für Veränderungen haben)

Üben/Wiederholen möchte ich noch:

____

RÜCKBLICK

Wählen Sie eine Aufgabe zu Lektion 22 ______________________________

1 Lesen Sie noch einmal die Texte über die Geschichte Österreichs und der Schweiz im Kursbuch auf Seite 139.
Welche Sätze passen zu Österreich und zur Schweiz? Kreuzen Sie an.

		Österreich	Schweiz
a	Dieses Land ist im Ersten Weltkrieg neutral geblieben.	○	⊗
b	Dieses Land hat gegen den Beitritt zur EU gestimmt.	○	○
c	1918 ist die Republik gegründet worden.	○	○
d	Dieses Land hat 1938 seine Selbstständigkeit verloren.	○	○
e	Dieses Land hat 1971 das Frauenwahlrecht eingeführt.	○	○
f	Dieses Land ist in vier Besatzungszonen aufgeteilt worden.	○	○

2 Historische Ereignisse in meinem Geburtsjahr
Suchen Sie Informationen und schreiben Sie eine Liste über wichtige (geschichtliche) Ereignisse, die in Ihrem Geburtsjahr stattgefunden haben.

Mein Geburtsjahr – 1993
- Krieg in Jugoslawien
- Bill Clinton wird Präsident in den USA
- Tschechien und Slowakei gründen Staat

RÜCKBLICK

Wählen Sie eine Aufgabe zu Lektion 23

1 Fahrradfreundliche Städte

Lesen Sie den Text im Kursbuch auf Seite 142 noch einmal. Wie werden Städte fahrradfreundlicher? Notieren Sie.

Fahrradfreundliche Städte:
Ausbau der Radwege: Die Radwege werden breiter. Neue Radwege werden eingerichtet.

2 Ihre Traumstadt

Soll Ihre Traumstadt fußgänger-, fahrrad- oder autofreundlich sein? Wählen Sie, sammeln Sie Ideen und machen Sie Notizen. Schreiben Sie dann einen Text.

Meine Stadt ist fußgängerfreundlich
Autofreie Innenstadt: Autos müssen am Stadtrand geparkt werden.
Straßen und Radwege werden zu Spiel- und Grünflächen.

Meine Traumstadt ist fußgängerfreundlich
Hier gibt es in der Innenstadt fast keine Autos.
Sie müssen ... Nur in Notfällen ...

Wählen Sie eine Aufgabe zu Lektion 24

1 Lesen Sie noch einmal die Beschreibung des Menschendorfs im Kursbuch auf Seite 146 und 147. Korrigieren Sie die Sätze.

a Lisa genießt morgens in Ruhe ihren Kaffee. ~~Hinterher~~ Vorher muss sie sich um die Kinder kümmern.
b Die Gruppe hatte die Absicht, zusammen ein Haus zu bauen.
c Die Planungsphase war schön, als die Gemeinschaft Entscheidungen treffen musste.
d Oma Anne wohnt weit entfernt.
e Die alten Häuser sind schon immer für Rollstuhlfahrer geeignet.
f Alle arbeiten im Dorf z.B. in der Bio-Metzgerei oder beim Friseur.
g Im Alltag kann man nicht entscheiden, wie viel Distanz oder Nähe man möchte.

2 Wie würden Sie in 20 Jahren gern wohnen? Schreiben Sie.

Wie möchten Sie wohnen? Warum?
– allein? / mit der Familie? / in einer WG?/ in einem Gemeinschafts-Wohnprojekt?
– in welchem Gebäude?
– auf dem Land? / in der Stadt?

Ich würde am liebsten in einem Gemeinschafts-Wohnprojekt mit Freunden in einem Haus in der Stadt wohnen. Das Haus müsste ziemlich groß sein, sodass jeder genug Platz für sich hat und Distanz halten kann. Aber es sollte unbedingt Gemeinschaftsräume geben. Dort ...

Teil 4: Dem glaubt doch keiner!

Ich machte langsam die Augen auf.
Wo bin ich? Und warum tut mein Kopf so weh?
Ich saß in einem Raum mit einem kleinen Fenster weit oben. Eine Lampe brannte.
Ich bin im Keller von Willems Villa!
Die beiden Männer standen an einem Tisch und zählten Geld. Ich versuchte aufzustehen, aber ich war an meinen Stuhl gefesselt.
„Sieh mal einer an, der Herr ist aufgewacht", sagte Willems.
„Na, gut geschlafen? Hähä." Der andere lachte.
„Warum haben Sie Ihr eigenes Hotel ausgeraubt?", fragte ich Willems.
„Hahaha, mein eigenes Hotel ... 20 Jahre habe ich das Hotel geleitet. Ich habe es groß gemacht. Und jetzt, plötzlich, will der Besitzer mich entlassen."
„Vielleicht haben ein paar Kassenbücher nicht gestimmt, was, Chef? Hähä."
„Robby, halt den Mund. Ich habe mir nur geholt, was ich verdiene."
Ich sah auf den Tisch. „Da war ja ganz schön viel Geld im Hotelsafe."
„Man muss eben wissen, an welchem Tag man das Hotel am besten ausraubt."
„Chef, was machen wir mit ihm?" Robby zeigte auf mich.
„Das überlegen wir später. Jetzt müssen wir erst mal das Geld hier wegbringen."
Willems packte die Scheine in eine große Tasche.
„Aber Chef, er ist ein Zeuge. Er wird zur Polizei gehen, wenn wir ihn laufen lassen."
„Was soll er schon sagen? Wenn die Polizei hier kein Geld findet, glaubt sie ihm nicht."
„Stimmt, Chef. Hähä."
Da hat er recht. Es ist einfach zu verrückt, dass der Manager sein eigenes Hotel ausraubt.
Draußen blieb ein Auto stehen. Dann gleich noch ein zweites.
„Chef, und wenn das die Polizei ist?"
„Schnell, Robby, pack das letzte Geld in die Tasche. Und dann gehen wir hinten raus. Die wissen ja nicht, dass wir hier unten sind."
„Hilfe!", rief ich laut. „Hier sind die Diebe. Hilfe!"
„Halt den Mund!"
Da sah ich ein kleines Gesicht oben am Kellerfenster.
„Hallo Schneemann!" Emma winkte.
Kurz darauf stand die Polizei im Raum und Clarissa mit Emma.
„Herr Willems, Sie sind verhaftet", sagte ein Polizist nach einem Blick in die Tasche mit dem Geld.
„Clarissa! Wie haben Sie es bloß geschafft, dass die Polizei Ihnen glaubt?", fragte ich.
„Oh, das bleibt mein Geheimnis." Sie lächelte.
„Komm, Schneemann, gehen wir!"
„Wir brauchen noch Ihre Zeugenaussage, Herr Kanto. Kommen Sie bitte mit zur Polizei."
Würde ich ja gern, aber ...
„Was ist denn los, Harry? Kommen Sie schon, das müssen wir feiern."
„Vielleicht könnte mich irgendjemand losbinden ...?"

GRAMMATIKÜBERSICHT

Nomen

Adjektive als Nomen: *hübsch → die Hübsche* L01			
	Nominativ	**Akkusativ**	**Dativ**
●	der Hübsche ein Hübscher	den Hübschen einen Hübschen	dem Hübschen einem Hübschen
●	die Hübsche eine Hübsche	die Hübsche eine Hübsche	der Hübschen einer Hübschen
●	die Hübschen – Hübsche	die Hübschen – Hübsche	den Hübschen – Hübschen
auch so: der/die Kluge, Erwachsene, Glückliche			

n-Deklination L01			
	Nominativ	**Akkusativ**	**Dativ**
●	der/ein Kollege	den/einen Kollegen	dem/einem Kollegen
●	die/- Kollegen	die/- Kollegen	den/- Kollegen
auch so: maskuline Nomen auf: -e, -ent, -ant, Mensch, Nachbar			

Genitiv L12		
	mit definitem Artikel / Demonstrativartikel	**mit indefinitem Artikel / Possessivartikel**
●	des/dieses Betriebsrats	eines/unseres Betriebsrats
●	des/dieses Jahres	eines Jahres
●	der/dieser Betriebsvereinbarung	einer/unserer Betriebsvereinbarung
●	der/dieser Umbauarbeiten	von Umbauarbeiten / unserer Umbauarbeiten
auch so: mein-, dein-, ... ! Plural: meiner/deiner/...		

Artikelwörter und Pronomen

Relativpronomen und Relativsatz im Dativ L03		
●	Das ist der Mann,	dem ich geholfen habe.
●	Das ist das Mädchen,	dem ich geholfen habe.
●	Das ist die Dame,	der ich geholfen habe.
●	Das sind die Kunden,	denen ich geholfen habe.

Ausdrücke mit *es* L17	
***es* in festen Wendungen**	Es ist schwierig / nicht leicht / noch nicht möglich, ... Es lohnt sich. Es gibt ... Es fällt ihr schwer, ...
Tages- und Jahreszeiten	Es ist schon Abend/Nacht. Es ist Sommer/Winter/...
Wetter	Es schneit/regnet. Es ist sonnig/neblig/... Es hat kurz vorher geregnet. Es war eher bewölkt. Es donnert und blitzt.
Befinden	Wie geht es Ihnen? Es geht ihr nicht gut.

Verben

Präteritum L02			
	Typ 1 regelmäßige Verben (*-te*)	**Typ 2** unregelmäßige Verben (Vokalwechsel)	**Typ 3** Mischverben (*-te* + Vokalwechsel)
	führen	**geben**	**bringen**
ich	führte	gab	brachte
du	führtest	gabst	brachtest
er/es/sie	führte	gab	brachte
wir	führten	gaben	brachten
ihr	führtet	gabt	brachtet
sie/Sie	führten	gaben	brachten

Zukunft L05	
1) etwas ist sicher:	**Präsens + Zeitangabe** Morgen kaufe ich einen neuen PC.
2) bei Vorhersagen/ Vermutungen:	**Futur I** Bald wird in jedem Haushalt ein PC stehen.

Futur I: *werden* + Infinitiv L05
Vorhersage/Vermutung: Bald wird in fast jedem Haushalt ein PC stehen.
Warnung/Aufforderung: Du wirst jetzt bitte die Musik leiser machen!
Versprechen/Vorsatz/Plan: Ich werde morgen mit dem Rauchen aufhören.

Irreale Wünsche: Konjunktiv II Vergangenheit: *hätte/wäre* + Partizip Perfekt L10

Hätten wir doch die erste Wohnung genommen!
Wäre sie doch nur rechtzeitig losgegangen!

ich	hätte	geschrieben abgegeben	wäre	losgegangen aufgestanden
du	hättest		wär(e)st	
er/es/sie	hätte		wäre	
wir	hätten		wären	
ihr	hättet		wär(e)t	
sie/Sie	hätten		wären	

Plusquamperfekt mit *haben* und *sein* L11		
	hatte/war	**Partizip**
er/es/sie	hatte	gesammelt
er/es/sie	war	gelaufen
Wir hatten tatsächlich sechs Kilo Pilze gesammelt.		

nicht/nur brauchen* + Infinitiv mit *zu L16
Im Haushalt brauchte ich in den Jahren vor dem Abitur nicht zu helfen.
Ich brauchte nur mein Zimmer in Ordnung zu halten.

GRAMMATIKÜBERSICHT

Passiv Präsens mit Modalverben L21			
		Modalverb	**Partizip Perfekt + werden**
Singular	Es	muss vorher fleißig	geübt werden.
Plural	Auftrittsmöglichkeiten	müssen	gesucht werden.
auch so mit: können, dürfen, wollen, sollen			

Passiv Perfekt L22			
Der Westteil Berlins	ist	von den sowjetischen Truppen	blockiert worden.
In der BRD	ist	die Demokratie	eingeführt worden.

Passiv Präteritum L22			
Der Westteil Berlins	wurde	von den sowjetischen Truppen	blockiert.
In der BRD	wurde	die Demokratie	eingeführt.

Präpositionen

Präposition *trotz* + Adjektivdeklination im Genitiv L12				
		def./indef. Artikel	**Nullartikel**	
trotz	•	des/eines geplanten	geplanten	Ausflugs
	•	des/eines schlechten	schlechten	Wetters
	•	der/einer guten	guter	Zusammenarbeit
	•	der geplanten	geplanter	Umbauarbeiten

kausale Präposition *wegen* + Genitiv L13		
•	wegen	des Dialekts
•		des Missverständnisses
•		der Betonung
•		der Bedeutungen

lokale Präpositionen L21	
um ... herum + Akkusativ	Wir fahren dreimal um das Zentrum herum.
an/am ... entlang + Dativ	Es geht am Rhein entlang nach Basel.
innerhalb, außerhalb + Genitiv	Der Veranstaltungsort liegt außerhalb der Stadt.

temporale Präpositionen L21	
innerhalb, außerhalb + Genitiv	Innerhalb weniger Tage reisen wir durch Deutschland und die Schweiz.

Konjunktionen

Konjunktionen: unerwartete Gegensätze L04
Hauptsatz + Nebensatz: *obwohl*
Es hat sich bis heute nichts geändert, obwohl ich Ihnen das mehrfach erklärt habe.
Hauptsatz + Hauptsatz: *trotzdem*
Ich habe Ihnen das mehrfach erklärt. Trotzdem hat sich bis heute nichts geändert.

Konjunktion *falls* (Bedingung) L06
Falls Sie das Essen bereits beendet haben, legen Sie die Serviette neben den Teller. Legen Sie die Serviette neben den Teller, falls Sie das Essen bereits beendet haben.

Konjunktion *da* L08		
	Grund	
Für Sie ist ein Ausbildungsberuf besser als ein Studium,	da Sie nicht gern am Schreibtisch	sitzen.

Konjunktionen *bevor* und *während* L08			
	Handlung A	**Handlung B**	
Handlung A findet vor Handlung B statt.	Ich frühstücke,	bevor ich zur Arbeit	fahre.
Die Handlungen A und B finden gleichzeitig statt.	Ich frühstücke,	während ich zur Arbeit	fahre.

Konjunktion *nachdem* L11	
Handlung A	**Handlung B**
Nachdem mir mein Chef das erzählt hatte,	rannte ich laut singend nach Hause.
Handlung B	**Handlung A**
Ich rannte laut singend nach Hause,	nachdem mir mein Chef das erzählt hatte.

Konjunktionen: Gründe und Folgen ausdrücken L13	
Grund	**Folge**
Jennifer hat kurz vor dem Essen vom Tod ihres Onkels erfahren.	Deshalb / Darum / Deswegen / Aus diesem Grund / Daher hat sie das Essen abgesagt.

zweiteilige Konjunktionen *sowohl … als auch / nicht nur …, sondern auch* (Aufzählungen) L15
Ich spreche sowohl Deutsch als auch Spanisch. Ich spreche nicht nur Deutsch, sondern auch Spanisch. = Ich spreche Deutsch und auch Spanisch.

GRAMMATIKÜBERSICHT

zweiteilige Konjunktionen L18
entweder ... oder = oder
Die Gründe waren entweder nicht eingehaltene Wahlversprechen oder die Skandale einiger Minister.
weder ... noch = nicht ... und nicht ...
Weder waren den jungen Leuten die Volksvertreter volksnah genug, noch konnten sie die Parteien gut genug voneinander unterscheiden.
zwar ... aber = obwohl
Zwar hält die Mehrheit der Jugendlichen die Demokratie für die beste Staatsform, aber die etablierten Parteien profitieren kaum davon.

zweiteilige Konjunktion *je ... desto/umso ...* L19	
Nebensatz	**Hauptsatz**
Je mehr Menschen sich engagieren,	desto/umso besser kann der Verein seine Arbeit machen.

Konjunktionen *indem* und *sodass* L22	
Mittel	**Resultat**
Indem du Route und Ziel deiner Bergtour notierst,	kannst du gefunden werden, falls du verunglückst.
Notiere Route und Ziel deiner Bergtour,	sodass du gefunden werden kannst, falls du verunglückst.

Konjunktionen *(an)statt/ohne ... zu, (an)statt/ohne dass* L23	
Hauptsatz	**Nebensatz**
Ich lebe in einem attraktiven Umfeld,	ohne dass ich auf Komfort verzichte.
Ich lebe in einem attraktiven Umfeld,	ohne auf Komfort zu verzichten.
Ich steigere Fitness und Kondition,	statt dass ich im Stau stehe.
Ich steigere Fitness und Kondition,	statt im Stau zu stehen.

! Gibt es verschiedene Subjekte, verwendet man immer *(an)statt/ohne dass*:
Die Bürger demonstrieren für bessere Radwege, ohne dass die Politik etwas ändert.
Nur wenn das Subjekt in Haupt- und Nebensatz gleich ist, kann man auch *(an)statt/ohne ... zu* verwenden.

Konjunktionen *damit / um ... zu* (Absichten ausdrücken) L24
Drei Familien haben den Betrieb wieder aufgebaut, damit wir die Nachfrage nach Obst und Gemüse bedienen können. Wir hatten uns zusammengeschlossen, damit wir gemeinsam ein Dorf bauen. Wir hatten uns zusammengeschlossen, um gemeinsam ein Dorf zu bauen.
Das Subjekt in Haupt- und Nebensatz ist gleich: Man kann damit oder um ... zu verwenden.
Die Subjekte in Haupt- und Nebensatz sind verschieden: Man kann nur damit verwenden.

Konjunktion *als ob* + Konjunktiv II (irrealer Vergleich) L24
Wir tun so, als ob wir in Sachen Klimaschutz ewig Zeit für Veränderungen hätten.

Sätze

Relativsätze im Akkusativ und Dativ mit Präpositionen L03	
Akkusativ	Durch die Fenster blickt man ins Grüne. → Hier sind die Fenster, durch die man ins Grüne blickt. *auch so:* sich freuen auf, sich ärgern über, sprechen über, Lust haben auf, sich interessieren für, ...
Dativ	Ich saß an dem Ofen. → Das ist der Ofen, an dem ich saß. *auch so:* träumen von, sprechen mit, zufrieden sein mit, sitzen an, ...

Infinitiv mit zu L07
Habt ihr Lust, jeden Tag die Kaninchen zu füttern? ! nach|denken → Ich rate Ihnen, noch einmal nachzudenken.

Den Infinitiv mit *zu* verwendet man nach: L07
bestimmten Verben: Ich empfehle Ihnen, die Kaninchen frei laufen zu lassen. *auch so:* sich vorstellen, raten, anfangen, aufhören, vergessen, ...
Nomen + *haben*: Ich habe keine Zeit, das alles zu übernehmen. *auch so:* Lust/Angst/Interesse haben, ...
Konstruktionen mit *es*: Es ist nicht leicht, eine Entscheidung zu treffen. *auch so:* es ist toll/interessant/anstrengend / unsere Pflicht, ... / es macht Spaß, ...

GRAMMATIKÜBERSICHT

Adjektive

Adjektivdeklination: Komparativ (++) und Superlativ (+++) L09				
	Nominativ	**Akkusativ**	**Dativ**	
●	der kleinere/kleinste ein kleinerer	den kleineren/kleinsten einen kleineren	dem kleineren/kleinsten einem kleineren	Stuhl
●	das kleinere/kleinste ein kleineres	das kleinere/kleinste ein kleineres	dem kleineren/kleinsten einem kleineren	Haus
●	die kleinere/kleinste eine kleinere	die kleinere/kleinste eine kleinere	der kleineren/kleinsten einer kleineren	Hand
●	die kleineren/ kleinsten – kleinere/kleinste	die kleineren/kleinsten – kleinere/ kleinste	den kleineren/kleinsten – kleineren/ kleinsten	Stühle(n)

Partizip Präsens als Adjektiv: Infinitiv + d + Adjektivendung L14

faszinierende Einblicke = Einblicke, die faszinieren
auch so: eine herausfordernde Sportart, die entscheidenden Grundlagen, die passende Strategie, ein überzeugendes Verhalten, duftende Gewürze

Partizip Perfekt als Adjektiv: Partizip Perfekt + Adjektivendung L14

versteckte Talente = Talente, die versteckt sind
auch so: ausgewählte Musikstücke, selbst gemachte Sommerkleidung, ausgewählte Lieder

Adverbien

Adverbien: Gründe und Folgen ausdrücken L13	
Folge	**Grund**
Sie konnten das Missverständnis aufklären:	Die Mutter meinte nämlich nicht das Tier.

Wortbildung

Wortbildung L18

Adjektiv + -heit/-keit → Nomen
frei + *-heit* → die Freiheit
dankbar + *-keit* → die Dankbarkeit
auch so: Fröhlichkeit, Zufriedenheit

Adjektiv + -ismus → Nomen
tour-istisch + *-ismus* → der Tourismus
auch so: Aktivismus, Optimismus, Sozialismus

Nomen + -ler → Nomen
Sport + *-ler* → der Sportler
auch so: Wissenschaftler

Verben auf -ieren + -ant/-ent → Nomen
stud-ieren + *-ent* → der Student
demonstr-ieren + *-ant* → der Demonstrant
auch so: Abonnent, Konkurrent, Assistent, Praktikant

Partikeln

Modalpartikeln *denn, doch, eigentlich, ja* L19	
freundliche Fragen	Gibt es denn/eigentlich auch ein Heimatmuseum?
freundliche Bitten und Aufforderungen	Auch Sie könnten doch zum Beispiel eine Patenschaft übernehmen.
Bezug auf gemeinsames Wissen	Ich habe Ihnen ja vorhin vom Naturschutzverein erzählt.

LÖSUNGSSCHLÜSSEL TESTS

Lektion 1

1 b ordentlich **c** sparsam **d** ernst **e** kreativ **f** großzügig

2 b Glückliche **c** Erwachsene **d** Hübsche **e** Kranken

3 b Praktikanten **c** Student **d** Kollegen **e** Kunden **f** Franzose **g** Kollegen

4 a Das ist **b** Wer ihn noch **c** Er ist mein **d** Zwei Jahre lang **e** Das war echt **f** Niemand ist so **g** Besonders wichtig **h** Man kann sich

Lektion 2

1 b übernehmen **c** Leiter **d** Auszubildenden **e** duzen **f** Erzieherin **g** Lärm **h** Gehalt

2 b hielt **c** brachte **d** führte **e** zeigte **f** gefielen **g** bekam **h** fühlte

3 a Schon der erste **b** Das fand **c** Besonders gut **d** Ich darf **e** Gleich am Morgen **f** Anschließend **g** Insgesamt fühle **h** Etwas unangenehm

Lektion 3

1 b Ofen **c** Innenstadt **d** Makler **e** Vorort **f** Wohnfläche **g** Apartment **h** Dachterrasse **i** Wohnblock **j** Lift

2 b die **c** dem **d** denen **e** das **f** den **g** die **h** der **i** den

3 a meisten Wohnungen **b** keine Wohnung **c** rund **d** etwa die Hälfte **e** ein Viertel **f** hundert Prozent

Lektion 4

1 b Datum **c** Durchwahl **d** Ansage **e** Apparat **f** Werbung **g** Verlag

2 b obwohl ich viel gelernt habe **c** Obwohl er sehr dick ist **d** Trotzdem will sie nicht zum Arzt gehen **e** obwohl er einen Führerschein hat **f** Trotzdem macht ihm die Arbeit Spaß

3 a sind verbunden **b** kann ich Ihnen helfen **c** hier ist **d** gerade zu Tisch **e** etwas ausrichten **f** später noch einmal an **g** Durchwahl geben

Lektion 5

1 b System **c** Mitteilung **d** Tastatur **e** Monitor **f** Maus

2 b werdet … machen **c** werden … bleiben **d** werde … essen **e** werden … verkaufen **f** wird … haben **g** wirst … kommen **h** wird … anrufen

3 a Ich glaube, in **b** Ich vermute **c** Das halte ich **d** Dazu gibt es keine **e** Ich kann mir gut

Lektion 6

1 b Gastgeschenk **c** Platz **d** Zeichen **e** Verständnis **f** Unterhaltung **g** Nachtisch

2 b Falls das Vorstellungsgespräch erfolgreich ist, arbeite ich ab Mai bei der Firma Bär. **c** Nehmen Sie eine Tablette, falls die Erkältung stärker wird. **d** Falls wir nicht zu Ottos Fest kommen, wird er beleidigt sein. **e** Der Ausflug wird verschoben, falls es regnet. **f** Falls du Probleme mit der Grammatik hast, kann ich dir helfen.

3 a willkommen **b** geklappt **c** anbieten **d** Umstände **e** Problem **f** geschmeckt **g** freut **h** Hause

Lektion 7

1 b rechnen **c** Rat **d** anschaffen **e** Gesellschaft **f** fressen **g** ausgeben **h** rausgehen

2 a zu regnen **b** zu treffen; beraten **c** haben; zu übernehmen **d** sauber zu machen

3 a umschauen **b** brauche … Rat **c** zunächst muss … sagen **d** Sie müssen … berücksichtigen **e** Außerdem sollten … bedenken **f** man … wirklich … beachten **g** kommt … nicht infrage

Lektion 8

1 b Schriftstellerin **c** Langeweile **d** Krankenpflegerin **e** Freiheit **f** Fähigkeiten

2 b während **c** da **d** Während **e** bevor **f** Da

3 a Das Ergebnis hat **b** Das hätte ich **c** Das entspricht doch **d** Das passt **e** Zu meinen Stärken **f** Für technische Berufe

Lektion 9

1 b Nahrungsmittel **c** Luft **d** Abwehrkräfte **e** Krankenkassen **f** Entspannungsübungen **g** Situation

2 b besseres **c** gesündeste **d** älteren **e** kleineren **f** längere **g** modernsten

3 a Ich möchte **b** Zunächst werde **c** Danach zeige **d** Abschließend können **e** Und nun komme **f** Wir haben die Erfahrung **g** Ich danke Ihnen

Lektion 10

1 a Batterie **b** Portemonnaie **c** Stau, Benzin **d** Rede, Zeug **e** Strecke

2 b Hätte ich doch bloß Geld mitgenommen **c** Hätten wir doch bloß vor der Fahrt getankt **d** Hätte sich mein Schwiegervater doch bloß an den Text erinnert **e** Wäre ich doch bloß langsam gefahren

3 a wirklich dumm gelaufen **b** mich so geärgert **c** zornig auf mich **d** nichts mehr machen **e** bloß besser aufgepasst **f** alles nicht passiert

Lektion 11

1 b anlächelt **c** aufwache **d** verbieten **e** campen **f** auspacken **g** genießen **h** mitteilt

2 b Er buchte eine Reise nach London, nachdem er zwei Jahre Englisch gelernt hatte. **c** Nachdem sie stundenlang in der Kneipe auf ihren Freund gewartet hatte, ist sie nach Hause gegangen. **d** Er hat sich ein teures Motorrad gekauft, nachdem er im Lotto gewonnen hatte. **e** Nachdem wir das Deutsch-Zertifikat bestanden hatten, waren wir sehr stolz. **f** Nachdem er zwei Jahre lang trainiert hatte, gewann er den Marathon.

3 a finde ... berührend; ist mir auch schon passiert **b** hätte ... mich auch sehr gefreut **c** kann ... gut nachempfinden **d** berührt mich sehr

Lektion 12

1 a Wahl; Verbesserungen **b** Gewerkschaft; Broschüre **c** Betriebsversammlung; Bufett

2 b neuen Spiels **c** dieses ärgerlichen Problems **d** der heutigen Betriebsversammlung **e** unserer Firma **f** des Betriebsrats **g** der geplanten **h** unserer Gewerkschaft

3 a geehrter **b** Dank für **c** mich ... gefreut **d** Antwort würde **e** Voraus; Mühe **f** Mit ... Grüßen

Lektion 13

1 b durcheinander **c** peinlich **d** Dialekt **e** Missverständnissen **f** deutliche **g** Durchsagen

2 b wegen **c** nämlich **d** nämlich **e** Wegen **f** Daher

3 a Folgendes habe ich **b** Dann haben alle laut **c** Das war so **d** Da habe ich gemerkt **e** In meiner Sprache **f** Wir haben noch

LÖSUNGSSCHLÜSSEL TESTS

Lektion 14

1 **b** Voraussetzung **c** Schere **d** Bewegung **e** Atem **f** Teilnehmern **g** Bildung **h** Senioren **i** Software

2 **b** fehlenden **c** passenden **d** umfassende **e** genähte **f** gebratene **g** ausgewählten **h** kommenden

3 **a** möchten **b** interessieren sich **c** Kurse … alle **d** Sie lernen **e** Außerdem … Möglichkeit **f** Vorkenntnissen

Lektion 15

1 **b** Industrie **c** Pressemeldungen **d** Recherche **e** Schrift **f** Kommunikationsmitteln

2 **b** Wir sind sowohl Wissenschaftler als auch Künstler. **c** Zum Glück verbringe ich meine Zeit nicht nur am Schreibtisch, sondern bin auch oft in der Werkstatt. **d** Sowohl mein Chef als auch meine Kollegen sind sehr nett. **e** Ich habe nicht nur spannende Aufgaben, sondern verdiene auch gut.

3 **a** großem Interesse **b** meine Ausbildung … abgeschlossen **c** erste Erfahrungen gesammelt **d** gehörte zu meinen Aufgaben **e** beherrsche **f** Spaß gemacht **g** mir gut vorstellen **h** Einladung … persönlichen Gespräch

Lektion 16

1 **a** Ehe **b** Ratschläge **d** Erziehung **e** Lüge **f** Tränen **g** Generation

2 **b** wecken **c** besuchen **d** zu kochen **e** putzen **f** zu halten **g** machen

3 **a** größten Wert **b** bei mir auch so **c** kaum erwarten **d** ehrlich gesagt **e** nicht infrage

Lektion 17

1 **b** Geburtsort **c** Hügel **d** anerkennen **e** Medien **f** zerstören **g** Überschrift

2 **a** wird es **b** geht es, wird sie **c** wird, es ist **d** ich es, es lohnt

3 **a** kommt … zur Welt **b** Nach … Tod **c** Während … Zeit **d** stirbt … Jahren

Lektion 18

1 **b** Vertreter **c** Parlament **d** Mehrheit **e** Regierung **f** Opposition **g** Bundeskanzler

2 **b** weder … noch **c** entweder … oder **d** zwar … aber **e** weder … noch

3 **a** ist doch Unsinn **b** auf keinen Fall **c** sehe ich auch so **d** Meinung nach **e** halte ich nicht viel **f** unbedingt

Lektion 19

1 **a** Jahrhunderten **c** Vieh **d** erholen **e** treiben **f** Wolle **g** Hauptsaison **h** Übernachtung **i** zelten

2 **b** Je kälter es wird, desto/umso dicker ist das Fell der Schafe. **c** Je mehr ich über die Heidelandschaft weiß, desto/umso wichtiger ist es mir, sie zu erhalten.

3 **b** doch **c** eigentlich **d** doch

4 **a** hätte… noch eine Frage **b** Wissen … eigentlich **c** Ich würde gern wissen … **d** Darf … etwas fragen

Lektion 20

1 **b** Proviant **c** Aussicht **d** Tal **e** zieht **f** Bergstiefel **g** reichen

2 **b** … sodass Sie bei Kälte geschützt sind **c** Indem Sie immer ein Handy mitnehmen … **d** … sodass Sie bei einer Verletzung helfen können **e** … indem Sie auf den markierten Wegen bleiben

3 **a** aber nicht fair **b** mich undenkbar **c** man das sieht **d** man schon verlangen **e** unheimlich wichtig **f** größten Wert

Lektion 21

1 **b** Garderobe **c** Notausgängen **d** Misserfolgen **e** Lampenfieber **f** Stimmung

2 **b** muss … gebucht werden **c** muss geschrieben werden **d** müssen … eingeladen werden **e** muss überprüft werden

3 **a** dem vorigen Jahrhundert **b** Vergleich zu **c** großen kulturellen Angebot **d** immer etwas los **e** noch keine Sekunde **f** von der Gastfreundschaft **g** eine Reise wert

Lektion 22

1 **b** Mauer **c** Flucht **d** Soldaten **e** Macht **f** Bau **g** Denkmal

2 **b** 1949 sind die BRD und die DDR gegründet worden. **c** Die Mauer wurde 1961 in Berlin gebaut. **d** An den Grenzen wurden die Menschen von Soldaten kontrolliert. **e** Nach 28 Jahren ist die Mauer wieder geöffnet worden.

3 **a** Menschen interessiert **b** gern dabei gewesen **c** hätte ich erlebt **d** mir gut vorstellen **e** beeindruckend gewesen

Lektion 23

1 **b** Bremsen **c** Klingel **d** Stationen **e** Reifendruck **f** Ersatzteile **g** Kreuzungen **h** Vorfahrt

2 **b** … statt eine Plastiktasche zu kaufen. / statt dass Sie eine Plastiktasche kaufen. **c** … ohne dass Sie einen Trockner benutzen. **d** … statt sie in den Müll zu werfen. / statt dass Sie sie in den Müll werfen. **e** … statt dass Sie ein neues Gerät kaufen. **f** … ohne auf Lebensqualität zu verzichten. / ohne dass Sie auf Lebensqualität verzichten.

3 **a** kann … zustimmen **b** anderer Meinung **c** Meinetwegen … jeder … machen **d** Ärgerst … denn … darüber **e** hast … recht

Lektion 24

1 **b** Altenheim **c** Wirklichkeit **d** Planung **e** Zweifel **f** Nachfrage

2 **b** … damit sie sich gesund ernähren. / um sich gesund zu ernähren. **c** … damit sie die Umwelt schützen. / um die Umwelt zu schützen. **d** … damit die Menschen sich gegenseitig unterstützen können.

3 **b** … Roboter die Arbeit von Krankenpflegern übernehmen könnten. **c** … nur noch ein paar technische Verbesserungen nötig wären.

4 **a** diese Zahl realistisch **b** Sache ganz einfach **c** Überzeugung nach **d** können nicht so **e** besteht kein Zweifel

QUELLENVERZEICHNIS

Cover: © Getty Images/Andreas Pollok
Seite 15: © iStockphoto/skynesher
Seite 16: © PantherMedia/Kati Neudert
Seite 20: © Thinkstock/Design Pics
Seite 23: Familie 1960 © Glowimages/SuperStock; Familie heute © Thinkstock/iStockphoto
Seite 24: Mann © PantherMedia; Diagramme © Hueber Verlag
Seite 25: Stadt © PantherMedia; Diagramme © Hueber Verlag
Seite 33: Hintergrund © Thinkstock/Digital Vision
Seite 35: © Thinkstock/Monkey Business
Seite 38: © PantherMedia/Tomas Anderson
Seite 42: © Eastblockworld.com
Seite 43: Ü 6 von oben: © Thinkstock/iStockphoto; © iStockphoto/absolut_100; © iStockphoto/Stalman
Seite 47: Roboter, Smartphone, Tablet-PC © Thinkstock/iStockphoto; PC © iStockphoto/nico_blue; Laptop © fotolia/Fatman73; Handy © iStockphoto/milosluz; Festplatte, Tastatur © Thinkstock/Photodisc; Laufwerk © Thinkstock/Hemera; Monitor © iStockphoto/Viktorus; Maus © Thinkstock/Brand X Pictures
Seite 59: Hintergrund © Thinkstock/iStock
Seite 60: Hund © Thinkstock/iStock
Seite 63: © Thinkstock/iStock
Seite 66: Murmeln © Thinkstock/iStockphoto
Seite 69: © fotolia/olly
Seite 73: © Thinkstock/iStock
Seite 75: © Thinkstock/iStockphoto
Seite 81: Fisch © Thinkstock/iStock; Frosch © Thinkstock/Hemera
Seite 85: Hintergrund © PantherMedia /Toni Anett Kuchinke
Seite 86: © iStockphoto/Vetta Collection/sturti
Seite 94: Einstieg © fotolia/Siberia; Tasche © fotolia/PhotoMan
Seite 100: © Werner Dieterich
Seite 107: © Thinkstock/iStock
Seite 111: Hintergrund © Thinkstock/Getty Images/Jupiterimages
Seite 112: © Thinkstock/moodboard
Seite 115: © PantherMedia/Claus Lenski
Seite 117: Hahn 2 x © Thinkstock/iStock; Schloss: Gebäude © Thinkstock/Goodshoot; Metall © Thinkstock/Creatas; Bank: Kreditinstitut © iStock/Alina Solovyova-Vincent; aus Holz ©Thinkstock/iStock; Schlange: Tier © PantherMedia/Guido Glowacki; Menschen © Thinkstock/iStock; Nagel: Finger © fotolia/Tootles; Metall © Thinkstock/Zoonar; Birne: Obst © Thinkstock/iStock; Licht © Thinkstock/Hemera; Leiter © Thinkstock/Photodisc; Kursleiter © Thinkstock/Stockbyte; Schalter: Behörde © Thinkstock/Photodisc; Licht © fotolia/Denis Junker
Seite 120: © Thinkstock/iStock/VLADGRIN
Seite 137: Hintergrund © Thinkstock/iStock/Leonid Tit
Seite 138: Ü 3 © Thinkstock/Wavebreak Media
Seite 139: Ü 4 © Thinkstock/Fuse; Ü 5 © PantherMedia/kuco
Seite 140: A © Thinkstock/Goodshoot/Getty Images; B © Thinkstock/Creatas/Getty Images
Seite 144: © Glowimages/SuperStock
Seite 146: © Michael Hauri/imagetrust
Seite 149: Galerie © iStock/Silvia Jansen; Ausstellung © Glowimages/KFS; Maler © fotolia/mangostock; Stillleben © Thinkstock/iStock; Landschaft © fotolia/PANORAMO; Hügel, Mauer © Thinkstock/iStock; Kunstakademie © iStock/Christopher Futcher; Farbe © fotolia/djama; Form © Thinkstock/Dorling Kindersley RF; Zeichnung, Skizze, Pinsel © Thinkstock/iStock; Bleistift © Thinkstock/Image Source
Seite 150: Banner © dpa Picture-Alliance/Tim Brakemeier
Seite 152: b © Thinkstock/iStock/Elenarts; d © fotolia/buyman
Seite 157: Kernenergie © iStockphoto/Tjanze; Windenergie, Datenschutz, Bildung, Forschung, Frieden, Gesundheit, Steuern, Sicherheit © Thinkstock/iStock; Umweltschutz © Thinkstock/Hemera; Tierschutz © fotolia/Tanja Bagusat; Arbeitslosigkeit © Thinkstock/Zoonar; Kinderbetreuung © PantherMedia/Tatyana Okhitina; Wirtschaft © PantherMedia/Jörg Röse-Oberreich
Seite 158: © Thinkstock/iStock/omgimages
Seite 163: Hintergrund © Thinkstock/iStock/KatarzynaBialasiewicz